GUERRA À SAÚDE

GUERRA

ugo braga

A SAÚDE

Como o Palácio do Planalto transformou o Ministério da Saúde em inimigo público no meio da maior pandemia do século XXI

LeYa

Copyright © Ugo Braga, 2020
© 2020 Casa dos Mundos/LeYa Brasil

Todos os direitos reservados e protegidos pela Lei 9.610, de 19.02.1998.
É proibida a reprodução total ou parcial sem a expressa anuência da editora.

Editora executiva
Izabel Aleixo

Diagramação
Filigrana

Produção editorial
Carolina Vaz

Capa
Thiago Lacaz

Revisão
Clara Diament
Cristiane Pacanowski

Índice
Jaciara Lima

Dados Internacionais de Catalogação na Publicação (CIP)
Angélica Ilacqua CRB-8/7057

B796g

Braga, Ugo
   Guerra à saúde: como o Palácio do Planalto transformou o Ministério da Saúde
em inimigo público no meio da maior pandemia do século XXI / Ugo Braga.
– São Paulo: LeYa Brasil, 2020.
   336 p.

ISBN 978-65-5643-044-7

1. Política e governo - Brasil - 2020 2. Brasil. Ministério da Saúde - 2020 3. Políticas públicas -
Brasil 4. Braga, Ugo - Memórias 5. Epidemia - Aspectos políticos I. Título

20-3567

CDD 320.981

CDU 320(81)

LeYa Brasil é um selo editorial da empresa Casa dos Mundos.

Todos os direitos reservados à
CASA DOS MUNDOS PRODUÇÃO EDITORIAL E GAMES LTDA.
Rua Avanhandava, 133 │ Cj 21 – Bela Vista
01306-001 – São Paulo – SP
www.leya.com.br

Em memória de todos os seres humanos que morreram em decorrência da Covid-19, especialmente aqueles que pereceram pela inépcia de seus governantes.

Este livro é dedicado a Neno e Binha.

Sumário

Prefácio 9

Capítulo 1 – 28 de março de 2020 13

Capítulo 2 – Janeiro de 2019 21

Capítulo 3 – 28 de março de 2020 35

Capítulo 4 – Fevereiro de 2019 47

Capítulo 5 – 30 de março de 2020 56

Capítulo 6 – Maio de 2019 69

Capítulo 7 – 31 de março de 2020 75

Capítulo 8 – Maio de 2019 85

Capítulo 9 – 1º de abril de 2020 92

Capítulo 10 – Setembro de 2019 103

Capítulo 11 – 2 de abril de 2020 111

Capítulo 12 – Setembro de 2019 123

Capítulo 13 – 3 de abril de 2020 131

Capítulo 14 – Novembro de 2019 141

Capítulo 15 – 4 de abril de 2020 152

Capítulo 16 – Janeiro de 2020 161

Capítulo 17 – 6 de abril de 2020 172

Capítulo 18 – Janeiro de 2020 190

Capítulo 19 – 7 de abril de 2020 206

Capítulo 20 – Fevereiro de 2020 215
Capítulo 21 – 7 de abril de 2020 241
Capítulo 22 – Março de 2020 259
Capítulo 23 – 11 de abril de 2020 278
Capítulo 24 – Março de 2020 293
Capítulo 25 – 15 de abril de 2020 304

Posfácio 327
Agradecimentos 330
Sobre o autor 331
Índice onomástico 332

Prefácio

A PANDEMIA DO NOVO CORONAVÍRUS marcará a geração que a viveu da mesma forma que a gripe espanhola marcou os habitantes do planeta entre 1918 e 1921.

No momento em que escrevi estas palavras, o mundo contava 17.965.127 infectados e 687.067 mortos em todos os países constituídos.

Em termos relativos, com uma população de mais de 6 bilhões de pessoas, os números da Covid-19 são tímidos se comparados aos da gripe espanhola – cujas vítimas fatais passam dos 50 milhões de pessoas, numa população mundial cinco vezes menor que a atual.

Em compensação, diferentemente da gripe, a doença de 2019 se projeta num planeta que já sabe como manipular genes, elaborar substâncias a partir da química e da biologia, produzir vacinas e medicamentos, representar imagens tridimensionais dos doentes e de seus órgãos, entender a natureza das coisas e do meio ambiente.

Segura sob o que considera ser um potente alicerce tecnológico, a humanidade havia forjado uma forma de vida social cotidiana que foi severamente abalada pelo vírus.

De uma hora para outra, as pessoas se viram forçadas a ficar em casa, a conviver com seus familiares nas horas que antes eram dedicadas a outras pessoas e a outros afazeres.

Antes o beijo, o abraço eram sinais de afeto, e agora sua negação é que passou a sê-lo. Mães e pais tornaram-se mais uma vez professores de seus filhos, como nos tempos antigos. Forjou-se novamente um elo de intimidade ancestral que vinha se perdendo na modernidade. Por outro lado, não estávamos preparados para essa convivência em tempo integral. Maridos agrediram esposas, o número de divórcios aumentou em vários países. Crianças e jovens também sofreram com a maior presença dos pais em suas rotinas.

A nova doença assombra mais severamente aqueles que têm mais idade, que são nossos pais e avós. Assim como os doentes crônicos, os diabéticos, hipertensos, asmáticos, obesos.

Pensar em perdê-los e em nos perdermos nos encoraja a aceitar o distanciamento. Mais, nos encoraja a sermos ativos defensores dele. Longe, nos aproximamos. Eis o paradoxo.

Ao começar a fase de escrita deste livro, lembrei-me de uma entrevista do escritor pernambucano Raimundo Carreiro, por quem nutro grande admiração. Certa vez, ele disse que, quando começava a escrever um livro, tinha imensa curiosidade de descobrir como ele acabaria. A teoria é a de que uma história não pertence integralmente ao autor. Este, de certa forma, pertence a ela, pois serve de veículo para que a história se desfie com indecifrável autonomia orgânica.

No caso deste livro, a história resolveu contar-se de forma absolutamente singular. Eu mesmo demorei a entendê-la. Mas, ao fim, fez total sentido.

O livro define um marco zero: o dia 28 de março de 2020.

A partir desse marco, a história começa a se desenrolar dia após dia, mas só nos capítulos ímpares. É o que podemos apelidar de "Novo Testamento".

Exceto no *Gênesis*, o marco zero não é – nunca é – o começo absoluto da história. Há sempre uma série de fatos e eventos que o antecedem, que moldam a realidade até que ela desemboque nas condições ideais em que ele se dá.

Os capítulos pares tratam desses acontecimentos anteriores, a partir do início do governo de Jair Bolsonaro, o 38º presidente do Brasil, eleito em novembro de 2018. Eles servem para explicar como se chegou até ali, ao marco zero. É o que podemos apelidar de "Antigo Testamento".

Não a julgue antes de experimentá-la. A história tomou esse caminho e, hoje, posso dizer que foi sábia em fazê-lo.

O que se lerá a seguir é o relato fiel e detalhado de como o Ministério da Saúde brasileiro, coordenador nacional do SUS, o Sistema Único de Saúde, foi atacado por um movimento político novo, populista e de viés conservador durante a maior e mais grave crise de saúde pública do século XXI.

CAPÍTULO 1
28 MAR. 2020
MINISTÉRIO DA SAÚDE

MINHA MISSÃO, NAQUELE ÚLTIMO SÁBADO de março, era razoavelmente simples. Acordar, tomar um banho rápido e ir para a sala de reuniões do gabinete do ministro, no quinto andar do prédio-sede do Ministério da Saúde, o primeiro bloco da via sul da Esplanada dos Ministérios, vizinho ao Palácio dos Arcos, ou Itamaraty, sede do Ministério das Relações Exteriores.

Lá, encontraria os demais membros do primeiro escalão – os sete secretários nacionais e todos os demais dirigentes. Ao todo, éramos quinze pessoas. Juntos, esperaríamos Luiz Henrique Mandetta voltar do Palácio da Alvorada. Estaria demitido do cargo de ministro de Estado da Saúde. De pronto, daria uma entrevista coletiva no auditório Emílio Ribas, que fica no térreo, para anunciar a demissão e fazer uma espécie de inventário do que sua gestão fez para combater a pandemia do novo coronavírus no Brasil.

A mim cabia preparar o auditório e convocar a imprensa. Uma coisa antes da outra. Não queríamos fazer nada precipitado, pois o que Mandetta falaria ao presidente da República na manhã daquele sábado só poderia ter um resultado lógico: sua demissão. Então, a entrevista teria que ser convocada entre a saída dele do Palácio e a chegada à Esplanada. Esse trajeto leva não mais do que quinze minutos de carro. Tempo suficiente para os repórteres chegarem, num sábado de pouco movimento como aquele.

O mundo contava 571.676 pessoas infectadas pelo novo coronavírus. No Brasil, apenas exatas 3.903 contra as 92.472 confirmadas na Itália, que era a primeira grande democracia ocidental fortemente atingida e local de "baldeação" do vírus a caminho do nosso país.

A reunião entre ministro e presidente estava marcada para as nove horas. Calculamos que terminaria perto das onze. Gabriela Rocha, a Gabi, chefe da Assessoria Parlamentar e assessora de Mandetta desde os tempos de deputado federal, acompanhou-o ao Alvorada. Ela me telefonaria assim que acabasse a reunião e seria deflagrada a coletiva de imprensa daquele sábado. Nenhum de nós duvidava: o país pararia para ouvi-lo.

Todos sabíamos desde a véspera o roteiro da fala do ministro com o chefe dele. Mandetta exigiria de Bolsonaro uma declaração pública de que, dali por diante, só quem falaria sobre o combate à pandemia era o ministro da Saúde. E mais, que as estratégias de enfrentamento local deveriam ficar a cargo dos governadores e prefeitos. E que todas as ações anunciadas até aquele momento estavam rigorosamente certas, inclusive no estado de São Paulo, o que era quase um acinte, já que o governador João Doria de pronto se colocava como presidenciável em 2022.

Mandetta diria ainda que, mesmo diante desse *mea culpa* à nação, ele, ministro, viria a público corrigir as falas de Bolsonaro sempre que elas atentassem contra a ciência, contra o bom senso e contra as orientações das autoridades de saúde pública. Assim como condenaria publicamente ações do presidente da República contrárias às políticas de isolamento social.

Não pediria demissão. Mas, diante de tal posicionamento de um subalterno, ao presidente da República não restaria alternativa senão mandá-lo embora.

Todos nós nos encontramos perto das 9h30, na sala de reuniões. Estávamos muito acostumados àquele lugar. Havia semanas que começávamos o dia de trabalho naquela sala, sempre às oito em ponto, não importava se sábado, domingo ou feriado, repassando os dados de vigilância, traçando os planos da logística, revendo as informações da assistência, testando vários modelos matemáticos sobre a evolução da pandemia no Brasil.

João Gabbardo, ou dr. Gabbardo, como o chamávamos, assumia a coordenação da grande mesa na ausência do ministro. Era o secretário-executivo, o segundo cargo mais importante na estrutura do ministério. Mas, naquele dia, não havia pauta de reuniões. O dr. Gabbardo se sentara à direita da cabeceira, como sempre. Por vezes se levantava e caminhava nervosamente de lá pra cá.

Em frente a ele, à esquerda da cabeceira, uma sorridente dra. Cristina, amiga de muitos anos da família Mandetta e fiel escudeira do ministro no cargo de assessora especial, contava platitudes. Havia entre nós um misto de alívio e tensão. Wanderson Kleber de Oliveira, secretário de Vigilância em Saúde, chegou atrasado. Estava com o semblante exausto. Há dias só conseguia dormir à base de calmantes.

As conversas paralelas eram entrecortadas por risos, suspiros, uma ou outra gargalhada. Lembro que, mais de uma vez, as conversas cessavam para que o brado "Hoje acaba o nosso sofrimento!" ecoasse. "Se Deus quiser!", a resposta veio em coro não ensaiado.

O mês de março ainda é tempo de as últimas águas do verão acariciarem o cerrado brasileiro, seco e poeirento sem as chuvas. As nuvens cobriam todo o céu e deixavam a temperatura perto dos 20°C. A manhã nascera mais escura que o normal. Mas não chovia. Só chuviscava.

À mesa, só um membro do primeiro escalão permanecia em silêncio. Era Robson Santos da Silva, então secretário especial de Saúde Indígena. Coronel aposentado do Exército, estava sem trabalho quando encontrou Mandetta numa caminhada pelo Parque da Cidade no início do governo, mais de um ano antes, portanto. Conheciam-se desde que Robson comandara, como capitão, o então tenente-médico Mandetta no Hospital Militar de Área, em Campo Grande, Mato Grosso do Sul, nos anos 1980.

O papo no parque rendeu a Robson cargos no Ministério da Saúde, mas ele nunca deixou de ser o que a política brasileira costuma chamar de "bolsomínion", isto é, um apoiador acrítico do presidente da República – mesmo sendo o presidente da República naquele momento, naquele local, uma espécie de adversário.

Já convocados e a postos estavam os técnicos que tomam conta da sonorização, da filmagem e da transmissão dos eventos no auditório Emílio Ribas. Não sabiam exatamente por que tinham sido chamados. Não era comum fazermos coletivas de imprensa aos sábados de manhã. Mas também não perguntaram o motivo.

Renato Strauss, o chefe da assessoria de imprensa, também fora convocado. Estava apreensivo.

– Velho, já acordou? – perguntei a ele, por telefone, ainda no carro, a caminho do ministério.

– Já sim, faz tempo...

– Beleza. Então troca de roupa e vai pro ministério. O ministro vai dar uma coletiva hoje, lá pelas onze e pouco.

– Ah, é? Coletiva de quê?

– Tá indo agora pro Alvorada. Reunião com Bolsonaro. Vai ser demitido. A coletiva é pra anunciar a demissão.

– Sério? Puta merda...

Talvez a surpresa tenha posto expoentes no sotaque paulista, de forma que o "merda" saiu com o érre exagerado.

– Mas vê, a gente tem que organizar direito. Porque não dá pra fazer um aviso de pauta dizendo que o ministro vai explicar a demissão.

Strauss me interrompeu.

– Tem certeza, cara? Ele vai ser demitido mesmo?

– Governo Bolsonaro, né? A gente nunca tem certeza. De qualquer forma, ele pediu pra deixar tudo pronto. Então, primeiro tem que preparar o auditório. Depois vai mobilizando a imprensa pelo telefone, fala com um a um, sem aviso de pauta, diz que pode ser que tenha coletiva agora de manhã.

– Porra, cara, mas se perguntarem do que é, eu digo o quê?

– Ah, sei lá, caralho, joga um papo, diz que talvez façamos a atualização do boletim mais cedo... Mas espera o meu sinal. Só chama os repórteres quando eu avisar.

O misto de alívio e tensão, havia tempos, já tinha se transformado em algo menos sutil. Já passava um pouco das onze. Dedos tamborilavam sobre a mesa. Abaixo dela, pés inquietos se remexiam em espasmos nervosos. Até que tocou o celular da dra. Cristina. Fez-se o silêncio. Todos olhamos para ela. A ligação não durou trinta segundos.

– O Henrique tá vindo pra cá – anunciou, ao desligar.

Ela era a única em toda a equipe que o chamava pelo primeiro nome.

– Mas e aí, demitido? – sapecou alguém.

– Não – respondeu ela.

– Puta que pariu! – suspirou um.

– Não é possível... – lamentou outro.

Robson Santos permanecia em silêncio. Mexia no celular o tempo inteiro, de cabeça baixa.

Iniciou-se um pequeno debate. Será que Mandetta não seguira o roteiro exaustivamente debatido na noite da véspera? Só isso explicava a volta dele do Alvorada ainda como ministro de Estado.

A sala de reuniões é contígua ao próprio gabinete do ministro. Há duas formas de se entrar nela. A porta lateral, acessada pela recepção do gabinete, onde ficam as secretárias. E a porta leste, pela qual se entra na sala de despachos de Mandetta – um vão amplo com largas janelas de vidro, de onde se vê, olhando-se para baixo, o Itamaraty, e olhando-se para cima, o majestoso prédio do Congresso Nacional. "É a vista mais bonita da Esplanada", costumam dizer os visitantes.

Foi por ali, pela porta leste, vindo do elevador privativo e atravessando os quase trinta metros do gabinete onde dava expediente, que Mandetta entrou na sala de reuniões, poucos minutos depois de a dra. Cristina anunciar o fim da reunião com Bolsonaro. Estava sorrindo. Gabi entrou logo atrás, séria.

– Rapaz, cês acreditam que ele não me demitiu... – anunciou o ministro, sorriso aberto, palmas das mãos para cima, ombros suspensos, sobrancelhas arqueadas. Vestia calça jeans, camisa branca e o indefectível colete azul-escuro do SUS, que adotara como uniforme de trabalho dias antes.

Todos os presentes lançaram algum tipo de pergunta: "Como assim?", "O que aconteceu?", "O senhor não falou aqueles *trem* lá?", "O presidente amarelou?", "O senhor amarelou?".

– Não, espera aí, deixa eu contar... – pediu, enquanto puxava a cadeira da cabeceira da mesa. Abriu espaço, mas não se sentou. Estava de pé e de pé começou a falar.

Mandetta tem uma espécie de magnetismo na prosa. Ele é capaz de, ao explanar, tornar simples conceitos muito complexos. Acentua o sotaque pantaneiro vez ou outra, alongando o som do érre. Usa palavras cotidianas, recorre a exemplos que até crianças são capazes de concatenar e entender. Discorre com humor, sorri e brinca, imitando um falar mais popular.

– Eu cheguei lá, tavam aqueles *ministro* tudo. Os *milico*, Braga, Ramos, Fernando, e o cara da Anvisa, tava também o Jorge, o Rogério Marinho, o Moro, o Tarcísio. Tudo lá, numa sala. Eu chamei a Gabriela, botei ela na entrada da sala pra ela ouvir tudo. Eu preciso ter testemunha, né?

Nessa hora, todos à mesa olharam para Gabi, sentada ao centro, ao lado de Wanderson. Ela assentiu, confirmando que ouvira a conversa. Mandetta seguiu.

– Cheguei, o presidente não tava, a gente ficou ali batendo papo. Dali a um tempo, ele chegou.

Por WhatsApp, Renato Strauss me pedia orientação. E eu, entre surpreso, tenso e curioso, simplesmente esqueci que havia um circo armado para anunciar a demissão.

Quer me matar de suspense..., suplicava ele, às 11h42.

Não rolou demissão. Chance de coletiva neste momento tá suspensa.

Vamos fazer no fim da tarde?

Ainda não dá pra marcar. Vai ser decidido daqui a pouco. Te aviso.

Não é melhor deixar pra amanhã? 15h?, insistiu ele.

Já saberemos.

E exata uma hora depois, avisei: *Coletiva hoje 16h.*

O relato de Mandetta sobre a reunião daquele sábado reiterou fielmente cada vírgula do discurso ensaiado na véspera.

– Eu disse ao presidente que ele precisa ir a público afirmar taxativamente que quem comanda a resposta à pandemia é o ministro da Saúde. Disse a ele que tá errado esse negócio de ir pra frente do Palácio ficar balançando caixinha de remédio, que essa cloroquina ninguém sabe se funciona mesmo contra o corona, mas causa arritmia e que se começar a usar errado vai acabar matando gente, que o SUS anda com três pés, não adianta a União querer andar sozinha se os estados e municípios decidirem ir por outro caminho.

Enquanto falava, todos olhavam para ele e concordavam com a cabeça.

– Sendo assim, eu disse que ele precisa reafirmar a autoridade dos governadores e prefeitos, inclusive do Dória... Nessa hora, ele disse "Aí não, pô, aquele Dória quer me foder, aquilo é um filho da puta!" e saiu da sala xingando. Só voltou uns dez minutos depois. Aí eu continuei. Disse a ele que esse negócio de mandar o povo ir pra rua vai acabar acelerando a doença. Perguntei se ele aguentava todo dia passando na tevê caminhão do Exército transportando cadáver morto de corona, como tava lá na Itália. Ele respondeu que aguentava, sim. Aí eu disse: não, o senhor não aguenta, não. Eu insisti que ele deveria ir a público falar tudo isso. Se não, eu ia começar a desmenti-lo. Toda vez que o senhor falar alguma coisa, eu chamo a imprensa e digo o contrário. Daí ele disse: "Aí eu vou ter que te demitir, pô!". Eu concordei: "Perfeitamente. Bote o Barra lá!". Nessa hora, o Barra disse assim, balançando as mãos – Mandetta imitou o gesto, como que dando tchau simultaneamente com a esquerda e com a direita –: "Eu mesmo não, só quem consegue tocar aquilo lá é o Mandetta".

Barra é o almirante Antônio Barra Torres, nomeado meses antes por Bolsonaro presidente da Agência Nacional de Vigilância Sanitária, a Anvisa. Ele sempre ocupou um papel secundário no combate à pandemia. Mas por ser militar e ter acompanhado Bolsonaro numa manifestação dias antes em frente ao Palácio do Planalto, começou a aparecer aqui e ali nas colunas de jornais como virtual candidato a suceder Mandetta à frente da Saúde.

Como todos nós, o dr. Gabbardo ansiava pelo desfecho.

– Mas e aí, ministro, o que ficou decidido?

Por fim sentando-se à cabeceira da mesa, Mandetta continuou:

– Ah, rapaz, eles me pediram lá, o Braga e o Ramos, então pra apresentar um plano. Que o presidente ia até atender o meu pedido, desde que, ao mesmo tempo, pudesse defender esse plano. Eu respondi: "Perfeitamente, eu trago o plano, o plano tá pronto, mas só depois que o presidente reafirmar publicamente a autoridade do ministro da Saúde e dos governadores e prefeitos no combate à pandemia. Ele fazendo isso, eu trago o plano e mostro a vocês".

O tal plano que se pedia era um compilado de orientações do Ministério da Saúde para encorajar o relaxamento dos decretos de isolamento social, baixados pelos governadores havia um mês. Impedir as pessoas de circular pelas cidades era, como ainda é, a principal forma de combater a pandemia, na medida em que a transmissão do vírus se dá em menor velocidade e o número de doentes permanece compatível com a capacidade de o sistema de saúde trata-los.

Mas, se por um lado, não saindo de casa, as pessoas não infectam outras, por outro, também não compram produtos. Não enchem o tanque de gasolina. Não vão ao shopping. Não constroem, nem reformam imóveis. Embora eu tenha certeza de que a briga com o ministro da Saúde tinha outra gênese, Bolsonaro estava obcecado com a ideia de que a paralisia econômica causada pela "quarentena" quebraria empresas, causaria desemprego e acabaria com seu governo. Por isso, tentava de todas as formas sabotar as políticas de isolamento social. Era essa a soma que os generais faziam ao cobrar o plano de saída a Mandetta, como contrapartida à reafirmação da autoridade de saúde. Noves fora, zero, todos teriam o que queriam.

– Aí ficou assim, eles deram tapinha no meu ombro, Bolsonaro falou no final "Que é isso, Mandettão, você é meu guerreiro", batendo nas minhas costas e eu vim m'embora.

– Só isso? – insistiu o dr. Gabbardo.

– Só isso – sorriu Mandetta. E ordenou, antes de se levantar e sair da sala: – Ugo, coletiva hoje à tarde.

Todos entendemos que o chuvisco era somente o precursor de tempestade.

Estaria aberta, logo mais, a guerra pública entre o médico e o presidente.

Capítulo 2
Janeiro de 2019

O sol do Recife foi meu amigo de infância. Eu o amava. Mantinha com ele um afeto nutricional. Servia-me do calor quase que como de um prato de comida. Ele me dava energia, me punha para cima. Já adulto, passei a sofrer em suas mãos. Em vez do caloroso afago de outros tempos, me sinto chicoteado por línguas ardentes de fogo.

Assim estávamos eu, Stael, minha esposa, e nossos filhos, Chicão, o caçula, então com dez anos, e Bia, seis anos mais velha, na praia de Boa Viagem, na manhã da quarta-feira, 2 de janeiro de 2019. Carol, minha filha mais velha, não estava lá conosco: morava em Niterói, no Rio de Janeiro, onde estudava. Sempre ficávamos uns cem metros à direita do edifício Acaiaca, que é o ponto onde eu, adolescente, costumava pegar praia. Mãe e filha fofocavam alguma coisa sentadas nas cadeiras. Eu quarava paralisado, afundado na espreguiçadeira, sôfrego de calor, segurando uma lata de cerveja. Chicão brincava na areia, cavando um buraco.

Vi umas pessoas ao lado se levantando rapidamente das toalhas esticadas na praia e olhando para o mar. O semblante era de gravidade. A uns vinte metros de onde estávamos, mais para perto da beira do mar, à direita, uma mulher gritou:

– Fabinho! Saia do mar agora, tubarão, tubarão!

Eu me levantei num pulo.

– Eita, Chicão, tubarão!

Stael fez o que as mães fazem ao ouvir o soar de um alerta:

– Todo mundo pra cá, todo mundo pra cá.

Com aquele pedaço de praia tomado pelo rumor, fitei o mar, curioso. Não vi nada. Estreitei um pouco as pálpebras, afiando o olhar.

– Eita, olha ali uma barbatana, é tubarão mesmo, olha, Chicão, olha, Chicão!

Fiquei animado por oferecer uma aventura ao meu menino. Ver um tubarão em seu habitat seria inesquecível, era para chegar à escola com as melhores férias da história.

– Cadê, cadê?!

E eu, me abaixando para ficar da altura dele, puxei-o para mim, segurei firme em seu ombro e apontei pro mar.

– Ali, ali, ó, tá vendo?

– Eu vi, eu vi! Nana, tubarão, Nana, tubarão! – "Nana" é como ele chama a irmã desde pequeno.

No Recife, quando se chega à praia, o banhista é assediado por uma horda de barraqueiros. Já há cadeiras e guarda-sóis dispostos na areia. E uma base mais próxima da calçada, onde eles guardam bebida e comida. Há uma competição renhida pelos clientes. Uma vez conquistado, o "freguês" se senta, se abriga e se empanturra. Paga só pelos comes e bebes, que são bem mais caros do que se fossem comprados num restaurante.

Quando o rumor do tubarão começou, alguns garçons das barracas estavam descendo da base fincada lá em cima, perto da calçada, para as "mesas" na areia. Traziam bebidas e petiscos para os clientes. E se divertiam com aquilo.

– Que tubarão que nada, oxe! Isso é boto, minim! Eles vêm de vez em quando caçar as sardinhas.

Ouvi a explicação do cara e aquilo me soou como um anticlímax. Olhei de novo para o mar e a verdade se revelou. De fato, as barbatanas faziam um movimento de mergulho circular, não de patrulha e perseguição.

– Ah, Chicão, deixe pra lá, não é tubarão. É golfinho. Tão caçando sardinha.

Na hora, nem me dei conta de que, para um menino de férias, um golfinho seria tão ou até mais incrível que um tubarão. Mas ele se deixou contaminar pelo meu desapontamento. E voltou a cavar o buraco na areia.

Enquanto o rumor pelo falso tubarão seguia, atormentado pelo calor de rachar, pedi a Stael que pegasse meu celular na bolsa de praia.

– Vou ver se saiu minha exoneração.

Naquele exato momento, Luiz Henrique Mandetta tomava posse, no auditório Emílio Ribas, no térreo do edifício-sede do Ministério da Saúde, na Esplanada dos Ministérios, do cargo de ministro de Estado do governo de Jair Bolsonaro, eleito em novembro de 2018 com 57,7 milhões de votos.

Numa cerimônia abarrotada, calorenta e nervosa, tinha atrás de si todos os seis secretários nacionais que escolhera para sua equipe. Dois deles, Francisco de Assis Figueiredo e Marco Antonio Toccolini, eram oriundos da gestão anterior, respectivamente das secretarias de Atenção à Saúde e Saúde Indígena.

Eu jamais ouvira falar de Mandetta. E, jornalista havia já duas décadas em Brasília, me considerava razoavelmente bem informado sobre as forças políticas do nosso Parlamento. Ele era deputado federal em segundo mandato pelo Democratas do Mato Grosso do Sul, médico, ortopedista, formado pela Universidade Gama Filho, no Rio de Janeiro, especialista em saúde, tema que abraçou no Congresso. Fora secretário municipal em Campo Grande, entre 2005 e 2010, de onde saiu com uma acusação grave de improbidade e fraude em licitação.

Fiquei sabendo disso tudo pelos jornais, que o apresentaram quando Bolsonaro, eleito havia poucos dias, o anunciou. Lembro que, ao tomar conhecimento disso, dei de ombros. "Putz, lá vem um baixo clero típico pra Saúde, ninguém merece", pensei.

No Congresso Nacional, o que há de mais importante é a pauta de votações. Ela decide que leis serão mudadas, quais propostas nunca vão prosperar, se a agenda do presidente da República vence ou perde, e como será o orçamento da União. Quem controla a pauta são os presidentes das duas Casas, o Senado e a Câmara dos Deputados, junto com os líderes dos partidos. É um grupo de mais ou menos uns sessenta parlamentares, que formam o alto clero. Só que há, ao todo, 513 deputados e 81 senadores – 594 parlamentares, portanto. O que significa que a esmagadora maioria tem pouca ou nenhuma influência. Esses são conhecidos como o baixo clero. Era de lá que, na minha cabeça, vinha o novo ministro da Saúde.

Desde os últimos dias de dezembro, o *Diário Oficial da União* trazia decretos com dezenas, centenas de exonerações dos ocupantes de cargos de direção e chefia, escolhidos livremente pela cúpula das pastas. Era gente nomeada durante o mandato de Michel Temer e muitos ainda da época do PT – estes especialmente caçados pelos novos chefes bolsonaristas.

O ministro da Casa Civil, Onyx Lorenzoni, chegou a demitir todos os funcionários numa só canetada, para "limpar" os petistas dali!

Todos os dias, eu pegava o celular, abria o *Diário Oficial* pelo site da Imprensa Nacional e procurava meu nome nos "decretões", como eram chamados. Muitos dos assessores de Gilberto Occhi, antecessor de Mandetta, haviam sido demitidos. Meu nome nunca aparecia.

– Eu vou ter que voltar pra Brasília – avisei a Stael, que ainda não se convencera de que não havia tubarões na água e mantinha os olhos grudados em Chicão.

Ela tomou um susto.

– Ué, por quê?

– O ministro novo tomou posse hoje. Minha exoneração não saiu. Eu tenho que ir lá tomar conta *do lojinha* até ele me demitir. Questão de responsabilidade, né?

Ela concordou.

– Que bosta, hein?! Vai ter que antecipar a passagem. Assim tão perto do embarque, a gente vai gastar um dinheirão... Mas você não tinha passado todo o serviço?

– Pois é, eu fiz o relatório, entreguei lá pro pessoal da transição. Por isso mesmo eu esperava que minha demissão saísse por agora...

– Se não tem jeito, vai. Você vai e eu fico com os meninos aqui até o fim das férias.

Fiz as malas e voltei no dia seguinte. Reapareci no Ministério na sexta, todo bronzeado. Levi Lourenço, que ocupava a chefia da Assessoria de Comunicação, cargo logo abaixo do meu, o que o tornava o número dois na hierarquia, veio me receber.

– Ué, você não ia voltar só daqui a duas semanas?

– É, mas não saiu minha exoneração. Por quê, hein?! Que é que houve?

– Não sei. Ninguém falou nada até agora. Estamos esperando a exoneração também. A gente tá vindo, tocando tudo, mas ninguém sabe de nada. O que a gente faz com a campanha da hanseníase?

O Dia Mundial de Combate à Hanseníase é comemorado em 25 de janeiro. Todos os anos, a área responsável dentro do Ministério, uma diretoria da Secretaria de Vigilância em Saúde, encomenda uma campanha de publicidade para ser veiculada na semana em torno daquela data. Essa campanha começa a ser feita em dezembro, para que os feriados de fim de ano não apertem o prazo de produção.

Como manda a lei, a Assessoria de Comunicação Social, conhecida pela sigla Ascom, que eu dirigia, havia feito uma concorrência entre as quatro agências de publicidade que mantinham contrato com o Ministério. Uma delas fora escolhida como a melhor ideia criativa. Seria ela a produzir a campanha, basicamente um filme de tevê, spots de rádio, cartazes e banners de internet. Em dezembro, quando viajei para o Recife pensando que seria demitido, dei ordem a Levi para que não começasse a produção. Deveria esperar a nova equipe chegar. Eles conduziriam a campanha como achassem melhor.

Janeiro chegara e não havia nova equipe, contudo. Éramos nós mesmos. Mas sem o comando do gabinete do ministro. Daí a pergunta de Levi: "O que a gente faz com a campanha da hanseníase?".

Brinquei com ele.

– Sei lá, eu só trabalho aqui! – Depois completei: – Não fazemos nada. Esperamos.

A espera estendeu-se pelos dias seguintes. Ao longo deles, a equipe da publicidade ia para o trabalho, mas nada acontecia. Ficávamos lá, jogando conversa fora. Chegavam notícias e mais notícias sobre quem iria nos suceder. O mercado publicitário falava que o novo secretário-executivo, João Gabbardo, um gaúcho indicado a Mandetta pelo deputado eleito e ministro da Cidadania, Osmar Terra, já escolhera o novo diretor de Comunicação. Era um jovem publicitário gaúcho radicado em Brasília. Ele chegou a ir até a minha sala no quarto andar, para uma visita de cortesia.

– Olha, aqui tá tudo pronto, tudo arrumado, só tomar posse – disse a ele.

– Rapaz, não tem confirmação nenhuma, não sei se vai rolar – me respondeu.

O cargo que eu ocupava é cobiçado em Brasília, administra um orçamento publicitário maior que o da própria Presidência da República – R$ 256 milhões naquele ano de 2019 – e produz campanhas de utilidade pública com regularidade. Assim, garante um bom trânsito com agências de publicidade, produtores de audiovisual, influenciadores do meio digital, canais de tevê, jornais e revistas, gráficas e mídias alternativas.

Eu chegara a ele em maio de 2018 quase por acidente. Na época, dirigia a comunicação do Ministério da Justiça, que também costuma render uma boa rede de relacionamentos, sobretudo por causa da Polícia Federal. Na Saúde, o diretor de Comunicação era um amigo, o jornalista Luiz Rila.

Rila foi convidado para trabalhar na campanha presidencial do então ministro da Fazenda, Henrique Meirelles. Um dia, à tarde, me chamou para conversar. Caminhamos pela Esplanada. Ele foi direto ao ponto.

– Tô saindo pra campanha do Meirelles. Topa ficar no meu lugar?

Topei. Ele me indicou e assim atravessei a rua – o Ministério da Justiça fica exatamente em frente ao prédio da Saúde, no outro lado da larga avenida que desemboca na Praça dos Três Poderes.

Estava ciente da briga de foice de vários grupos nos bastidores para emplacar o nome do meu sucessor. Ouvia todas as histórias e me divertia com algumas delas. Muitos nomes brotaram e sumiram. Alguém me falou que uma de nossas agências organizara uma sala onde entrevistava candidatos à vaga. Estaria sob ordens do dr. Gabbardo. "Danou-se", pensei. Dez dias depois de voltar do Recife, fui chamado pelo novo chefe de gabinete do ministro.

– Ugo, o dr. Alex pediu pra você subir lá hoje às duas – me disse Eliane Rodrigues, a Lili, secretária da Ascom.

Na hora estabelecida, eu estava lá. Ao entrar na sala, tomei um susto. O "dr. Alex" era um rosto familiar. Altura mediana, como a minha, barba preta com poucos fios brancos, cuidada em escala milimétrica, grandes olhos redondos, num rosto fino, boca de lábios grossos, cabelo curto e bem penteado. Vestia camisa branca muito bem passada, dentro do terno preto e gravata com nó inglês, tudo impecável.

– Rapaz, eu conheço você – me disse ele, super simpático. – E não é de agora, é coisa antiga. Mas de onde?

– É do Recife, com certeza – respondi.

– Cê treinava natação?

– Treinava.

– Então é isso! No Sport?

– Não, não.

Eu torço fervorosamente pelo Sport Club do Recife, mas nadei pelo time rival, o Náutico, quando era adolescente. Questão de logística. Morava num prédio exatamente em frente ao clube, na avenida Rosa e Silva. Já Alex passara pelo exato oposto. Torcedor fanático do Náutico, nadara pelo Sport, na Ilha do Retiro, mais perto de Boa Viagem, onde morava.

– Então de onde será?

Eu tinha um palpite mais preciso.

– Pra mim, a referência que me vem é Cadoca.

Cadoca é o apelido de Carlos Eduardo Pereira, político pernambucano. Conheci-o como secretário de Turismo do Recife no meu primeiro emprego como repórter. Depois ele foi deputado federal por quase vinte anos. Trabalhava, então, na agência de notícias montada na prefeitura pela então secretária de Imprensa e hoje deputada estadual Terezinha Nunes. Era o segundo mandato de Jarbas Vasconcelos à frente da capital pernambucana.

– Isso! Cadoca! Eu trabalhei com ele – confirmou o dr. Alex.

– Então, pronto! Eu fui repórter na prefeitura.

– Na época de Terezinha?

– Isso, isso!

– Eu era oficial de gabinete de Jarbas!

Depois tudo se encaixou.

Advogado pernambucano e servidor de carreira da Câmara dos Deputados, Alex fora jovem na mesma cidade que eu. Temos a mesma idade. Nós nos víamos em competições de natação quando adolescentes. Depois, fizemos faculdade entre 1992 e 1995 – ele de direito, eu de jornalismo na mesma Universidade Católica de Pernambuco, da qual ele foi presidente do Diretório Central dos Estudantes. E, por fim, trabalhamos na Prefeitura do Recife, servindo no gabinete do então prefeito Jarbas Vasconcelos. Ainda assim, não nos conhecíamos senão como um rosto familiar do passado.

Alex me perguntou como era o meu trabalho ali e eu me apressei em deixar as coisas claras.

– Bom, antes de a gente começar essa parte da conversa, eu faço questão de colocar meu cargo à disposição. Tô aqui pra fazer a transição, ajudo no que for preciso.

– Ô, Ugo, obrigado, muito cortês da sua parte.

Passei a explicar o que era e como funcionava a Ascom. Esmiucei o organograma, os fluxos, os valores, quem era quem, todos os detalhes até o nível atômico. Falei por meia hora. Ele ouviu tudo atentamente, mas, claro, ficou cheio de dúvidas.

Depois da eleição de 2018, eu elaborara um relatório de transição com todas aquelas informações. Era um documento de 54 páginas, com as tabelas de contratos, valores, fornecedores, ações realizadas, projetos pendentes, organograma completo. Havia levado uma cópia para aquela reunião.

– Você já deve ter visto esse documento, porque eu entreguei na transição, mas quase tudo o que eu falei tá escrito aqui.

E entreguei o relatório na mão dele. O dr. Alex olhou para o relatório, folheou e voltou a olhar para mim.

– Rapaz, eu tô aqui à frente do gabinete, faz dias que entrevisto gente atrás de informação da gestão e tá todo mundo escondendo o jogo, dificultando. Normal, né? O cara quer que eu precise dele, pra não ser demitido. Você é o primeiro que tá colaborando mesmo, entregando tudo.

Eu sorri.

– É só porque tu és pernambucano, senão eu ia enrolar – brinquei.

– Me diz uma coisa: pra onde você vai? Não tem interesse em ficar? – e antes que eu respondesse qualquer coisa, ele completou: – Veja só, isso não é um convite, eu só quero saber pra ter todas as opções pra dar ao ministro.

– Olha, Alex, esse cargo é muito cobiçado. Tem uma guerra por ele, aliás, já tem até um cara escolhido pelo Gabbardo pra assumir. E ele é cobiçado porque é bom, garante um *networking* precioso pra quem é da área de comunicação. Eu fui sondado por uma agência de publicidade, então tava conversando com eles pra ir pra lá.

– Mas você ficaria, se a gente chamasse?

– Ficaria, sim.

– Vou perguntar porque são ordens que vêm da presidência, por favor, não me entenda mal: por acaso, tu não és petista, és?

Eu ri.

– Nunca fui petista. Mas fui porta-voz e secretário de estado de Comunicação de um governo petista, do Agnelo Queiroz, aqui em Brasília.

– Ah, velho, então já começa a complicar.

– Bom, eu sou jornalista, sem ligação política. O mais perto que cheguei de fazer parte de um grupo político foi de Krause, lá no Recife.

– Ah, é? – se animou ele. – Por quê? De onde vem essa ligação?

– Na faculdade, eu tinha um grupo de amigos que sempre andava junto. Um deles é Fábio Lucas, filho de Paulo Roberto Barros e Silva. (Flucas, como o chamávamos, hoje é editorialista do *Jornal do Commercio*, no Recife, onde eu trabalhei no começo da minha carreira.)

– Eu sei quem é o Paulo Roberto! – disse Alex. – Sei quem é o Fábio também!

Paulo Roberto Barros e Silva é um influente arquiteto pernambucano, muito próximo do ex-ministro da Fazenda, ex-prefeito e ex-governador pernambucano Gustavo Krause, líder do antigo PFL, atual Democratas, o mesmo partido de Mandetta.

– Ainda na nossa época de estudantes, Fábio e eu fomos sócios numa empresa de assessoria de imprensa que funcionava dentro da consultoria de Paulo Roberto, ali no Espinheiro, onde Krause também ficava.

– Eu vou ligar lá pra saber de você, viu?

– Pode ligar. Mas veja só: em 2015, eu dirigi a comunicação do Ministério do Esporte durante o governo Dilma.

– Caralho, tu és um petista do cacete! – disse ele, rindo alto.

Eu ri também.

– Espere, deixe eu contar! Na época, tinha uma turma do PCdoB puta comigo. O PCdoB nunca gostou de mim por causa de umas matérias que fiz na época em que Orlando Silva era o ministro do Esporte. Aliás, Orlando Silva me odeia com todas as forças. Eles tinham perdido o ministério. Eu fui pra lá assessorar George Hilton, que vinha indicado pelo PRB. Então os comunistas começaram a plantar no Palácio do Planalto a informação de que um antipetista assumido tinha sido nomeado pra dirigir a comunicação do governo nas Olimpíadas. Isso porque eu me declarava neoliberal no Facebook e tinha publicado lá no meu perfil um monte de críticas a Dilma no começo da Operação Lava Jato, durante as eleições de 2014. Eu não sou petista, mas também não sou antipetista, tenho muitos amigos no PT. Na época, eu fiquei puto porque eles publicaram isso num portal ligado ao PCdoB, a revista *Fórum*. Tá tudo aqui, ó.

E passei o link do texto para ele.

Marcamos de voltar a conversar no dia seguinte, para tirar as muitas dúvidas que restaram, sobretudo quanto aos fluxos e valores da publicidade. Mas a segunda reunião só veio uns dois dias depois.

– Velho, é o seguinte: eu tô defendendo seu nome lá com o ministro. Vou ser sincero com você: ele não quer. E o cargo é dele, Gabbardo não vai escolher, nem indicar. É uma área muito sensível, o ministro é quem vai escolher. Neste momento, ele não tem nome. Então vai ficando aí. Eu mesmo vou ligar pra um monte de gente pra levantar a sua ficha. O ministro tá ouvindo um monte de coisa sobre a área de comunicação daqui, tão dizendo que é cheia de problema.

– Tá bom. A comunicação é cheia de problema mesmo. Começa que a assessoria de imprensa tem vida própria, faz o que quer. E por uma questão de contrato, manda na comunicação digital. A publicidade tem quatro agências que vivem brigando pelas campanhas, plantando denúncia em jornal umas contra as outras e envolvendo os gestores. Cada área do ministério tem uma miniassessoria de comunicação, com imprensa, publicidade, comunicação digital, o diabo. Então vira essa zona.

– Mas tu não és o diretor? Que raio de direção é essa?

– Sou, mas eu cheguei em maio do ano passado e isso que eu tô relatando é antigo, vem desde que o PT administrava o ministério. Eu cheguei em cima da eleição. A lei eleitoral meio que dá um raio paralisante na gestão a partir das convenções, em junho. Teve segundo turno, a coisa só voltou ao normal em novembro. Eu ia sair em dezembro. Então, na verdade, eu meio que vim tocando de lado, nunca mudei nada.

Mais uns três dias, Alex marcou uma reunião com Mandetta. A pauta oficial era a campanha de hanseníase. Ele nos apresentou.

O ministro me impressionou à primeira vista. Alto para os padrões brasileiros, coisa de 1,85 metro, bonito, falava com uma clarividência assustadora. A voz tinha um tom de veludo que acariciava o ouvido. Explanava como se estivesse lendo um livro bem escrito, com ideias claras e promissoras. Não gostou da linha criativa que eu trouxera.

– Olha, hanseníase é a mesma coisa desde os tempos de Jesus. A medicina conhece bem, sabe como tratar, a doença não mudou. Teve campanha ano passado? – Respondi que sim. – Então por que não usa a mesma campanha do ano passado? Aí a gente economiza dinheiro público, que cês gastam milhões com esse negócio de publicidade. Vou logo avisando que essa farra vai acabar, viu?

Eu me preparava para responder. Havia um equívoco técnico na tese. Gastos com a produção das campanhas geralmente equivalem a coisa de 15% a 20% do orçamento total. O restante é pago a tevês, rádios, jornais, revistas, portais, outdoors, shoppings, aeroportos pela veiculação das peças – é o que se chama "verba de mídia". Por contrato, reutilizar a imagem dos atores ou modelos requer o pagamento de um cachê equivalente até a metade do original. De modo que usar a campanha do ano anterior representava somente 10% de economia, no máximo. Com a desvantagem de não chamar a atenção do público, que costuma ignorar o que não lhe é novo – o efeito paisagem, no jargão publicitário. No fim das contas, a ideia de Mandetta era bem-intencionada, mas jogaria fora, torraria completamente, todo o orçamento da campanha de hanseníase, algo em torno de R$ 5 milhões.

Nesse dia, descobri uma característica do novo ministro que afetaria a equipe nos meses seguintes: num despacho com ele, só ele falava. Muito, abundantemente, enlouquecedoramente. Então a má ideia que deu ficou sem oposição. Por isso, prosperou. Tivemos que usar a campanha do ano anterior.

No fim da reunião, para minha surpresa, o ministro disse que precisava fumar. Caminhei com ele até o hall do elevador privativo, Alex ao nosso lado. Enquanto esperávamos o elevador, Mandetta se virou para mim e com ar indiferente, quase *blasé*, falou:

– Comigo, cê vai ter que entregar três vezes mais do que no ano passado e só vai ter metade do orçamento. Dá conta?

Nem pisquei.

– Claro que dou.

Então ele arrematou, antes de entrar apressado no elevador.

– Ok. Então vai ser você o cara da comunicação.

Alex bateu no meu ombro, sorriu e me cumprimentou:

– Bem-vindo, parabéns! – E os dois desceram juntos rumo ao térreo do prédio.

Eu fui alvo de cobranças diárias e rigorosas. Era chamado ao gabinete, em algumas ocasiões, duas, três vezes ao dia, para explicar até os centavos das despesas com comunicação. Por que esse filme custa tão caro? Lá vinha eu com uma planilha de cada item pago. Mas por que custa tanto pintar uma sala de verde? Para fazer o *chroma key*! E lá ia eu explicar o que era, como se fazia, para que servia.

Expliquei que o escândalo do Mensalão, o primeiro grande dos governos petistas, envolveu publicidade. Desde então, o setor era todo amarrado. Tinha regra para tudo. Até uma lei específica, a 12.232/2010. Um sistema de preços de referência de mercado era mantido pela Secretaria Especial de Comunicação Social da Presidência da República – chama-se Siref. Então, para pagar pela pintura da sala de *chroma key*, ou qualquer outra despesa de publicidade, tínhamos que usar o preço do Siref, depois de fazer cotação com três diferentes fornecedores, como manda a Lei de Licitações.

Num dia, Alex me falou num tom sério:

– Velho, ligaram da Casa Civil pro ministro dizendo que você tem que ser demitido. Porque é desafeto de ACM Neto.

Falava, claro, de Antônio Carlos Magalhães Neto, atual prefeito de Salvador e presidente nacional do Democratas. Ele é neto do lendário político baiano, ex-presidente do Senado, ex-ministro das Comunicações, ex-governador da Bahia, morto em 2007.

Fiquei irritado.

– Chefe, eu não aguento mais essa porra. Já não basta eu ser tratado aqui como se fosse um ladrão. Ligue pro ACM Neto, liga aí. Pergunte a ele se me conhece, se tem alguma coisa contra mim.

– Calma, amigo, veja bem, é normal o que está acontecendo. Eu não conheço você. Quer dizer, a gente se viu lá no passado, mas eu não sei da sua vida, você não sabe da minha. Pra adquirir confiança, é assim mesmo. Até porque eu tenho que prestar contas de tudo o que você faz. Eu que indiquei, então a responsabilidade é minha. Se acontecer alguma merda lá na Ascom, sou eu quem vai pagar. Por isso eu tô querendo entender tudo, é normal.

– Eu não tô aguentando, sério mesmo. Acho melhor eu sair logo de uma vez.

– Espera aí, deixa eu trabalhar. Qual o problema com ACM Neto?

– Nenhum, nós somos amigos!

– Amigos?! – Ele ficou surpreso. – De onde vem essa amizade?

– Quando era deputado federal no primeiro mandato, ele foi sub-relator da CPI do Mensalão. Cuidou do mercado financeiro. Eu trabalhava no *Correio Braziliense* e cobria a CPI. Como eu era da editoria de Economia, o mercado financeiro era justamente a área que eu investigava. Então descobri muita coisa, fiz dezenas de matérias, que ele aprofundou na CPI. No jornalismo de Brasília tem dois "Ugos". Eu e o Hugo Marques, da *Veja*. ACM Neto deve ter problema com o outro, não comigo.

– Espera aí um minutinho então.

Alex saiu correndo para a sala do ministro. Explicou a história. Voltou três minutos depois, aliviado.

– Pronto, esqueça a história da demissão. Acalme-se um pouco, tenha paciência, tire o dia de folga, que amanhã tem mais confusão.

— CHEFE, O MINISTRO NÃO tá atendendo. O que é que eu faço? — Marylene me puxava pelo braço e falava baixinho, apreensiva, na entrada das autoridades no auditório Emílio Ribas. Passava das 15h30.

— Como assim não tá atendendo?

— Tá em casa, descansando. Só que dona Terezinha viajou, ele tá sozinho. Deve ter deixado o celular no mudo e dormiu, apagou. Já telefonamos várias vezes, chama até cair.

— Então a gente faz o seguinte: atrasamos a coletiva aqui e manda o Bill lá acordar ele.

Bill é o motorista do ministro da Saúde. Como Marylene, está no ministério há muitas décadas. É discreto e muito querido por todos.

Ela é ainda mais querida. Baixinha, veteraníssima da Esplanada, no século passado trabalhou no Palácio do Planalto, onde aprendeu com os embaixadores da velha guarda tudo o que se pode saber sobre cerimonial. Veio para o Ministério da Saúde exatos 27 ministros atrás. Até hoje, já tendo ela passado um pouco dos sessenta anos, ninguém que chega ao maior cargo do Sistema Único de Saúde abre mão de tê-la a seu lado, como guia e lanterna. É uma chefe enérgica e implacável da Assessoria de Cerimonial do gabinete do ministro. Não conheço ninguém que não a considere a melhor cerimonialista de Brasília.

– Bill já tá lá! – disse, agoniada. – Bateu na porta e nada.

Depois da reunião da manhã, em que soubemos da inexplicável não demissão de Mandetta, divididos em pequenos grupos, todos almoçamos nas várias salas do quinto andar, no gabinete do ministro da Saúde. Inclusive ele.

Houve acaloradas análises sobre o relato da reunião no Alvorada. Concordávamos que Bolsonaro não deixaria barato.

– Neste exato momento, ele está lá maquinando "Como é que eu fodo esse porra desse Mandetta?" – palpitei, enquanto pescava com a colher de plástico um polpetone ao molho branco que se oferecia numa dessas embalagens de papel-alumínio. – Rapaz, eu sempre ouvi lá no Recife quando era jovenzinho o pessoal do PFL falando "ninguém governa governador". É a mesma coisa. Ninguém preside presidente. O troco vai vir – reforcei.

Ainda estávamos em elucubrações como essa quando correu a notícia. A noite tinha sido difícil, depois soubemos que o ministro não dormira, ansioso com a reunião marcada para a manhã, por isso fora descansar antes da coletiva.

– Ah! Já sei – animou-se Marylene. – O Renato mora na mesma quadra. Vou pedir pra ele ir lá e derrubar a porta, se for preciso.

Renato é o mesmo que eu mobilizara de manhã para preparar a coletiva de imprensa bombástica. Às vezes o chamávamos pelo sobrenome, Strauss. Mas Marylene sempre prefere o primeiro nome. Assim como inexplicavelmente me tratava de "chefe", mesmo que eu nunca tivesse sido.

Pois bem, Strauss mora na quadra 304 da Asa Norte de Brasília, onde Mandetta alugara um apartamento poucos meses antes. Ele teve que deixar o antigo apartamento de deputado, já que não disputara as eleições de 2018. O vizinho levara o ministro de carona até em casa, depois do almoço.

– Pronto, então tá resolvido – descansei, sorrindo.

Marylene catou o celular e saiu andando nervosamente na direção do elevador privativo.

Àquela altura, os cinegrafistas de todas as emissoras de tevê do país já haviam montado seus tripés nas últimas fileiras do auditório, com distância mínima de metro e meio entre si. Desde alguns dias, já não permitíamos a presença dos repórteres, para evitar aglomeração. Tudo o que não precisávamos era de um caso de transmissão de coronavírus dentro do Ministério da Saúde na frente das câmeras. Tínhamos que dar o exemplo. As perguntas nos chegavam por mensagens de WhatsApp, num grupo criado especialmente para esse fim.

– Newtão! – chamei.

Newton Palma é um dos coordenadores da assessoria de imprensa. Jovem, magro, cultiva uma barba preta e cerrada que lhe dá aparência de alguns anos a mais. Vestia camisa de manga curta e botão, ensacada para dentro da calça. Calmo, concentrado, nunca demonstrou sentir a pressão que muitas vezes sofreu, sobretudo de mim. Era amado pelas mais de trinta pessoas da equipe de imprensa, inclusive por mim.

Estávamos havia mais de dois meses realizando entrevistas coletivas diárias no auditório Emílio Ribas. Newton ficava nos bastidores, revezando-se com a outra coordenadora de imprensa, Amanda Costa. Mas, nesse dia, era ele o escalado. Seja um ou outro, a missão era controlar a passagem dos slides apresentados pelo secretário Wanderson com a atualização do boletim epidemiológico e receber as perguntas mandadas pelos repórteres em tempo real para, também em tempo real, organizá-las num arquivo Word que era exibido no telão.

– Diga lá – atendeu-me, levantando-se da cadeira do meio na sexta fileira do auditório, onde sempre se sentava. O lugar havia sido escolhido de propósito. Ficava fora do alcance das câmeras. Então o que se mostrava era o auditório vazio, reforçando a mensagem de isolamento social.

– A gente vai precisar atrasar a coletiva. Avise aí aos repórteres, por favor.

– Tá bom. O que houve?

– O ministro tá dormindo.

– Dormindo?

– É, dormindo.

– E o que eu digo aos jornalistas?

– Nada, ué. Peça desculpa e avise que a coletiva vai atrasar um pouquinho por motivos técnicos.

– Ok.

Estava nesse diálogo com Newton quando Marylene voltou, ainda afobada, mas com um ar assertivo.

– Acordou. Falei com ele. Vai tomar banho e vir pra cá.

– Tá certo, fique tranquila. Já avisamos à imprensa que a coletiva vai atrasar.

Nesse exato momento, o dr. Gabbardo passava por trás de nós. Acabara de descer do gabinete da secretaria executiva, no terceiro andar, para encontrar o ministro pontualmente às quatro da tarde, como combinado.

– Como assim a coletiva vai atrasar? – questionou.

– O ministro pegou no sono. Tava sozinho em casa, com o celular no mudo, a gente só conseguiu acordá-lo agora – expliquei.

– E Wanderson?

– Também não voltou ainda.

Como fizera Marylene pouco tempo antes, o dr. Gabbardo catou o celular e saiu andando nervosamente na direção do elevador privativo, enquanto dedilhava alguma coisa na tela.

Mandetta chegou trinta minutos depois. O cabelo ainda molhado revelava o banho recém-tomado. As olheiras ainda mais pronunciadas denunciavam o cansaço e a tensão por que passava. Vestia o uniforme da crise: tênis, calça jeans, camisa branca de manga comprida arregaçada até os cotovelos, colete azul do Centro de Operações de Emergências em Saúde Pública (COE).

Wanderson veio logo atrás dele. Alguém telefonou para o dr. Gabbardo, que voltara ao terceiro andar, informando-lhe que a coletiva iria, enfim, começar.

De coletes azuis, os três se alinharam como de costume – o ministro ao centro, Gabbardo à esquerda dele, de forma que a plateia de frente o vê à direita, e Wanderson à direita, visto, portanto, à esquerda. Trata-se de um protocolo de cerimonial que Marylene zela e guarda como a própria vida. Não há frugalidade nisso. Como mágica, tal configuração oferece à audiência uma instantânea e clara percepção de hierarquia.

– Vamos lá. Boa tarde, nós estamos hoje, no sábado, aqui do Ministério da Saúde, a equipe tá trabalhando em regime de sete dias por semana.

Mandetta começou sorumbático.

– E a equipe vem trabalhando neste final de semana no balanço dos últimos trinta dias. Como foi do primeiro dia até todas as coisas que foram feitas no sentido de organizar o sistema, todas as situações que a gente teve pro mês de abril, as necessidades do sistema, quais foram as principais ocorrências desses primeiros trinta dias, quais são os principais pontos que demandam atenção, correção, enfim, quais são as principais medidas dos principais acontecimentos desses trinta dias para podermos planejar.

Nós todos vínhamos trabalhando com Mandetta havia mais de um ano. Todos o julgávamos uma inteligência aguda, acima da média, um orador inigualável, com raciocínio claro e capacidade de comunicação infinita. Mas também sabíamos que, consciente disso tudo, ele se converte naquilo que a maledicência da corte brasiliense chama de "professor de Deus". Não ouve, só fala. Dá pouca importância às explicações ou opiniões dos assessores. Só há dois brasileiros a quem pede opinião com sincera humildade – o governador de Goiás, Ronaldo Caiado, e seu pai, o ortopedista Hélio Mandetta.

Sendo assim, não fazia muito sentido aquela coletiva. Ou pelo menos aquele discurso morno, etéreo. A pandemia começara no Brasil exatamente no dia 22 de janeiro – quando o secretário Wanderson, à frente da Secretaria de Vigilância em Saúde, ativara o Centro de Operações de Emergência n-CoV. Naquela época, ainda não havia nenhum caso do novo coronavírus no Brasil. Só suspeitas, em viajantes vindos da China. Os relatos que recebíamos da cidade de Wuhan eram terríveis. Mas aparentemente a doença estava contida lá.

O COE reúne os técnicos de todas as secretarias do Ministério. Eles se debruçam sobre um assunto específico, no caso, a pandemia, e coletivamente decidem sobre ações táticas a tomar. Num primeiro momento, foi coordenado pelo então diretor do Departamento de Vigilância das Doenças Infecciosas, o epidemiologista Júlio Croda – sul-mato-grossense, como Mandetta, e por ele trazido para o ministério, onde se tornara assessor de Wanderson.

Na semana seguinte à instalação do COE, começamos a executar a estratégia de comunicação. Eu a escrevi e distribuí por WhatsApp para o pró-

40 UGO BRAGA

prio COE e para todos os sete secretários nacionais, seus adjuntos, para os assessores diretos do ministro e chefes das assessorias jurídica, parlamentar e internacional.

Era uma mensagem sucinta. Informava sobre a realização das entrevistas coletivas diárias, sempre às 16 horas, para dar tempo de as tevês editarem o material para os telejornais da noite, que frequentemente influenciam o noticiário da manhã e tarde seguintes. Estabelecia os valores estratégicos – transparência, clareza, sistematização – e definia os porta-vozes – Wanderson e Gabbardo. Avisei também que a assessoria de comunicação distribuiria dois boletins diários com o monitoramento do noticiário sobre o novo vírus, um pela manhã, outro no início da noite.

A nota importante era que todas as coletivas, sem exceção, seriam transmitidas ao vivo simultaneamente nos canais do ministério, desde o portal web ao YouTube, Facebook, Twitter e Instagram.

A moderação das coletivas foi atribuída a Renato Strauss. Até então, sua função exclusiva na comunicação social era atender o ministro, acompanhá-lo aonde quer que fosse, mesmo fora do país, e intermediar o contato com a imprensa.

O moderador da coletiva de imprensa é um papel comum no Brasil, mas raro no exterior. Consiste em fazer uma espécie de meio de campo entre os repórteres e os porta-vozes. Nos outros países, o próprio entrevistado escolhe quem vai lhe fazer as perguntas, apenas apontando-lhe o dedo. Aqui, os repórteres se inscrevem para fazer as perguntas e vão sendo chamados pelo moderador, que, vez ou outra, pode pedir uma informação que o entrevistado esqueceu ou, educadamente, cortar um jornalista que ultrapasse o bom senso. É visto, pelos dois lados, como um lubrificante, mas na verdade é um filtro.

Tranquilo, loquaz, bonito, voz empostada ao microfone, discreto, Strauss tinha o perfil talhado quase que perfeitamente para aquilo. E seus mais de dez anos no Ministério da Saúde somavam memória e experiência às credenciais.

Houve uma certa disputa em relação à escolha dos porta-vozes. Depois de um ano de convivência, eu achava Wanderson uma fofura, um ursinho.

Mas tem um discurso professoral, às vezes prolixo e enfadonho. Por isso mesmo, não o considerava a melhor escolha para dar cara àquela gestão de crise. Eu defendia que Gabbardo fosse o porta-voz, pois sentia segurança no jeitão gaúcho, meio imperial dele, bem como na linguagem direta, sem rodeios.

Na tarde do dia 23 de janeiro, um dia depois da instalação do COE, fomos Renato Strauss e eu junto com Wanderson até a sala de Gabbardo. Expliquei como funcionaria a comunicação da crise. Discutimos a questão do porta-voz. Ali, decidiu-se por Gabbardo. Afinal, ele ocupava o segundo cargo do ministério. Tinha prerrogativa de escolha e evocou a missão para si. Não sem reclamar comigo.

– Pô, você me botou numa tremenda saia justa, hein, trazendo o Wanderson aqui...

Por estar redigindo a tal mensagem e por ele ser muito mais próximo a Mandetta que eu, pedi a Strauss que levasse ao ministro as informações, inclusive quanto à escolha do porta-voz. Uns dez minutos depois, ele me ligou.

– Cara, o ministro quer o Wanderson.

– Ué, se ele quer, será o Wanderson. Mas tu explicaste que a gente se reuniu, discutimos, que Gabbardo já tinha batido o martelo...

– É, falei... Mas não assim, com todos os detalhes...

– Então fala, porra!

Desligamos. Mais cinco minutos, Renato me ligou de novo.

– Ele tá dizendo que ficam os dois, então. Wanderson fala de vigilância. Gabbardo fala de assistência.

– Puta que pariu, Strauss, é errado numa crise ter mais de um porta-voz, explicaste isso pra ele?

– Claro que não, cê não conhece? – perguntou reticente.

– Então, quer saber? Foda-se, deixa desse jeito mesmo.

Desde então, eram assim as entrevistas do Ministério da Saúde. Sempre marcadas para as 16 horas – mas não tão pontuais como o desejado –, com a mesma sistemática de informações, linguagem o mais clara possível e sem esconder nenhum número. Contra a minha opinião, com o dr. Gabbardo e o secretário Wanderson sentados lado a lado.

A partir de 23 de janeiro, dia a dia, sob esse formato, o Ministério da Saúde começou a amealhar credibilidade junto à opinião pública para coordenar as ações contra o vírus. Quando houvesse necessidade, uma informação mais grave e impactante, chamaríamos o "Super-Mandetta", que até ali ninguém, exceto nós, sabia que existia.

Aquele discurso dele na coletiva do sábado à tarde, porém, nada tinha de extraordinário. "Que diabo de trinta dias esse cara tanto fala?", eu pensava, secretamente, sentado na cadeira mais à direita da quarta fileira do auditório, outro canto escondido das câmeras. Foi quando Mandetta começou a atiçar a vara com que cutucaria a onça e começaria a cumprir a promessa feita a Bolsonaro na reunião daquela manhã, no Alvorada.

– Nós temos o nosso sistema, o SUS, e nós temos esse mecanismo de três itens, União, estados e municípios, nós temos a chamada tripartite. Eu costumo dizer que ele é um bicho de três patinhas. Elas precisam andar juntas, na mesma direção, pro bichinho ir pra frente. Se cada uma for pra um lado, o bichinho começa a andar de lado ou começa a rodar...

Bom, todos nós na Saúde e os ministros da reunião no Alvorada, assim como o próprio Bolsonaro, entendemos que o bichinho de três patinhas era uma alegoria para defender governadores e prefeitos, inclusive o "filho da puta" do João Dória.

Não parou por aí.

Em uma hora e dezesseis minutos, Mandetta condenou a tese do que o presidente da República vinha chamando de "isolamento vertical" e admoestou: "Não é hora de fazer carreatas", referindo-se à manifestação convocada para o dia seguinte por apoiadores de Bolsonaro. O "isolamento vertical" era uma ideia segundo a qual deveriam ficar em casa, privadas da circulação social, somente as pessoas mais suscetíveis à forma grave da Covid-19, isto é, cidadãos com mais de sessenta anos, diabéticos, hipertensos, obesos, asmáticos, portadores de doenças crônicas em geral. Todos os demais deveriam ir à luta, ao trabalho, fazer o dinheiro girar, gerar empregos. A pilastra sobre a qual essa tese se ancora é a crença de que a crise econômica é mais perigosa do que a própria pandemia. Afinal, "todo mundo vai morrer um dia", repetia Bolsonaro naquela época.

A entrevista serviu, portanto, para Mandetta mostrar ao chefe que não estava blefando. Sim, o ministro da Saúde enfrentaria o presidente da República de peito aberto na grande tribuna da opinião pública.

Nove dias antes, o presidente encerrara uma entrevista coletiva afirmando que "depois da facada, não vai ser uma gripezinha que vai me derrubar!". E na terça-feira anterior à reunião no Alvorada, dia 24 de março, convocara a rede nacional de rádio e televisão para falar à nação. Fez um discurso considerado "patético" no Ministério da Saúde.

Nele, voltava a falar de "gripezinha" ou "resfriadozinho", fazendo menção a uma fala do médico Dráuzio Varella feita no início da pandemia. Esse vídeo, posteriormente retirado do ar pelo próprio Dráuzio, foi usado em perfis das redes sociais de apoiadores do bolsonarismo na esteira da fala do chefe. Em cadeia nacional, o presidente também acusou a imprensa de espalhar terror na população e voltou a fazer propaganda da hidroxicloroquina como remédio viável para tratar a infecção pelo novo coronavírus.

A tática do presidente e do grupo que o apoia era romper o isolamento social e encorajar as pessoas a saírem de suas casas para retornar a vida normalmente. E ele não mediu esforços, sobretudo esfregando literalmente caixas de hidroxicloroquina na cara da sociedade – o que fez na saída do Alvorada pela manhã e numa das transmissões ao vivo em sua conta do Facebook, no anoitecer das quintas-feiras. Vendia a ideia de que até remédio havia contra esse vírus. Então para que tanto medo?

Mandetta deu o recado na coletiva do sábado à tarde, e Bolsonaro deu o troco no domingo pela manhã. Diferentemente da véspera, o dia amanhecera com um sol resplandecente. O presidente da República decidiu passear. Convocou os seguranças, formou a comitiva presidencial e estacionou os seis carros pretos perto da Feira Central de Ceilândia, uma das mais populosas cidades do Distrito Federal, distante trinta quilômetros do Plano Piloto. Lá, moram milhares de migrantes vindos do Nordeste. É a cidade natal da esposa de Bolsonaro, Michelle, e onde moram muitos dos familiares dela até hoje.

A feira estava fechada, atendendo ao decreto baixado dias antes pelo governador Ibaneis Rocha. Mas havia vendedores ambulantes no local. Bolsonaro parou próximo à barraca de um vendedor de espetinhos. Logo surgiu uma pequena aglomeração ao redor do presidente.

Lá pelas tantas, ao assessor que filmava tudo com o celular, Bolsonaro se posiciona de forma a ter a voz mais bem captada pelo microfone e dispara: "Pelo que eu tenho conversado com o povo, é que eles querem trabalhar. É o que eu tenho falado desde o início: tem que tomar cuidado".

Vídeos do passeio dominical varreram o país antes mesmo do almoço de domingo, espalhados por um meio que o bolsonarismo azeitara desde a campanha eleitoral de 2018, o WhatsApp. Além disso, para que não restasse dúvida, o próprio presidente publicou um vídeo em suas contas no Twitter e no Facebook – ambos deletaram as postagens, alegando desinformação durante a pandemia, algo que ultrapassava, em muito, o nível de mero vexame.

Na mesma manhã, milhares de perfis que costumam apoiar o presidente da República, numa espécie de revoada digital, num movimento orquestrado, disseminaram no Twitter e por mensagens de WhatsApp a seguinte mensagem: *Gente! O primo do porteiro aqui do prédio morreu pq foi trocar o pneu do caminhão e o pneu estourou no rosto dele. Receberam o atestado de óbito como se fosse covid 19. Eles estão indignados.*

A notícia falsa veste um uniforme. Todas elas. Há um padrão que as une e as identifica tão claramente que às vezes é constrangedor ver como há quem lhes dê boa-fé. Talvez a maior característica desse uniforme seja a criação da trama, da teoria da conspiração, segundo a qual o *establishment*, o mercado, os políticos, a mídia, ou quem quer que seja, não querem que você saiba a verdade.

A farsa do borracheiro procurava incutir na sociedade a ideia de que se estavam inflando artificialmente os números da epidemia no Brasil. Subliminarmente, seria uma trama para manter as pessoas em casa, desacelerar a economia e, assim, abalar o governo Bolsonaro.

Alguns perfis nas redes sociais acresciam ao texto: *Agora o que nos intriga, veja aí o atestado de óbito, a conspiração triste para derrubar o governo Bolsonaro, ou seja, a maioria das pessoas que estão morrendo no estado estão co-*

locando no laudo que é coronavírus. E eu tava lá, eu vi, o acidente foi um pneu que estourou no cara.

A política brasileira contra o novo coronavírus chegava à sua encruzilhada.

No domingo, o celular de Mandetta registrou várias chamadas oriundas dos generais do Palácio. Ele estava mais interessado em almoçar bem – e o fez junto com os assessores mais próximos –, beber, o que fez com gosto, e jogar conversa fora. Mas os milicos, não. Os milicos estavam loucos de preocupação. Temiam que o ministro cumprisse naquele dia mesmo a promessa de dar um cascudo no presidente da República.

O ministro-chefe da Secretaria de Governo, a Segov, o general Luiz Eduardo Ramos, que estava na reunião da véspera no Alvorada, conseguiu falar com Mandetta. Pediu expressamente que não houvesse entrevista coletiva, que o ministro da Saúde, pelo amor de Deus, não falasse com a imprensa.

– Eu vou seguir a rotina. Amanhã estarei na coletiva das 17 horas – disse Mandetta, confundindo os horários.

Ramos pediu a Mandetta que não fosse.

– Eu vou sim – respondeu o ministro.

O general tem um olhar doce sob olhos pretos, queixo redondo e ralos cabelos brancos acima das orelhas e por trás da cabeça, recortando-lhe a calva quase perfeitamente simétrica. Não se vale da dureza dos generais ao se expressar. Passaria por um vovozinho se encontrado na praça, domingo à tarde.

Abaixo do comando da Segov, no organograma da presidência, vem a Secretaria Especial de Comunicação Social. Então, em tese, o general Ramos é o comandante em chefe da comunicação do governo federal. Na prática, porém, o secretário de Comunicação Social, Fabio Wajngarten, responde diretamente ao presidente da República.

A Mandetta, Ramos, então, pediu no telefonema do domingo que na coletiva não se tocasse no assunto do passeio dominical do presidente por Ceilândia.

– Se a imprensa não me perguntar, tudo bem, eu não falo. Mas se perguntarem, eu vou ter que falar. E vou falar que foi um equívoco. Não é a recomendação do Ministério da Saúde.

O ministro estava calmo, porém resoluto. Sua coragem não era inata. Pois não foram só os generais palacianos que o procuraram naquele domingo. Chegaram centenas de mensagens de apoio de todos os cantos do país. *Aguente, Mandetta, precisamos de você*, era o que diziam.

CAPÍTULO 4
FEVEREIRO DE 2019

CHEGOU POR E-MAIL, EM MEADOS do mês, o aviso da reunião marcada para a segunda-feira seguinte, às 9 horas, com todos os dirigentes da nova gestão. Era uma convocação do chefe de gabinete. Deveriam comparecer os seis secretários nacionais e mais os quatro assessores especiais do ministro, os chefes das assessorias de Assuntos Parlamentares, Internacional, Comunicação Social, Consultoria Jurídica e Diretoria de Integridade – a ser criada. A pauta era discutir os objetivos da gestão, fixar metas e conhecer uns aos outros, já que estavam todos chegando.

No dia marcado, acordei cedo e fiquei em dúvida. Havia tempos não usava terno e gravata. Sempre ia trabalhar de sapatos sociais (preto ou marrom, só tinha um par de cada), calça de sarja, camisa azul-clara (mantenho cinco exatamente iguais!) e blazer. "Mas é a primeira reunião, será que chego lá todo arrumadinho?", pensei. Concluí que se me vissem de terno e gravata naquele dia, essa seria a referência que teriam. Eu criaria "jurisprudência" e estaria condenado para sempre. Respirei fundo, tomei coragem e me vesti com a roupa de sempre. Era um pouco menos formal que o esperado, mas, como vinha de um cara da área de comunicação, não teria problema, seria aceito.

Entrei na sala em busca de um rosto conhecido, mas num primeiro relance eram todos estranhos. Depois, notei Alex, que era meu interlocutor na nova equipe, sentado na ponta, na primeira cadeira à direita da cabeceira. Percorri a longa mesa e avistei o secretário de Atenção à Saúde, Francisco de Assis Figueiredo, oriundo da gestão anterior, como eu. Fui me sentar perto dele. Outro "veterano" do governo Temer era Marco Antônio Toccolini, da Saúde Indígena, mas eu tinha cruzado com ele pouquíssimas vezes na vida, não tinha qualquer intimidade.

O novo chefe não compareceria àquele primeiro encontro. Mas ele aconteceu na sala de reuniões do quinto andar, contígua à sala de despachos reservada ao ministro. No quintal dele, portanto. Não havia dúvida de que, mesmo ausente, eram os planos dele a serem discutidos.

Quem estava à frente era o secretário-executivo, João Gabbardo. Senta-va-se na primeira cadeira à esquerda da cabeceira, em frente a Alex. Eu tinha ouvido falar muito dele nas semanas anteriores, e enfim o conhecia. Era um médico urologista, especializado em gestão pública. Ex-presidente do Conselho Nacional dos Secretários Estaduais de Saúde (Conass), ocupava o cargo de secretário de Saúde no Rio Grande do Sul antes de ir para o ministério.

Sua figura era singular. Pouco mais baixo que eu, cabelo completamente branco cortado bem curto, rente ao couro cabeludo, exceto por um tímido topete. A brancura total da cabeleira contrastava com o tom alaranjado da pele, de um bronzeado saudável e revigorante. Rugas pouco pronunciadas ao redor dos olhos mostravam que era um cara experimentado, mas não velho, apesar de já ter passado dos sessenta. Magro, mantinha um porte atlético invejável, resultado de uma vida pregressa como ultramaratonista – corredores que percorrem distâncias insanas de cem quilômetros.

Ele vestia camisa branca, paletó escuro e gravata cor de vinho, e me chamou atenção o fato de não usar cinto, só a camisa para dentro da calça. Barba bem raspada, falava com voz firme e sotaque gaúcho pronunciado. Os olhos pretos, redondos, sublinhavam-lhe o semblante marcado pelo nariz pontudo empenado para a esquerda, certamente resultado de uma fratura antiga.

No Brasil, o cargo de secretário-executivo é o segundo mais poderoso de qualquer ministério. O secretário segue a direção política dada pelo ministro, mas é ele quem efetivamente administra. Por suas mãos, passam todos os pagamentos, contratações, a maior parte das nomeações. Fora isso, na ausência do chefe, ele assume o cargo interinamente e chega a participar de reuniões com o presidente da República.

Gabbardo não fazia parte do círculo íntimo de Mandetta. Fora indicado por Osmar Terra, com quem o novo ministro mantinha relação próxima na Câmara dos Deputados. Tinha experiência de gestão pública, conhecia bem o Ministério da Saúde e era respeitado no meio. Então a indicação foi aceita de bom grado.

– Bom dia a todos, pra quem não me conhece, eu sou João Gabbardo, o secretário-executivo. Nós já nos vimos trabalhando aí desde janeiro, nos esbarrando nos corredores, nas reuniões, mas hoje vamos nos apresentar oficialmente e dar algumas diretrizes.

Passou, então, a palavra a Alex Campos, o chefe de gabinete, que fez anúncios. Estava em gestação um plano de reorganização do organograma do ministério. Uma nova secretaria seria criada, a de Atenção Primária à Saúde, então delimitada como departamento da Secretaria de Atenção à Saúde (SAS), que, por sua vez, passaria a se chamar Secretaria de Atenção Especializada à Saúde (Saes). E se discutia o futuro da Secretaria Especial de Saúde Indígena (Sesai). No discurso de posse, o próprio Mandetta dissera que pretendia extingui-la.

Alex pediu que cada um se apresentasse e explicasse qual área comandava.

Toccolini, o cara da Sesai, passou pouco tempo na gestão. Foi a primeira e última reunião dele com a equipe nova reunida.

A secretaria sempre foi um poço de problemas. Tem orçamento bilionário e sua missão é cuidar somente dos indígenas aldeados, não dos urbanos. Atende um público de pouco mais de 760 mil pessoas, espalhadas em mais de seis mil aldeias de 416 diferentes etnias incrustadas pelo Brasil, muitas em área de difícil acesso. Que tipo de assistência o SUS deve oferecer a essas pessoas? Não há resposta fácil. Os indígenas gostariam de ter um sistema completo só para eles, do posto de saúde até o hospital de ponta. Mas há quem defenda que sejam atendidos pelo SUS, como os outros brasileiros.

A matemática, de fato, revela uma assimetria. Em 2019, os 760 mil indígenas atendidos pela Sesai custaram um orçamento anual de R$ 1,4 bilhão, o que dá R$ 1.842 *per capita*. Todos os outros 208 milhões de brasileiros tiveram R$ 118,6 bilhões, ou seja, R$ 570 *per capita*.

Em meio ao debate ainda não concluso, a Sesai mantém 34 distritos de saúde indígena espalhados pelo país, 67 casas de saúde indígena e 1.119 unidades básicas de saúde indígena. Oferece, portanto, somente a atenção primária. Se o caso complicar, o paciente é removido para um hospital público comum. Na maior parte da estrutura própria da Sesai, o atendimento não é feito por servidores públicos, mas por membros de organizações não governamentais, que recebem um dinheirão do Ministério da Saúde.

Nem sempre as coisas acontecem como deveriam. Uma investigação interna feita no começo da gestão descobriu que os aviões pagos para transportar indígenas de um lugar a outro da Amazônia levavam outra carga além dos doentes: cocaína.

A Sesai estava na alça de mira.

Lideranças indígenas fizeram vários atos na frente do ministério no começo do governo. Pintados para a guerra, invadiram inúmeras vezes a sede da secretaria, que fica em outro prédio, na Asa Norte. Pressionavam não só pela manutenção da Sesai, mas também pela permanência de Toccolini à frente dela. Mandetta cedeu ao primeiro pedido. Foi forçado a desistir de extingui-la, mas trocou o secretário. Nomeou para a vaga Sílvia Nobre Waiãpi, uma indígena, ex-modelo e atriz de novelas e de cinema, tenente do Exército, ligada ao general Santos Cruz, à época ministro-chefe da Secretaria Geral da Presidência.

Para mim, a rodada de apresentações daquela primeira reunião da equipe foi marcada por três personagens, todas mulheres. Ao longo dos meses seguintes, desenvolvi com todas elas uma ligação muito forte de amizade, admiração e respeito. Mas o primeiro contato foi de choque.

A primeira foi a advogada Juliana Freitas. Era confiante, altiva. Falava alto, com segurança. O cabelo liso, bem escovado e tingido de ruivo com esmero, caía-lhe até acima dos ombros. Usava um vestido justo e brincos grandes. Era funcionária de carreira da Câmara dos Deputados. Experiente, me pareceu ter perto de cinquenta anos, um pouco menos, um pouco mais. Dominava o processo de elaboração de leis no Brasil. Sem nenhum medo de ser considerada arrogante, contou que Mandetta a convidara por ser muito, muito competente, a melhor. Assegurou ter combinado com ele uma ordem fundamental: todos os processos que, de alguma forma, causassem risco à gestão deveriam passar pela mesa dela, para análise e parecer. Só depois podiam chegar ao ministro.

De imediato, Juliana teve uma discussão com outra assessora que Mandetta trouxera da Câmara, Gabriela Rocha, a Gabi. Era uma jovem belíssima, perto dos trinta, pele alva, cabelos pretos lisos como os de uma indígena, compridos até quase a região lombar. Naquele momento, não ficou claro qual seria o papel da Gabi, mas tinha a ver com relações institucionais com o Congresso. As duas discutiram asperamente, mas nem lembro por qual motivo. Foi despropositado e ainda mais sem razão objetiva, numa reunião de apresentação.

A outra personagem que chamou a atenção foi Maria Cristina Nachif, a dra. Cristina. Era uma mulher respeitável, mais ou menos da mesma idade de Gabbardo, psicóloga, assessora pessoal de Mandetta em Campo Grande. Agora cumpriria novamente esse papel no Ministério. Mantinha o cabelo curto, cortado na altura das orelhas e pintado de loiro. Mais de 1,80 metro, esbelta, olhos azuis reluzentes, o dorso alto e largo do nariz revela-lhe a ascendência árabe.

Estava sentada ao lado de Alex, próximo à cabeceira o que significava, portanto, que era alguém com voz de comando na equipe. Chamou a minha atenção o fato de ela falar lentamente, pronunciando cada sílaba das palavras como se as estivesse soletrando. No começo, aquilo me causou aflição. Depois, percebi que as frases que pronunciava eram de uma lucidez e inteligência agudas. Valia a pena esperar por elas.

Naquele dia, nasceu o primeiro escalão, grupo dirigente do Ministério da Saúde na gestão de Mandetta. Reuníamo-nos presencialmente todas as segundas-feiras de manhã – as reuniões começavam às 8 horas e costumavam acabar já depois do almoço. Fora isso, havia uma assembleia virtual permanente num grupo de WhatsApp criado por João Gabbardo, em que, além de nós, os titulares, também os adjuntos de cada instância foram adicionados.

Minha fala naquele dia foi um desastre. Depois de me apresentar, pedi desculpas e avisei que precisava desabafar. Estava muito mal impressionado com a dinâmica de trabalho até então. O gabinete vivia cheio de deputados a todo momento, manhã, tarde, noite, até o fim do expediente, já perto das 23 horas. Era impossível aos assessores despachar qualquer coisa com o ministro. Não havia tempo na agenda dele. Não para isso. E quando, por milagre, a oportunidade surgia, Mandetta falava sem parar, de forma que não se conseguia resolver nada.

– A única hora em que dá pra decidir minimamente é quando ele vai fumar e a gente o acompanha até lá embaixo. O pior é que até com o Alex tá ficando difícil de falar, porque ele também tá cheio de parlamentar pra atender – reclamei, inflamado.

Aquilo pareceu ao grande grupo um ataque gratuito e inexplicável. Mas eu estava atormentado. O Carnaval estava chegando e o Ministério precisava botar na rua uma campanha de combate à Aids, como fazia todos os anos. Eu não conseguia despachar com ninguém e o prazo se esgotava dia após dia.

Na época, o governo não só perseguia petistas na administração. Procurava impingir sua visão conservadora dos costumes em toda e qualquer brecha da gestão. A campanha da Aids no Carnaval tornara-se um problema, pois os dados epidemiológicos mostravam que o vírus progredia entre homens jovens homossexuais. Era esse, portanto, o nosso público-alvo. Mas nossa campanha deveria falar com eles de forma peculiar. Nem cor-de-rosa poderíamos usar, para não inflamar a patrulha bolsonarista. Enfim, eu estava verdadeiramente agoniado. Ao mesmo tempo, era cobrado de uma forma que a mim soava agressiva a respeito das contas da publicidade.

Alex não gostou nem um pouco do meu "desabafo".

– Ugo, olha só, essas coisas acontecem porque até um dia desses a gente não sabia nem se você ia ficar na equipe. Então é preciso ter um pouquinho mais de paciência – me repreendeu, diante de todos.

Saindo da reunião, discutimos novamente. Muito educado e cortês como sempre, ele me contou ter sido questionado pelo pessoal de Mandetta.

– Velho, que diabo foi aquilo? Criticar o ministro na primeira reunião do gabinete?

– Pô, chefe, foi mal — respondi, lacônico. — Não quis ser desrespeitoso. Mas é que não tá bom, tá ruim isso aqui.

– Cara, veja, vai demorar um pouquinho mesmo até entrosar. É natural, as coisas vão se acomodando ao longo do caminho. Tenha paciência, vá fazendo seu trabalho. Pra ajudar você e pra ajudar o ministro, eu procurei saber de você em tudo quanto é canto aqui de Brasília e lá no Recife. Não achei nada que te desabonasse. Segure o tranco e vá em frente.

Alguns dias depois, voltou a me chamar na sala dele.

– Velho, é o seguinte: você me disse que a comunicação do ministério é uma zona. Eu quero saber o seguinte: como é que faz pra arrumar?

Na época, a gestão Mandetta enfrentava sua primeira crise. Uma cartilha com a logomarca do ministério direcionada a adolescentes de dez a dezenove anos ensinava formas de prevenção da gravidez com gravuras consideradas obscenas pelo padrão moral do novo governo.

Bolsonaro tomara conhecimento e falara dela numa *live* feita na sua página pessoal no Facebook. Mandou o ministro recolhê-las. Os jornais transformaram aquilo em polêmica. Criticaram o conservadorismo do novo presidente.

Era um documento antigo, editado durante o governo Dilma. Voltou a circular por sabotagem. Um coordenador demitido da diretoria de DST/ Aids da Secretaria de Vigilância em Saúde (SVS) o distribuíra maliciosamente, sabendo que causaria mal-estar.

– Chefe, tá vendo esse negócio da cartilha? Ele só aconteceu porque a SVS tem comunicação própria. Eles editam livros, cartilhas, panfletos, o gabinete não fica nem sabendo do conteúdo. Isso vale para todas as secretarias. Cada uma delas também tem conta nas redes sociais, a SVS mais de uma, porque o pessoal da Aids tem um canal só deles. Então sai post, vídeo, o diabo, que a gente não tem nem ideia. Tudo é o ministério falando. Além do mais, nossa imprensa não conversa com a publicidade, que não conversa com a comunicação digital, o pessoal de eventos fica boiando. O resultado é que tem um monte de gente emitindo mensagem em nome do ministério, mas a mensagem sai quebrada, diluída, às vezes até contraditória. Então é ineficiente. A solução é um negócio chamado Canhão de Comunicação. É juntar todo mundo abaixo de um comando só e, quando o ministério soltar uma informação, vai sair uma só mensagem por tudo quanto é meio ao mesmo tempo. Assim a gente tem uma mensagem única, mandada a todos os públicos que interagem conosco seja em que mídia for. É um projeto de comunicação integrada. Mas vou logo avisando que as secretarias têm que perder autonomia. Tem que acabar com as redes sociais informais todas, trazer tudo para os canais oficiais, proibir a edição de publicações, trazer tudo aqui pra Ascom. Aí depende de ordem do gabinete. Só assim o ministro vai ter controle sobre o que se fala em nome do ministério.

Naquela época, eu não tinha muito contato com Mandetta. Renato Strauss o atendia desde o dia em que tomara posse. Assim, o ministro o tinha como referência. Não entendia as subdivisões da Ascom e pensava que ele era o chefe da comunicação. Foi Alex quem explicou a ele como era o organograma, que Strauss, na verdade, estava à frente apenas de um dos departamentos, a assessoria de imprensa. Contou quais os problemas do modelo e qual a solução que eu, o diretor da área, propunha.

Dias depois o chefe de gabinete voltou a falar comigo.

– Está feito, falei com o ministro, ele decidiu. Vamos montar aquele canhão de que você falou. Toda a comunicação vai trabalhar junta a partir de agora, abaixo do seu comando.

Na reunião seguinte do primeiro escalão, Mandetta compareceu. O primeiro item da pauta foi a comunicação social. Falou duro com os secretários.

– Vocês têm que entender que a partir de agora toda a comunicação do ministério se reporta à Ascom, é Ugo quem manda, aquele cara ali, ó, de oclinhos e cabelo de reco – disse, apontando o dedo para mim, sentado numa das últimas cadeiras da mesa. – Se vocês resistirem, vou acabar com as assessorias de imprensa das secretarias. Aí é que vocês vão ver!

O ministro mal me conhecia, resistiu a me nomear e me tinha mais na conta de Alex do que na dele próprio. Mesmo assim, entendeu a natureza do problema. Não hesitou em concentrar o poder político no ocupante do cargo responsável pelo tema. Ou seja, em mim.

A situação era em tudo parecida com a que ele enfrentaria no combate à pandemia. Mas o chefe dele faria exatamente o contrário. Em vez de prestigiá-lo publicamente para lhe conferir força, o afrontaria e rebaixaria seguidamente.

CAPÍTULO 5
30 MAR. 2020
MINISTÉRIO DA SAÚDE

O ÚLTIMO FIM DE SEMANA do mês passara por nós como um rolo compressor. Esperávamos estar desde o sábado "alforriados" pela demissão de Mandetta. Em vez disso, perplexos, participamos da esgrima entre o ministro e o presidente da República. Aquela segunda-feira nos soava surreal. Estávamos novamente, às 8 horas, todos reunidos no auditório Emílio Ribas.

O dr. Gabbardo e a dra. Cristina chegaram antes de todo mundo. Ambos tinham ar de cansaço, como se tivessem carregado nas costas um imenso piano. Pouco a pouco, a configuração do primeiro escalão completou-se, à exceção do ministro.

— Já que o ministro não chegou, alguém tem algum tema preliminar para falar? — perguntou o dr. Gabbardo, sentado sozinho de frente para o auditório, onde estávamos todos os demais.

— Eu, Gabbardo! — disse Wanderson, levantando-se. — A gente vinha trabalhando, eu e Erno, num material com o Ministério da Economia que eu gostaria de mostrar ao grupo.

Estava sentado numa cadeira mais à esquerda, na sexta fileira do auditório. É lá onde fica instalado o desktop que recebe os arquivos a serem projetados no telão, à direita da mesa principal, portanto à esquerda da plateia. Wanderson abriu uma apresentação feita em PowerPoint.

Agora se espremia pelo corredor lateral esquerdo para chegar até a mesa principal.

De tanto Marylene comandar, mesmo na ausência dela, ele seguiu direta e automaticamente para a cadeira mais à direita da mesa, portanto mais à esquerda para quem está no auditório. O dr. Gabbardo estava no meio. Wanderson segurava um desses bastões com um feixe de laser na ponta que servem, ao mesmo tempo, para indicar na tela alguma informação que se queira sublinhar e para passar os slides adiante, conforme se avança. Ele ama apresentações.

– Bom, quero começar falando que isto aqui é um documento preliminar, ninguém viu ainda, está sendo mostrado em primeira mão a vocês.

Nem a voz amiga, o sotaque docemente mineiro ou o trejeito carinhoso do secretário nacional de Vigilância em Saúde conseguiram encobrir o potencial autodestrutivo do plano que se descortinava no telão.

José Carlos Aleluia estava sentado atrás de mim, à esquerda, na segunda fila do auditório, de frente para a mesa principal. Cada vez mais espantado com o avançar dos slides, não me contive, virei-me e cutuquei-o.

– Vem cá, é coisa minha ou esse negócio aí é um tiro de canhão no ministro?

Ele olhou para mim, assentiu, franziu as sobrancelhas e abriu as mãos. Falou baixinho, porém em gestos largos, teatrais, como um bom político.

– Claro! Politicamente é um absurdo.

Enviei uma mensagem de texto para a dra. Cristina.

Doutora, esse doc que o Wanderson tá mostrando é um absurdo total. É um ataque ao ministro. Eu vou descer o cacete, que Deus me proteja.

O plano dizia textualmente que o Ministério da Saúde avalizava todas as ideias elencadas. Passava a justificá-las e descrevê-las uma a uma. E assim fazia uma defesa completa e detalhada do tal "isolamento vertical" com todos os cifrões que a perspectiva econômica oferecia. A política de saúde, que até então defendia publicamente o direito da população à vida acima de tudo, tornava-se, de uma hora para outra, mera subscrição àquela proposta inteira e absolutamente concentrada na atividade econômica.

"Saiamos das tocas, vamos ao trabalho. Vamos nos contaminar, muitos vão morrer, mas melhor morrer de doença que da fome parida pelo desemprego." Numa mensagem simples e clara, essa seria a melhor tradução se alguém me pedisse para resumir os mais de 45 slides mostrados no telão. Como queria o Planalto.

Aleluia interrompeu a apresentação.

– Eu gostaria de falar.

– Espera só um pouquinho, Aleluia, que eu já acabo e aí todos comentam – pediu Wanderson.

O secretário falou por mais quarenta minutos.

Olhei para o dr. Gabbardo e levantei o dedo. Também queria falar. Ele acenou com a mão fechada e o polegar para cima.

– Aleluia quer falar. Depois o Ugo quer falar. Alguém mais? – perguntou Gabbardo. A dra. Cristina também se inscreveu. – Depois Cristina. Alguém mais?

– Eu! – gritou Erno, pelo sistema de alto-falantes do auditório.

Erno Harzheim era o secretário nacional de Atenção Primária à Saúde. Gaúcho, torcedor fanático do Internacional, fora capturado na Secretaria Municipal de Saúde de Porto Alegre para, por indicação do dr. Gabbardo e a convite do ministro, comandar as ações da Saps, que, por seu lado, era a principal bandeira de Mandetta à frente do ministério. Logo, se o ministro era o técnico, Erno fora escalado de centroavante. E tinha marcado vários golaços ao longo dos últimos meses.

Erno é jovem, 44 anos, e duro no tratar. Os olhos verdes brilham sempre que se inflama ao falar, pois, descendente de alemães, o rubor do rosto, mais encarnado que o normal, em especial nas bochechas, oferece o contraste perfeito. De altura mediana, mantém a barba sempre feita e o corte de cabelo rente, raspado à máquina. Muito embora seja médico de família – considerado um dos maiores especialistas do mundo –, passaria facilmente por um militar comandando tropas. Naqueles dias, ficava de terça a quinta em Brasília e voltava para o sul porque sua esposa dera à luz semanas antes. O casal estava com um bebê em casa. Ele participava das reuniões do começo e do fim de semana pelo telefone.

– Fala, Aleluia – chamou o dr. Gabbardo, na presidência dos trabalhos.

– Olha, eu quero cumprimentar a todos que se envolveram na elaboração dessa proposta, ficou muito boa, muito detalhada, mas acho que talvez ela não devesse ser apresentada aqui. Talvez devesse ser levada para o ministro, num grupo pequeno, para depois ganhar corpo e chegar aqui para deliberação.

– Não, Aleluia – respondeu Wanderson –, isto não é nem uma proposta, é preliminar ainda...

Mandetta, enfim, chegou. Entrou no auditório pela entrada das autoridades. Estava com os cabelos ainda molhados do banho recém-tomado e o colete azul do COE. Saudou a todos e sentou-se ao centro da mesa. Quando a maior autoridade adentra no meio de uma reunião, é praxe que todos parem para ouvi-lo não sobre o assunto em tela, mas alguma outra frugalidade, uma brincadeira, uma piada. Não foi o caso.

O dr. Gabbardo, de pronto, afastou a cadeira e postou-se à sua esquerda, ou seja, à direita para quem estava sentado de frente, na plateia. Sem dar muito espaço para dispersão, resumiu o que acontecera. O ministro fez cara de surpresa. Ou de não ter entendido.

– Aleluia acabou de falar. O Ugo pediu pra falar, depois Cristina, depois o Erno – elencou o dr. Gabbardo.

Mandetta nunca demonstrou especial interesse em nada do que eu falava nas reuniões do primeiro escalão durante a pandemia. Eu era leigo em assuntos médicos, não tinha conhecimento jurídico a oferecer, não tinha papel nas compras, na logística, nem nas relações internacionais. Acho que ele pensava "É só o cara da comunicação". Por isso, eu costumava falar quando ele não estava. Naquele dia, porém, falei.

– Me perdoem a sinceridade, mas o que se mostrou aí é uma bomba. Está assinada pelo Ministério da Saúde uma defesa completa e detalhada do isolamento vertical, como se não houvesse nada de estranho nisso no cenário político, como se não houvesse uma divergência explícita com o Palácio do Planalto... Se esse troço vazar agora, o ministro fica desmoralizado e o ministério perde toda a credibilidade que conquistou nas últimas semanas...

O breve e desconcertante silêncio foi quebrado pelo protesto de Erno, vindo de Porto Alegre.

– Pera aí, cara, não é assim. Eu acho que a gente tem que levar em conta o cenário, mas mais importante é fazer o que se tem que fazer, independentemente da política.

– Erno, pera aí, Erno! – interrompeu Mandetta, firme e surpreso. – Calma lá. Em primeiro lugar, já basta desse negócio de documento assinado pelo Ministério da Saúde vazar por aí antes de eu sequer conhecer. Então, a primeira coisa é tirar a logomarca do ministério, já que é só uma versão preliminar.

– Mas ministro... – dizia Erno, com a habitual assertividade. – Não é isso, não é isso... – apoiava Wanderson, ao mesmo tempo.

– Pera, Erno, pera, Erno! – interrompeu Mandetta. – É claro que a gente precisa ter um plano para sair da quarentena. Você está certo, é isso mesmo que a gente tem que fazer. Mas o Ministério da Saúde precisa enumerar as condicionantes para a saída. Eu mesmo já tenho umas nove. Começa pelos leitos de CTI [Mandetta nunca fala UTI, como é mais comum, refere-se sempre a CTIs], respiradores, EPIs, manejo das favelas, então tem um monte de coisa que eu tenho certeza de que não tá aí e que a gente precisa fazer. Então é isso, tirem a marca do ministério, tirem as menções ao ministério, levem para mim com as condicionantes e vamos construir isso.

O clima da reunião azedou. Gabbardo passou a palavra à dra. Cristina. Ela detinha imensa autoridade moral sobre todos. Falou com o ritmo habitual, pronunciando cada sílaba lentamente e com clareza.

– Não, o que eu queria falar, acho que o Aleluia já falou. Esse documento precisa ser discutido com o ministro antes de ser trazido para o grande grupo. Mas o próprio ministro já está ciente, já resolveu, então vamos avançar.

Ao mesmo tempo que aquele debate era travado dentro do Ministério da Saúde, Jair Bolsonaro parava o carro à saída do Palácio da Alvorada para falar à claque que o espera ali diariamente. O convescote entre presidente e apoiadores é acompanhado por repórteres de todos os principais veículos de imprensa do país, que montaram um pequeno sistema de plantão bem ao lado de onde ficam os eleitores e conseguem, vez por outra, ter perguntas respondidas pelo chefe do Poder Executivo. Naquele dia, o tema, claro, foi o passeio da véspera por Ceilândia.

– Vai morrer gente? Vai morrer gente – perguntou e respondeu Bolsonaro. – Temos dois problemas: o vírus e o desemprego. Têm que ser tratados juntos, com responsabilidade – discursou, dizendo que estava tão ocupado com o assunto que não tinha tempo nem de encontrar a esposa em casa.

Como sempre, vídeos desses encontros varriam o país pelo WhatsApp durante a manhã inteira. E o próprio Bolsonaro alimentava suas redes sociais com eles, sobretudo a que mais preza, o Twitter.

Ainda com clima pesado, como se fica em briga de família, a reunião seguiu no auditório Emílio Ribas.

O diretor do Departamento de Logística (Dlog), Roberto Dias, avisou que entregaria dali a pouco todos os equipamentos de proteção individual comprados pela União para os estados da Federação. Disse também que fecharia dali a algumas horas a compra de 15 mil respiradores de uma empresa chinesa com entrega imediata e que a Embaixada do Brasil na China estava pesquisando fornecedores confiáveis para vender insumos médico-hospitalares ao país.

O dr. Gabbardo chamou a atenção para um problema que estava se tornando crucial, dia após dia.

– Estou muito preocupado com os dados do Cnes, porque é neles que estamos confiando – disse.

Cnes é a sigla de Cadastro Nacional dos Estabelecimentos de Saúde. Trata-se de um banco de dados administrado pelo ministério. No Brasil, toda unidade de saúde pública ou beneficente é obrigada a alimentá-lo. Por intermédio dele, o SUS planeja a assistência médico-hospitalar à população. Em tese, lá estão cadastrados os hospitais, bem como quais e quantos leitos e equipamentos o servem.

O plano do ministério durante a pandemia carecia de saber exatamente, cidade a cidade, quantos leitos havia, o percentual ocupado e que tipo de tratamento poderiam oferecer. Esse dado seria o marco zero de toda a estratégia de apoio que a União poderia fornecer para que estados e municípios assistissem a população.

– Depois o cara não vai vir dizer "Ah, eu tinha trezentos leitos aqui, mas na verdade só tenho cinquenta". Aí vai nos quebrar. Todos botamos o pescoço na guilhotina.

Mandetta atalhou.

– Gabbardo, é bom ver as clínicas de cirurgia plástica. As madames não estão fazendo plástica, estão tudo em casa. Eu tenho certeza de que tem muito equipamento parado nessas clínicas. Se tiver duas mil clínicas no Brasil, e deve ter muito mais, tem pelo menos seis mil equipamentos parados, monitor, respirador, essas coisas.

Clínicas privadas de cirurgia plástica, assim como hospitais privados, não têm obrigatoriedade de alimentar o Cnes. Sendo assim, o governo fica sabendo desses dados por intermédio das sociedades médicas e hospitalares.

O tema dos leitos ficou para trás, inconcluso. Mandetta prosseguiu.

– Eu conversei ontem com o cara da Alpargatas Santista para produzir EPI. A Fierj [Federação das Indústrias do Estado do Rio de Janeiro] me disse que juntaram lá umas fábricas no Rio e produziram cinco mil desses protetores de acrílico, mas aí ninguém comprou, então eles interromperam a produção. Tem que ver isso aí. A gente tá pedindo pros caras fabricarem, tá mobilizando, daí ninguém compra. Fala aí com os estados, fala aí com os municípios, pô!

O ministro lembrou de ter conversado com a senadora paulista Mara Gabrilli e pediu a confecção de uma cartilha para pessoas com dificuldade de locomoção.

Normalmente, esse tipo de encomenda se desdobra mediante um fluxo já conhecido de todos. A secretaria nacional responsável elabora uma nota técnica com as informações que devem constar na cartilha e a envia à Assessoria de Comunicação Social, onde são feitas a programação visual e a edição do material. Mas naquele momento, o pedido pareceu etéreo. No ar estava, no ar ficou.

O ministro encerrou a reunião com um alerta.

– Eu ontem fui dormir depois daquele programa... aquele da Globo-News... o *Manhattan... Connection*, é esse o nome, *Manhattan Connection*? Era mais de meia-noite, mas aí acordei de novo às duas da manhã e não consegui mais pregar o olho. Aquele cara, Diogo Mainardi, contou que lá, ele mora em Veneza, na Itália, ele tem um perímetro de duzentos metros a partir da casa dele em que ele pode circular. Esse perímetro foi estabelecido para que as pessoas levem os cachorros pra passear. Ele disse que saiu com o filho, o filho dele tem algum problema, acho que paralisia cerebral, e quando chegou perto desse perímetro, foi abordado, acho que pela polícia, por fiscais, sei lá. E já avisaram que o menino não vai receber tratamento médico se pegar o vírus. Então é isso que acontece quando o sistema de saúde entra em colapso.

O recado dos fiscais italianos a Mainardi era, de fato, o resumo exato do que é a pandemia do novo coronavírus. Muitos doentes chegam ao mesmo tempo aos hospitais. Trata-se de um vírus que infecta o sistema respiratório para se transportar de um hospedeiro a outro. É extremamente eficaz nisso.

Então, com as primeiras levas de pacientes, enfermeiros e médicos adoecem em primeiro lugar. Há mazelados chegando a toda hora, muitos deles em estado grave. Mais doentes do que camas disponíveis onde deitá-los. Mais doentes do que a quantidade de profissionais de saúde saudáveis necessária para cuidar deles.

Veem-se caos e desespero, pois as complicações do sistema respiratório fazem com que o doente sufoque. "É como se estivesse se afogando", descreveu Mandetta numa das reuniões. "Quem aqui já viu uma morte por sufocamento?", perguntava. "O cara busca o oxigênio, mas os pulmões não conseguem levar ao sangue. A cor da pele nas extremidades, dedos, face, ganha um tom arroxeado pavoroso. Enquanto isso, o cara se debate, em desespero."

Quando um hospital se depara com tal quadro, de demanda muito maior do que sua capacidade de atendimento, diz-se que entrou em colapso. A partir desse momento, os médicos que restaram começam a fazer escolhas de vida e de morte. Quem será atendido, quem será levado para tratamento intensivo, quem usará ventilação mecânica. Na Itália, idosos com mais de sessenta anos e portadores de deficiência seriam deixados para morrer em casa, caso adoecessem e caso a doença chegasse à fase mais aguda.

Tendo entendido a mensagem de Mandetta, o dr. Gabbardo ficou chocado.

– Meu Deus!

Já era mais de meio-dia quando o ministro deu aquela reunião por encerrada. Havia muitas providências a serem tomadas por praticamente todas as áreas do ministério. Os secretários e diretores saíram e, como sempre naqueles dias, puseram as equipes para fervilhar.

Passava um pouco das 15 horas quando Renato Strauss entrou na sala do dr. Gabbardo com olhar aflito. Lá já estávamos eu e o anfitrião, mais o secretário Wanderson.

– Que é que foi, Strauss? – perguntei.

– A Secom acabou de me ligar.

Secom é a Secretaria Especial de Comunicação Social da Presidência da República. Por lei, é o órgão que coordena o chamado Sicom – Sistema de Comunicação do Governo Federal, formado pelas assessorias de comunicação (Ascoms) de todos os ministérios. É ele que dá a palavra final sobre planos de mídia e conteúdo nas campanhas de publicidade, que coordena e articula as ações de comunicação do Governo Federal e também que cuida da assessoria de imprensa da Presidência da República.

E Renato prosseguiu:

– Estão dizendo que, a partir de hoje, não tem mais coletiva aqui. As coletivas vão ser todas lá.

– Ué, como assim? Então a gente não precisa ir, daí – comentou o dr. Gabbardo, com sotaque gaúcho acentuado.

– Eu não sei, eles não explicaram muito bem como é que vai ser isso, não – desculpou-se Renato Strauss.

– Mas gente… – admirava-se o secretário Wanderson, sentado no sofá que fica encostado na janela de vidro virada para o Palácio do Itamaraty.

– Pera aí, eu vou tentar descobrir alguma coisa na Casa Civil – pedi.

Saquei o celular e liguei para o coronel Peregrino, chefe da Assessoria de Comunicação da Casa Civil desde que o general Braga Netto assumira o posto de ministro-chefe no lugar de Onyx Lorenzoni.

– Alô, coronel, boa tarde, tudo bem?

– Oi, Ugo, boa tarde, meu amigo, tudo bem. Como você está?

– Tudo joia, coronel, obrigado. Olha só, eu tô ligando para o senhor para checar se é verdade que as coletivas diárias aqui do Ministério da Saúde foram proibidas e agora serão feitas sempre aí no Palácio.

Usei a palavra "proibidas" de propósito. Era uma provocação sutil e educada, mas, ainda assim, uma provocação.

– Olha, que eu saiba, proibidas não, de jeito nenhum. Mas eu ouvi alguma coisa nesse sentido de trazer pra cá, sim. Acho que foi uma ideia do general Ramos e do ministro Braga Netto, mas não sei detalhes. Quem vai saber disso é a Secom.

– Ah, tá, então vou procurar a Secom. Valeu, coronel, abraço.

– Abraço, amigo, qualquer coisa, conte comigo – respondeu Peregrino, polidamente, sem cair na minha provocação.

Desliguei e avisei à pequena plateia.

– É, fodeu mesmo. Levaram as coletivas para lá.

Uma hora e meia depois, o próprio Braga Netto, sentado ao centro da mesa montada no Salão Oeste – o segundo maior do Palácio do Planalto, nova "casa" das coletivas –, dava a versão oficial para a mudança na forma de comunicar.

– O combate à pandemia envolve todos os setores do governo – argumentou o chefe da Casa Civil. – Então, a partir de agora, as coletivas terão a participação sempre dos vários ministros envolvidos.

Naquele dia, chamaram Mandetta e Onyx Lorenzoni, já alocado no Ministério da Cidadania, Tarcísio de Freitas, ministro da Infraestrutura, o então advogado-geral da União, André Mendonça, e o tenente-brigadeiro do ar, Raul Botelho, chefe do Estado-Maior das Forças Armadas, todos sob a coordenação de Braga Netto.

Até ali, o governo prestava contas das ações de combate à pandemia valendo-se todos os dias, exclusivamente, da perspectiva da saúde pública. E o fazia segundo planejamos muitas semanas antes, com linguagem clara e acessível, dados sistematizados, transparência absoluta e porta-vozes fixos, de forma a dar uma cara conhecida e confiável às mensagens.

O que se viu na coletiva do dia 30 de março foi inteiramente diferente. A linguagem empolada de Lorenzoni, Freitas e Mendonça causou dificuldades até mesmo aos repórteres então acostumados à coloquialidade do Ministério da Saúde. Dados e mais dados foram distribuídos por cada pasta sem qualquer sistematização.

Mandetta foi o último a falar naquele dia e já havia passado mais de uma hora de discursos cheios de sibilações. Como de costume, o ministro da Saúde lançou mão de sua habilidade retórica, explicou quais eram os planos em construção e, ante o contraste abissal com os companheiros na mesa, tornou-se instantaneamente a estrela mais reluzente do governo Bolsonaro.

– Muito bem, boa tarde a todos! Esse novo formato, para aqueles que estão acostumados com o formato dos últimos sessenta dias dos boletins epidemiológicos no Ministério da Saúde, entendam como o mesmo boletim, só que ampliado. Nos últimos trinta dias, a gente dimensionou o problema, que extrapola muito o tamanho do Ministério da Saúde para a solução. Então, a partir de agora começa um conceito ampliado de coordenação e controle das ações. Está aqui ao meu lado o ministro Tarcísio, mexendo no celular, ele tá quase que em tempo real acompanhando aqui, porque acaba de pousar o avião com os kits que a gente fez com a Vale.

Referia-se a uma doação de 5 milhões de testes rápidos oferecidos pela mineradora. A carga chegara por via aérea, poucos minutos antes. O ministro da Saúde falava como chefe do governo.

– Esse avião chegou... Se eu estivesse ainda só com o Ministério da Saúde, teria muita dificuldade em mandar pros estados, já que esse é um insumo que a gente quer que chegue rápido. Semana passada a gente mandou uma carga de caminhão que demorou cinco, seis dias para chegar. Agora, numa ação muito mais integrada, não só essa dos kits, que vai ser um teste, dentro dessa logística que está sendo organizada tanto pelo ministro Tarcísio quanto pela Defesa, junto com a Aeronáutica, ela pode envolver aviões cargueiros, pode envolver os aviões de pequeno porte, pode envolver aviões dos estados, dos municípios, acho que Tarcísio pode dar uma enorme de uma explicação sobre isso. O ministro André tem dado um apoio enorme na questão jurídica, que precisa também de ajustes.

Depois de falar por mais de dez minutos sobre o papel dos outros ministros, ele voltou à pregação do Ministério da Saúde.

– O nosso inimigo número um neste momento é o vírus. E ele tem efeitos colaterais em todos os lugares. Eu vejo que um grande divisor é: temos uma onda na saúde e temos uma onda na economia. Parece que tá muito claro pra todo mundo, isso. Parece que é consenso de todos que fazer um *lockdown* absoluto da sociedade brasileira neste momento não é o que a gente está precisando, porque a gente vai ter muito problema ali na frente. Então temos que moderar como nos movimentar, como ativar partes importantes da economia pra que não tenhamos a segunda onda maior que a primeira. Também já é consenso de todos que estão aqui nesta mesa. Então acho que se a gente conseguir partir, mas nada feito isoladamente pelo Governo Federal, não!, o SUS trabalha com a tripartite... No momento, a gente deve manter o máximo grau de distanciamento social, pra que a gente possa, nas regras que estão nos estados, dar tempo para que o sistema se consolide na sua expansão.

Com as mãos espalmadas uma de frente para a outra, ele olhava fixamente para os repórteres e afastava os braços, numa espécie de abraço ao contrário, ilustrando a ampliação do sistema público de saúde.

Após a primeira parte cheia de discursos, passou-se à atualização do boletim epidemiológico. Saíram os ministros, entraram dr. Gabbardo e o secretário Wanderson, agora com Mandetta no centro da mesa. O ministro da Saúde assumiu o papel de chefe de cerimônia e moderou ele próprio as perguntas da imprensa.

Todos ficamos surpresos, mas nenhum repórter perguntou clara e taxativamente qual a posição do Ministério da Saúde em relação ao passeio do presidente da República na véspera. Sem a pergunta, não houve a resposta. E o tema foi apenas tangenciado de forma sutil, imperceptível.

Estava claro para todos nós. As coletivas diárias foram levadas para o Palácio do Planalto como forma de tutelar o discurso de Mandetta e impedi-lo de passar pitos públicos em Bolsonaro, como prometera 48 horas antes.

Da forma original, manteve-se somente a obrigatoriedade da transmissão ao vivo. Mas agora com conteúdo menos atraente e duração muito mais longa do que o razoável. Estava óbvio que a audiência cairia drasticamente. Até então um dos pilares estratégicos, a comunicação da epidemia tornara-se uma incógnita.

CAPÍTULO 6
MAIO DE 2019

— BORA, GENTE, AVIA! Já tamo atrasado – eu pedia.

Stael e Chicão ainda resistiam àquele churrasco.

– Ah, pai, eu preciso ir mesmo?

– Precisa, bora!

Era já fim de uma manhã gloriosa de meio de semana, sol e calor numa quarta-feira, 1º de maio. Feriado comemorativo do Dia do Trabalho. Luiz Henrique Mandetta tinha assumido o cargo há exatos cinco meses. Nomeara e empossara toda a equipe. Mas o novo comando do ministério ainda tateava aquela imensidão de siglas, departamentos, coordenações e diretorias, com seus mais de R$ 120 bilhões anuais de orçamento.

Alex Campos, meu padrinho, chefe de gabinete, planejara o churrasco para aproximar a todos. Marcou-o no Clube do Congresso, antigo e tradicional em Brasília, antes exclusivo somente para deputados, senadores e suas famílias. Fica no último lote da estrada principal do Lago Norte, recanto que os brasilienses em geral consideram longe, muito longe de tudo. Talvez por isso e por ser espraiado num imenso terreno à beira do lago Paranoá, o clube sempre parece estar vazio.

Naquele dia, o objetivo era confraternizar. Alex mobilizara todo o primeiro escalão. "Levem as famílias", pedia, ao convidar. Queria dar liga àquele grupo de desconhecidos. Ele próprio havia sido apresentado a Mandetta poucos dias antes da posse, em dezembro de 2018. Já convidado para o cargo por Bolsonaro, o futuro ministro chamou para chefiar seu gabinete Gustavo Pires, a quem conhecera na liderança do Democratas na Câmara. Como estava partindo para um ano de estudos em Boston, nos Estados Unidos, Gustavo indicou Alex, seu colega na carreira legislativa. E assim se deu.

— Fala, Braga! — veio me receber Alex na churrasqueira doze do Clube do Congresso. Tinha um grande sorriso no rosto e um copo de uísque na mão. Estava de calça jeans e camisa polo. Um pouco mais formal do que minha bermuda, camisa branca de algodão e tênis.

— Olá, chefe, esta aqui é minha esposa Stael e este aqui é Chicão, meu filho caçula.

Enquanto fazia as apresentações, pensava: "Será que eu estou informal demais?".

— Olá, prazer, sejam bem-vindos. Venham cá, o ministro está logo ali. Sentem-se, sentem se — e mostrava as cadeiras ao redor da mesa. — O que você quer beber?

Em volta da mesa na churrasqueira doze já estavam Carlos Andrekowisk, amigo de infância e assessor de Mandetta, o ex-deputado José Carlos Aleluia, também assessor especial e, sentada ao lado dele, uma mulher de pele escura e cabelo muito liso, preto e comprido. Só depois a identifiquei como Sílvia Waiãpi, recém-empossada nova secretária especial de Saúde Indígena. Também já estavam sentadas Thaisa Santos Lima, enfermeira especializada em relações internacionais e chefe da assessoria internacional, e Juliana Freitas, advogada que me impressionara negativamente na primeira reunião, dois meses antes.

Bom, o churrasco foi feito em sistema de adesão. Para ir, havia que pagar um tanto para cada adulto e metade da cota para cada criança. Sendo assim, não economizei.

— Ué, tem uísque?

— Claro! Vou preparar uma dose pra você. Ministro! Olha aqui, o chefe da comunicação, Ugo, e a família dele.

Mandetta estava de bermuda, como eu, de camisa de algodão, como eu (a dele era azul), só que calçando mocassins. Aquele sapato o deixava um grau abaixo de mim no quesito desinibição. "Putz, tô informal demais!", pensei. De pé, ele falava alto. Dominava a cena, como se a estivesse dirigindo. As pessoas riam, gargalhavam ao seu redor. Veio nos cumprimentar com o mesmo grande sorriso com que Alex nos recebera pouco antes.

– Bom dia! Quer dizer, boa tarde, já passou do meio-dia. Como vocês estão?

– Olá, ministro. Esta aqui é minha esposa Stael e este é meu filho Francisco, o Chicão.

– E aí, Chicão, tudo bem? – cumprimentou Mandetta, abaixando-se e aproximando suavemente o punho fechado para que meu filho devolvesse o cumprimento com um soquinho. Depois voltou-se para Stael, deu os tradicionais dois beijinhos e repetiu as instruções. – Sentem aí, sentem aí, fiquem à vontade – e voltou a reger o churrasco.

Alex retornava do cantinho das bebidas, uma mesa posta ao lado da churrasqueira, onde estavam duas garrafas de Johnny Walker doze anos e um balde de gelo. Abaixo dela, uma caixa térmica azul guardava cervejas e refrigerantes. O chefe de gabinete trazia um copo cheio de gelo e uísque para mim e me introduzia na conversa. Stael pediu um copo d'água ao garçom. Chicão não quis nada. Queria não estar ali.

– Rapaz, cê não vai acreditar. O nosso ministro, além de médico, é historiador. Tava aqui contando da Guerra do Paraguai. Ele sabe o nome do índio que tava do lado do cara que atirou no soldado que fazia a segurança do filho de Solano López…

– Calma, calma – objetou Mandetta, bem-humorado. – É que minha bisavó foi refém das tropas paraguaias. Eu descobri isso quando era rapaz, encontrei uns papéis antigos lá na fazenda da minha família. Comecei a colecionar, estudar, hoje eu faço parte de uma confraria sobre a Guerra do Paraguai. Tenho muito material inédito, muitos documentos.

Descendente de imigrantes italianos, a família Mandetta radicou-se no Mato Grosso do Sul no século XIX. O estado do Centro-Oeste brasileiro abriga uma parte do Pantanal e faz fronteira a oeste com a Bolívia e com o Paraguai. Foi lá, na cidade de Dourados, então província do Mato Grosso, durante o Segundo Império, que o exército paraguaio invadiu o Brasil.

O ministro passou a contar em detalhes a história da irlandesa Elisa Lynch – viúva de Solano López –, desde seu primeiro casamento com Xavier Quatrefages, oficial do Exército francês que a abandonou. Ao oferecer informações apetitosas da biografia da diva do ditador paraguaio, explanava com profundidade sobre os temas tangentes, como direito de herança e propriedade, estatutos militares do século XIX, história da América Latina e até da França napoleônica.

– Ciro! – gritou Alex, levantando e repetindo o grande sorriso na direção do advogado Ciro Miranda, chefe da consultoria jurídica, que chegava sozinho, de bermuda e camisa polo. Como eu, estava de tênis. Atrás dele chegavam ao mesmo tempo a Gabi, Alexandre Pozza, subsecretário de assuntos administrativos, responsável por todas as contratações do ministério, subordinado a Gabbardo, e Carolina Palhares, médica infectologista, chefe da recém-criada Diretoria de Integridade, que abrigava a Ouvidoria, a Corregedoria e todas as demais instâncias do controle interno.

– Oi, pessoal, bem-vindos, vamos chegando, sentem aí. O que vocês vão beber? – animava Alex.

Fora o chefe de gabinete, todos os homens estavam de bermuda. As mulheres, de vestidos de tecido leve. Depois de três bons goles de uísque, parei de me preocupar com a minha informalidade.

Chegaram Leonardo Soares, o Léo, assessor do gabinete, a esposa dele, Maria Fernanda, a Mafê, jornalista como eu, repórter da TV Globo, a quem eu conhecia havia muitos anos, e os dois filhos.

– Grande Léo! – recebeu Alex, em gestos largos.

Por fim, chegou Wanderson Oliveira, secretário de Vigilância em Saúde, com a esposa Carol e a filha Liz, com pouco mais de um ano de idade. O casal vivia um drama. Liz nasceu prematura e com dificuldade para respirar. Precisou ser internada na UTI Neonatal. Aplicaram-lhe uma injeção de adrenalina numa dosagem muito acima da recomendada, afetando-lhe o cérebro. A criança passou a precisar de cuidados especiais.

Naquele churrasco, descobri que Wanderson mantém quase sempre a fala mansa, com um sotaque mineiro aconchegante, um sorriso doce no rosto, e cumprimenta a todos invariavelmente com um grande e fraterno abraço.

– Olá, secretário, a gente vai trabalhar muito junto, porque a SVS é a maior cliente da Ascom – cumprimentei-o.

Ele me devolveu um imenso sorriso. Bateu no meu ombro.

– Claro, claro, eu quero marcar uma conversa mais comprida *cocê* pra gente trocar umas ideias, tá bom? Eu vou pedir pro meu pessoal marcar.

Dentro do Ministério da Saúde, a SVS é a "dona" das campanhas de vacinação e de todas as outras que falam de prevenção a doenças. Por isso, praticamente 90% da área de publicidade é ocupada por ações de utilidade pública oriundas de lá.

Por algum motivo, a história da Guerra do Paraguai já não animava a mesa. O assunto derivara para a infância do ministro. A primeira garrafa de uísque estava quase no final. A plateia seguia o principal personagem da roda. O próprio Mandetta sorria mais, falava mais alto e suava um pouco.

– Não, não pense que é fácil, às vezes eu acho que vou enlouquecer – dizia Mandetta ao grupo já encorpado, rindo alto, bem-humorado. E continuou: – Eu tenho memória fotográfica! Eu tive que ler todos os sermões do padre Antônio Vieira, porque o padre Walter Bochi, meu mentor no ginasial, lá em Campo Grande, me obrigou, rapaz, tá pensando o quê... Então se você me perguntar qual é a abertura do sermão tal, capaz de eu recitar pra você. Tem um que eu gosto que diz mais ou menos assim: "Se tudo que fizeres pela pátria, e ela ainda assim lhe for ingrata, não tereis feito mais do que sua obrigação".

Mandetta repetiria a abertura do sermão num momento decisivo do ano seguinte.

– Também sei de cor as poesias de Augusto dos Anjos – e citou uma estrofe de "Versos íntimos". – "Somente a ingratidão – esta pantera –/ Foi tua companheira inseparável".

Meses depois, ele declamaria o poema inteiro.

– Tem dias que eu acordo de manhã e não consigo levantar da cama enquanto não recitar a tabela periódica por completo, cada elemento e suas características químicas.

"Porra, esse cara é doido", pensei.

– Opa, ministro Onyx! – levantou-se Alex para receber o então poderoso chefe da Casa Civil, que churrasqueava ao lado, com a esposa. – Venha cá, sente-se conosco.

Dali a alguns meses, o peso político de Onyx Lorenzoni seria bem menor do que era naquele dia. A amizade sincera que os dois ministros demonstraram no abraço de saudação não passaria de uma memória sem importância. Nenhum de nós poderia sequer imaginar, mas no futuro Onyx seria o causador indireto da demissão de Wanderson e, ao vivo, em frente às câmeras de tevê do país inteiro, da minha própria demissão.

CAPÍTULO 7
31 MAR. 2020
MINISTÉRIO DA SAÚDE

A intervenção do Palácio do Planalto para solapar a estratégia de comunicação, o apoio maciço da opinião pública ao ministro da Saúde contra o presidente da República, tudo isso apontava para o desfecho inevitável. Mandetta sobrevivera ao sábado, mas sua demissão era questão de dias.

O primeiro caso de infecção comprovada pelo novo coronavírus no Brasil datava de 26 de fevereiro. Pouco depois, em 11 de março, o governo do Distrito Federal, a menor das unidades da Federação em termos territoriais, mas com o terceiro maior "município" em população, decretou a suspensão das aulas para os ensinos fundamental e médio. E assim inaugurou a política de isolamento social. Vários estados o seguiram, inclusive São Paulo, o mais rico de todos. A partir dali, as medidas foram ampliando o espectro da política – proibição de shows e espetáculos, inclusive eventos esportivos, fechamento do comércio, orientações de funcionamento restrito das indústrias.

A Secretaria Nacional de Vigilância em Saúde monitorava os números de infectados e de mortos por todo o país, medindo a velocidade da doença e fornecendo suas impressões. Pela manhã, na reunião do primeiro escalão. À tarde, à nação, nas coletivas de imprensa. Para tanto, o secretário Wanderson seguia as orientações da Organização Mundial da Saúde (OMS) contidas num livrinho que ele sempre citava: *Rapid Risk Assessment of Acute Public Health Events*

[Avaliação Rápida de Riscos de Eventos Agudos de Saúde Pública], um manual de 44 páginas publicado em 2012. Esse livrinho contém uma série de diretrizes sobre tudo o que pode acontecer diante de um evento de risco de saúde pública, desde como identificá-lo até como organizar os dados, como analisar o risco, como fazer para que diferentes níveis de uma organização se comuniquem ou a forma de as autoridades prestarem contas à população. Está tudo lá. Wanderson o seguia à risca.

Ao restringir a circulação da população no alvorecer da epidemia, o Brasil conseguira reduzir a velocidade de contágio do vírus, era o que nos dizia o secretário Wanderson e o dr. Gabbardo, que esfolavam os números dia, noite e madrugada. O país ganhara tempo. Mas o que fazer com esse tempo? Mandetta nos lembrava diariamente.

– Agora temos que ajudar o sistema a se expandir – repetia. – O sistema tem que se preparar para conseguir atender mais gente do que suporta hoje.

Para isso, o Ministério da Saúde foi às compras. Adquirira milhões de máscaras, luvas, óculos de proteção, sapatilhas, aventais, toucas, frascos de álcool e os distribuíra aos estados. A ideia era proteger os profissionais de saúde, evitar que ficassem doentes. Relatos da China e da Itália revelaram ser esse um grande problema, pois seus hospitais se viram desfalcados das equipes justamente no momento de explosão na procura por leitos e cuidados médicos.

Só que equipamentos de proteção individual são itens descartáveis. Fornecê-los aos milhões, como se estava fazendo, tinha tanto efeito quanto enxugar gelo. Era preciso ampliar de fato a capacidade de assistência do sistema de saúde. Para isso, urgia mobilizar mão de obra e construir novos leitos, tanto de enfermaria quanto de tratamento intensivo. E então o Brasil se deparou mais uma vez com seu velho e invencível inimigo: a burocracia.

Nós nos reunimos logo cedo de manhã no Emílio Ribas. Roberto Dias, o diretor do Dlog, foi o primeiro a falar naquele dia. Estava sempre de terno e gravata, com o cabelo levemente grisalho bem cortado e penteado de lado com muito zelo. Tem um forte sotaque carioca e usa óculos sem armação, só com as lentes sobre o rosto, o que lhe confere um estilo sério e discreto. Fala sempre com ar confiante de executivo de negócios.

– O Ministério da Saúde conseguiu proposta para um grande número de itens de EPIs vindos da China. São duzentos milhões de itens, principalmente máscaras cirúrgicas e N95, com entrega em trinta dias a partir da assinatura do contrato. Vão ser necessários dez aviões para trazer tudo isso pra cá.

Houve um contido ar de vitória na plateia. Alguém falou "Opa! Muito bom". Outro ainda brincou "Pô, trinta dias é muito, hein!?".

– Há também um suprimento de EPIs de material apreendido nos aeroportos — prosseguiu Roberto. — Fizemos 271 pedidos à Receita. Nesse caso, tem EPI e tem respirador. Mas só vamos saber quanto tem de cada item quando recebermos a carga.

Havia, então, uma espécie de deus nos acuda no comércio global de insumos médicos. Os países estavam apreendendo cargas que passassem pelo seu território. Naquele caso, empresas brasileiras haviam exportado máscaras e respiradores. Ao chegarem à Receita Federal, porém, não conseguiram embarcá-los. Tudo foi apreendido e confiscado a pedido do Governo Federal. Seria usado no Brasil mesmo. O ministério, claro, pagaria por eles. Não o preço da nota. Mas pagaria por eles.

Ao pronunciar a palavra "respirador", Roberto sem querer disparou o alarme mental de Mandetta. Pois a forma grave da Covid-19, a que manda pessoas para o hospital, causa insuficiência respiratória. Ao automaticamente tocar naquela pauta, o próprio ministro passou mais de quarenta minutos discutindo protocolos terapêuticos, antes de explodir contra a burocracia.

– Tem caso que só o cateter de oxigênio basta – começou explicando.

Cateter de oxigênio são aquelas mangueiras finas de plástico com um terminal em forma de meio agá, acoplado nas narinas do paciente.

– Ou então uma máscara de Venturi. E temos que ver o protocolo de intubação.

Máscara de Venturi é aquela feita de plástico transparente e que cobre todo o nariz e a boca do paciente. Também é ligada numa mangueira de oxigênio. O cateter e a máscara não precisam de grandes especialistas para serem colocados.

Já a intubação é um procedimento complicado. O médico levanta a cabeça do doente, de forma a abrir-lhe a garganta, e com um instrumento chamado laringoscópio afasta as cordas vocais e entre elas enfia um tubo de oxigênio até a traqueia. É desconfortável. Deve ser feito com sedação. O que significa que precisa de um anestesista. Além disso, o procedimento propriamente dito não é dominado por todos os médicos. É mais comum entre traumatologistas, intensivistas e cirurgiões. Não havia gente suficiente em nenhuma dessas especialidades nos estados. Só São Paulo podia esperar a epidemia com algum conforto nesse quesito.

– Tem gente que intuba com a oximetria abaixo de 90%, acho que a gente precisa soltar uma orientação aí, principalmente pros hospitais de campanha – opinou o ministro, discorrendo sobre sua predileção por transformar campos de futebol em hospitais de campanha. – É o ideal. É plano, tem acesso largo, estacionamento, logística fácil embaixo das arquibancadas, tem esgoto, eletricidade, encanamento. E não precisa de muita coisa, não. É oxímetro de mão, nutrição, boa fisioterapia...

Ele queria que o Governo Federal construísse os hospitais de campanha e os desse aos estados. Pediu que fossem oferecidos aos governadores. E já que se estava falando em respiradores e leitos, chegou-se ao tema que amargou o dia.

Uma das primeiras medidas anunciadas pelo Ministério da Saúde, semanas antes, era uma imensa novidade no SUS: o aluguel de leitos de UTI. Eram dois mil. Metade seria distribuída pelo país conforme indicação do Conass, uma das três "patinhas" que Mandetta mencionara na coletiva três dias antes. A outra metade ficaria guardada. E movimentada de um lado pro outro nos locais onde a doença acelerasse. A tarefa tinha ficado a cargo da secretaria-executiva, portanto sob gerência do dr. Gabbardo.

Entre o surgimento da ideia e a assinatura do contrato, passou-se um mês – tempo consumido pela burocracia, apesar da lei aprovada no início da epidemia que permitia ao governo desprezar o cipoal de normas da Lei de Licitações e fazer compras diretas.

Dos mil leitos inicialmente alugados, 540 haviam sido efetivamente contratados. Duzentos deles entregues nos estados de São Paulo, Rio Grande do Sul, Rio de Janeiro e Minas Gerais. Trezentos e quarenta permaneciam atolados num inexplicável poço de areia movediça.

– Qual o problema, hein, Gabbardo? – perguntou Mandetta.

– Me dê um minuto, por favor, ministro. Vou chamar o Francisco – respondeu o secretário-executivo. – Alberto, ligue aí pro Francisco. Peça pra ele vir aqui. É urgente.

Três minutos depois, Francisco Bernd entrava no auditório. Gaúcho como Gabbardo, era assessor dele no cargo anterior – secretário estadual de Saúde do Rio Grande do Sul – e continuou assessorando-o no ministério. Também adepto do terno e gravata, era baixo e magro, porém com uma pequena barriga saliente, pele branca e olhos claros. A cabeleira branquíssima, cortada sempre curta e bem penteada, e as rugas do rosto evidenciam um veterano do serviço público. A fala é branda e educada.

– Francisco, qual o problema dos leitos de UTI? – perguntou Gabbardo, lá da mesa.

O assessor estava de pé, no largo corredor lateral direito do auditório. De lá mesmo respondeu.

– Os respiradores da Bahia foram instalados ontem – relatou.

– E por que o secretário lá tá reclamando? Eu vou dar uma entrevista dizendo que aquele é o pior secretário de Saúde da história da Bahia, só arruma confusão – esbravejou Mandetta, impaciente.

– Mas o problema, Gabbardo – seguiu Francisco Bernd –, é que a empresa fornecedora, a LifeMed, tá citada na Lava Jato...

O ministro da Saúde mal deixou a frase terminar.

– Foda-se! – E repetiu, dessa vez separando as sílabas. – Fo-da-se! – Empertigou-se na cadeira, levantou a cabeça, olhou para as câmeras instaladas no teto do auditório, que já havia alguns dias estavam gravando todas as reuniões do primeiro escalão, e fuzilou: – Alô, TCU, tá no meu CPF! A empresa foi citada na Lava Jato. Julga direitinho...

Quem não tem experiência no serviço público brasileiro pode não entender o episódio. Fazer o governo comprar qualquer coisa, bem ou serviço, de maior valor é o mesmo que enfrentar uma maratona quase inexpugnável de processos. Levam-se meses. Parte-se de um pedido formal da área que quer comprar. Para tanto, ela deve fazer uma estimativa de demanda com base num cálculo histórico, revisar as normas sobre o tema, para se certificar se houve atualização – no Brasil, as leis mudam o tempo inteiro –, escolher e justificar a modalidade da compra, mapear os riscos e produzir uma matriz, descrever pormenorizadamente o que se quer, levantar preços e construir uma planilha com os valores de referência, feita após uma análise crítica quanto à escolha do menor preço, da média ou da mediana como baliza do projeto. Daí então despacha e espera pareceres do setor de contratos, do pessoal do orçamento, da área jurídica, num vai e volta interminável de considerações e ajustes. É infernal.

Não é incomum que, no meio de um processo de compra, apareça entre os interessados um fornecedor metido em algum escândalo passado da República. Não é preciso que haja condenação ou sequer veracidade na acusação. Uma vez citada, a empresa ganha uma imensa luz piscante de néon onde se lê: "Encrenca!".

Burocratas detestam manchetes. Porque elas chamam órgãos de controle. E a imprensa, por seu turno, adora esse tipo de controvérsia. Então, assinar qualquer documento de um processo em que se acenda o néon da encrenca pode fazer com que o servidor passe anos sob auditoria do Tribunal de Contas, da Controladoria, do Ministério Público.

No caso da LifeMed, que estava entre as que apresentaram os menores preços para fornecer os leitos de UTI, o problema era que um executivo chamado Ivan Consoli Ireno, seu diretor de Critical Care, fora diretor de vendas da Dixtal Biomédica Indústria e Comércio. E a Dixtal, por sua vez, havia sido acusada de participar de um esquema de direcionamento de licitações feitas anos antes pelo Instituto Nacional de Traumatologia e Ortopedia (Into), uma das unidades mantidas pelo Governo Federal no Rio de Janeiro e pela Secretaria Estadual de Saúde do Rio de Janeiro.

O caso fora investigado na Operação Fatura Exposta, uma das fases da Lava Jato. E o Ministério Público Federal garantia que só ali se desviaram mais de US$ 100 milhões. O ex-governador Sérgio Cabral e o seu secretário de Saúde, Sérgio Côrtes, também ex-presidente do Into, estavam ambos presos.

Sendo assim, o que Francisco Bernd estava dizendo era: encrenca! No combate à epidemia, o Ministério da Saúde contratara uma empresa citada no maior escândalo de corrupção da história do país. Escândalo tão grande que causou ojeriza na população aos governantes da época e, de certa forma, levou Jair Bolsonaro ao poder. Subliminarmente, o que ele propunha era desmanchar tudo e fazer de novo. Na cabeça de Mandetta, isso significava jogar fora o tempo ganho pelo Brasil contra o novo coronavírus. E tempo, naquela equação, significava vidas.

Então, foda-se! A ele, pouco importavam as manchetes maledicentes, as auditorias, os processos. Foda-se. Instalem-se os leitos de UTI, não importa se a empresa foi citada na Lava Jato.

Ao evocar o próprio CPF como responsável por aquela decisão – embora do ponto de vista formal isso pouco importe, pois a responsabilidade recai em quem o assina, ou seja, Francisco Bernd e Gabbardo –, Mandetta deixava clara a forma com que conduziria seus últimos dias de gestão.

O secretário nacional de Assistência à Saúde, Francisco de Assis Figueiredo, como eu remanescente da gestão anterior, informou que tivera uma teleconferência com pesquisadores da Fundação Oswaldo Cruz (Fiocruz) na noite anterior e que estavam, juntos, fazendo ajustes nos planos de contingência mandados pelos estados.

Mandetta foi enfático.

– Não saio um minuto do isolamento se não tiver EPI, não tiver respirador etc. Eu já tenho quatorze condicionantes ao todo. Cadê as condicionantes da epidemiologia?

– Estamos trabalhando nisso, ministro – respondeu Wanderson.

E Mandetta, já mudando de assunto.

– Eu anuncio hoje o teleatendimento. Cadê? Quem está com isso? – procurava, impaciente.

– Somos nós! – acusou-se Caroline Martins, substituta de Erno na Secretaria de Atenção Primária.

– Então me façam um desenho de como vai funcionar. Eu quero isso na minha mesa hoje à tarde.

Depois de encaminhar as ações, o ministro pareceu mais relaxado. Passou, então, a falar sobre o noticiário a respeito da posição do diretor-geral da OMS, Tedros Adhanom Ghebreyesus. Ele havia dito na véspera algo sobre a necessidade de os governos fazerem alguma coisa pelos mais pobres, que sofreriam com a paralisia econômica gerada pelas políticas de isolamento social. Causou uma pequena confusão pelo mundo. Disseminou-se a ideia de que a OMS mudara sua orientação. De pró-isolamento teria passado à defesa da abertura das cidades, sobretudo nos países mais pobres. Posteriormente o próprio diretor-geral teve que se explicar, dizendo que não era nada daquilo e que a Organização continuava recomendando o isolamento social.

– Eu sei muito bem como funciona. Ele foi pressionado pela África e pela Índia. Ele vem da África, é o continente dele, então tem política interna nisso daí. Mas o Ministério da Saúde continua como está até que as condicionantes sejam vencidas.

No fim da tarde, o ministro começou a receber telefonemas de médicos de São Paulo. Avisavam-no de que tinham sido convidados para uma reunião com Bolsonaro no Palácio do Planalto. Queriam saber do que se tratava. Perguntavam se deveriam ir. O ministro respondia que não sabia do que se tratava, não fora convidado. E aconselhava-os a não irem.

Havia dias ele não atendia mais o celular levando o aparelho ao ouvido. Temia a contaminação por contato. Só recebia chamadas ou ouvia mensagens de voz valendo-se do alto-falante do telefone. Quem estivesse por perto escutava tudo. Incomodado com a tal reunião misteriosa, sacou o telefone e ligou para o presidente. Muitos dos assessores estavam na sala de despachos do ministro. Inclusive eu. Tentou uma, duas vezes. Na terceira, a chamada foi atendida.

– Alô, Mandetta.

– Presidente, tudo bem?

— Tudo bem, tudo bem...

— Presidente, eu tô ligando pro senhor por causa de uma reunião com médicos aí no Palácio.

— Reunião, que reunião?

— Tá marcada pra amanhã, às 14h30.

— Ah, tá... Sei... Tá na minha agenda?

— Não sei, presidente, eu soube pelos médicos, que estão me ligando aqui.

— Rapaz, isso é coisa do Júlio – falou Bolsonaro, referindo-se a um assessor de seu gabinete. – Eu não sei direito o que é que é, não...

— Parece que é cloroquina, presidente.

— Ah, isso, cloroquina, acho que é isso mesmo.

— Presidente, eu queria lhe pedir pra não fazer a reunião, se o senhor puder.

— Claro, claro, ô, Mandetta...

— Se o senhor quiser, eu levo pro senhor tudo o que a gente tem de cloroquina aqui, a gente tem bastante coisa, bastante informação. Eu levo aí pro senhor, presidente.

— Tá bom, tá certo, a gente vê isso aí.

— Obrigado, presidente, boa noite.

— Tá bom, tchau.

O dia, porém, seria marcado pela pretensa mudança de posição da OMS. Não era um assunto qualquer. Horas depois, à noite, Bolsonaro convocou mais uma – a quarta em trinta dias – rede nacional de rádio e tevê para fazer um pronunciamento à nação. Usou explicitamente o confuso discurso de Tedros Adhanom como argumento favorável à sua própria posição contra o isolamento social. Mas, surpreendentemente, adotou um tom conciliador, quase um pedido de desculpas pelo ardor com que vinha defendendo a ideia. "O efeito colateral de medidas de combate ao coronavírus não pode ser pior do que a própria doença", leu no teleprompter à sua frente.

Brasília é, como de resto o são todas as capitais do mundo, uma espécie de corte dos tempos modernos. Como nas da antiguidade, a informação é o bem mais precioso em circulação. Com ela, sabe-se quem de fato exerce poder ou influência. O palácio que serve de sede ao Poder Executivo é, nesse aspecto, um tanque repleto de informação, que circula no governo principalmente como fofoca. Conversas que não envolvem documentos oficiais, e-mails ou mensagens no celular.

Assim, em sussurros com funcionários palacianos, sabíamos que o provocativo pronunciamento feito pelo presidente da República na semana anterior fora idealizado pelo filho Carlos, a quem ele chama de Zero Dois, vereador da cidade do Rio de Janeiro.

Dessa vez não. O tom respeitoso, quase humilde, e conciliador de Jair Bolsonaro fora inspirado pelos militares, os generais Braga Netto e Ramos. E fazia parte de uma espécie de acordo com Mandetta, que, diante daquela mudança, se comprometera a abandonar a ideia de desmentir o presidente publicamente.

O armistício não durou nem doze horas.

Capítulo 8
Maio de 2019

Exatas duas semanas depois do churrasco, aquele monte de desconhecidos ajuntados no Ministério da Saúde entregou o primeiro projeto da gestão Mandetta: o Saúde na Hora. Uma ideia simples, mas de grande impacto. Consistia basicamente em a União mandar mais dinheiro para postos de saúde que ficassem abertos até pelo menos as 22 horas.

O posto de saúde é a unidade mais básica do SUS. É equipado somente com agulhas, injeções, ataduras e vacinas. Alguns têm dentista e leito de ginecologia – mas só para coisa simples, exames de pré-natal ou preventivo de câncer de colo de útero. Lá, há enfermeiros e agentes de saúde para apoiar o trabalho dos médicos, todos especialistas em saúde da família.

Na concepção do sistema de saúde brasileiro, amplo, gratuito, universal, o atendimento à população deveria ser concentrado nesse tipo de estabelecimento, pois ele é equipado para fazer curativos e inalações, aplicar vacinas, coletar exames, tratar dos dentes, oferecer remédios básicos como analgésicos e anti-inflamatórios. Se for o caso, encaminhar o paciente para um médico especialista ou para um hospital mais equipado. Em suma, servir de filtro e oferecer um serviço preventivo, cuidando das doenças antes que elas se agravem.

Em tese, 80% dos brasileiros que precisam dos serviços de saúde pública deveriam recebê-la nos postos de saúde, que são 53 mil no país. Mas os "postinhos" caíram em total descrédito ano após ano. E foram abandonados lentamente pela população, que passou a procurar diretamente os hospitais, lotando-os e exaurindo-os até o limite.

Uma das razões para isso, talvez a principal razão para isso, é o fato de que eles funcionam das oito ao meio-dia, quando fecham para o almoço. Reabrem às 14 horas e depois voltam a fechar às 18. Isso de segunda a sexta. Ou seja, estão abertos exatamente durante o horário do expediente dos brasileiros mais pobres. Sendo assim, essas pessoas cansaram de dar com a cara na porta fechada do postinho ao saírem do trabalho. Passaram a atulhar as emergências dos hospitais, sempre abertas.

Dar mais dinheiro para que os postos permaneçam funcionando até as 22 horas durante a semana e até as 14 horas aos sábados parece ser o ovo de colombo da saúde pública brasileira. Se bem-sucedida, a ideia tem potencial para acabar de vez com as cenas de emergências lotadas, médicos e enfermeiros jogados ao fervor da malta, em pânico, por vezes agredidos, por vezes agredindo, sempre fugindo dos plantões.

Mas não é uma conta fácil de fechar. No arranjo do SUS, os postos de saúde são administrados pelas prefeituras. Elas nunca esticaram o horário de funcionamento porque não tinham dinheiro para contratar mais equipes ou para pagar hora extra a quem já estava lá. Logo, o programa teria que alterar as condições de financiamento do sistema. Para isso, havia que ter alguém que conhecesse bem o assunto.

Luiz Henrique Mandetta fora deputado federal por oito anos seguidos. Os registros da Câmara o favorecem. No tempo em que exerceu o mandato, notabilizou-se como o mais assíduo dos integrantes da Comissão de Seguridade. É o lugar onde são tratados os temas da saúde antes de eles serem mandados ao plenário. Faltou menos de dez reuniões ao longo desse tempo.

Lá, ele percebeu uma das graças da democracia brasileira. Os partidos de esquerda, seus adversários, portanto, e também o meio acadêmico sempre defenderam a ideia de que o SUS deveria se concentrar na atenção primária. Ou, em bom português, nos postos de saúde.

Paradoxalmente, mesmo quando governou o país, a esquerda não mexeu muito nessa equação. Basicamente, manteve a estrutura, a prioridade e a atenção do Ministério voltadas para a média e alta complexidades.

Ao chegar para tomar posse do cargo de ministro, porém, naquele mesmo dia em que dois golfinhos se fizeram passar por tubarões em Boa Viagem, ele avisou que daria total prioridade à atenção primária. Transformaria o departamento numa poderosa secretaria nacional – ganhou orçamento de R$ 29,8 bilhões em 2020 – e nela concentraria seus esforços de mudança.

Ao fazê-lo, Mandetta deixou a oposição sem discurso. E tornou-se imune a críticas do meio acadêmico.

Graças a João Gabbardo, que o indicou, trouxe para comandar a nova secretaria o médico Erno Harzheim, um dos maiores estudiosos do mundo em medicina da família, então secretário municipal de Saúde em Porto Alegre.

Pelas costas, nós da equipe de comunicação apelidamos Erno de "Ejaculação Precoce" porque sua característica mais marcante como gestor é acelerar os projetos e inaugurá-los mesmo ainda pendentes de acabamento. Ele nunca negou que não via nenhum problema em as coisas irem se acertando aos poucos, depois que começassem a funcionar. "O importante é começar logo", vi-o dizer mais de uma vez.

Apesar de escalado como centroavante do time, Erno não teve vida fácil. Alguns dias depois de inaugurado o primeiro escalão, eu havia participado de uma reunião dos gaúchos – ele e Gabbardo – com Mandetta. Estavam se queixando de ataques recebidos nas redes sociais. Partiam de um grupo de médicos apoiadores acríticos do presidente da República. Chamavam-nos de comunistas, ligados ao PSOL, pediam a cabeça de ambos. Acusavam-nos de querer patrocinar algum interesse privado na área de telemedicina.

Eles pediram que eu interviesse. Expliquei-lhes que os canais do ministério não podiam ser usados para esse tipo de coisa e que, de mais a mais, se eu fosse eles, deixaria aquilo para lá.

– Vocês acham que é um grande problema, mas não tem ninguém vendo, a opinião pública brasileira não sabe de nada disso, nem tá interessada nisso, é besteira, é localizado.

Erno, porém, estava inquieto.

– É, mas todos os médicos do Brasil sabem.

– Esquece, deixa pra lá. Daqui a quinze dias ninguém vai nem lembrar.

Assim foi feito. Aquela saraivada, de fato, esmaeceu. Mas a perseguição política a ambos duraria até o fim da gestão de Mandetta.

O estilo voluntarioso de Erno começou a dar frutos rapidamente com o Saúde na Hora. Conhecendo o sistema por dentro, ele escreveu as regras e as publicou como portaria no dia 17 de maio de 2019. Nela, concedia bonificação para postos de saúde que passassem a ficar abertos entre sessenta e 75 horas semanais e elencava as condições para tanto: o dinheiro deveria ser usado para contratar equipes de Saúde da Família, dentistas e até um gerente para cada posto, uma demanda antiga dos gestores municipais do SUS. Abriu imediatamente inscrições para que os municípios entrassem no programa e passou a fazer evangelização para angariar mais e mais adesões.

Foi também o início do funcionamento do Canhão de Comunicação do ministério. Depois da bronca do ministro nos secretários, o gabinete fez circular um ofício em que avisava da obrigatoriedade de corte nas equipes das assessorias de imprensa das secretarias.

A pedido de Alex, a Ascom havia feito um censo em todo o ministério para dimensionar a estrutura de comunicação. Oficialmente, para minha surpresa, havia 78 profissionais espalhados pelas secretarias e pelos departamentos, fora da Ascom, fora, portanto, do Gabinete.

Era gente formada em relações públicas, design gráfico, jornalismo, publicidade, fotografia, cinema e até moda. Mas nenhum servidor de carreira. Todos bolsistas da Fiotec, uma fundação vinculada à Fiocruz. Gente demais, acumulada ao longo dos anos. Não era de espantar que houvesse vídeos, cartilhas e livros distribuídos por aí com a logo do ministério sem qualquer controle.

A ordem foi mandar todos embora e manter, nas secretarias, uma estrutura mínima de três bolsistas com formação em jornalismo ou publicidade. Todos passariam a se relacionar diretamente com a Ascom.

Para coordená-los, veio para a equipe, trazido por Alex, o jornalista Daniel Cruz. Recifense, ele fora meu calouro na faculdade de jornalismo.

Nós nos conhecíamos de vista, mas não tínhamos nenhuma proximidade. Pouco mais baixo que eu, é descendente de uma família indígena da Amazônia. Por isso, tem o cabelo pretíssimo, menos liso que o dos antepassados por causa da mistura com os brancos, mas a pele conserva o tom avermelhado. Seu passatempo mais apreciado é a cozinha, na qual tem habilidade reconhecida. Por isso mesmo, é comilão e vive dizendo que queria uma cintura mais fina. Tão logo chegou, ganhou o apelido de Indiozinho.

Coube a ele seduzir os remanescentes das secretarias para se unirem a nós no Canhão de Comunicação. Ele parecia talhado para aquilo. A voz está sempre fixada num volume e tom de calma totais. Tem a paciência de um monge e gosta de ouvir.

A missão do Indiozinho era servir de amortecedor para que as secretarias se sentissem confortáveis de municiar a estrutura da Ascom. A partir de então, só de lá sairiam mensagens do ministério. Fotos, textos, vídeos, banners, infográficos, filmes, publicações, informações de agenda das autoridades, o que quer que fosse.

Àquela altura, a equipe de comunicação estava formada. Levi Lourenço pedira demissão. No lugar dele, entrou Antônio Brentano, um veterano em Brasília. Nós tínhamos nos conhecido anos antes. Eu comandava a estratégia de comunicação da privatização dos aeroportos, no primeiro governo Dilma. Ele estava na assessoria de comunicação do Ministério das Cidades.

Fizemos um trabalho juntos e, para mim, a afinidade foi imediata. Brentano era sério e compenetrado, ao mesmo tempo que se mantinha doce e gentil. Tempos depois, ele foi da minha equipe no Ministério do Esporte e mais recentemente era meu adjunto no Ministério da Justiça. Agora repetíamos a dobradinha na Saúde.

Por fim, os três grandes departamentos. Strauss estava à frente da assessoria de imprensa. O time dele cuidava de fazer matérias para jornais, sites, blogs, portais, rádios e distribuir tudo. Além de receber e responder os pedidos de informação de veículos de imprensa do Brasil e do mundo e de fazer briefings e apresentações para o ministro e para os secretários.

Juliana Vieira tocava o núcleo de publicidade – ela já estava lá quando cheguei, ano e meio antes. Também a havia conhecido na época da Aviação. Tomava conta das campanhas do Ministério das Cidades, junto com Brentano. Jujuba, como a chamamos, é um mulherão de meter medo. Ainda não chegou aos quarenta, tem mais de 1,80 metro, cabelão no meio das costas, castanho-escuros porém clareados com alguns fios loiros. Mas não só isso: é firme, segura, exigente e detalhista. No passado, durante outros governos, já a vi em embates furiosos com dirigentes da Secretaria de Comunicação da Presidência. Agora, cuidava com zelo de todas as nossas campanhas, que eram muitas.

Na comunicação digital, a também publicitária Ana Miguel dava as cartas. Amiga de infância de Jujuba, é baixinha e lidera a equipe com carinho, bom humor e simpatia. Também já estava há muitos anos no ministério. Sua memória e o conhecimento a tornavam respeitada até mesmo entre os técnicos das secretarias. Era responsável por tudo o que saía nas redes sociais. Também cuidava do monitoramento de mídia, das pesquisas de inteligência de redes, do desempenho das nossas ações.

Diferentemente do que se fazia até então, todo o time de comunicação, inclusive o pessoal das agências de publicidade, passou a conhecer a pauta do ministério numa reunião semanal. Juntávamos todos no auditório Emílio Ribas às sextas-feiras de manhã. Passávamos um a um os projetos por acontecer. Ali, batizávamos todos eles, construíamos as estratégias de lançamento, decidíamos o enfoque e o tom da mensagem, determinávamos a linha narrativa, listávamos os riscos envolvidos e preparávamos estratégias de controle de danos.

Assim como revirávamos os temas sobre saúde que circulavam na imprensa brasileira, as polêmicas, os rumores, os lobbies. Tudo era tratado na reunião da comunicação integrada. Como os jornalistas da nossa equipe viviam falando com os técnicos, nós tínhamos toda a informação disponível de todo e qualquer assunto dentro do Ministério da Saúde. Tanto a memória quanto a atualização.

Quando o projeto começou, juntou-se à equipe Mariana Moncayo, professora de história que vem me assessorando nos últimos dez anos. Recebeu a missão de ser a chata. Tudo o que decidíamos na reunião ganhava um prazo para execução e um gerente responsável. Mariana infernizava a vida do gerente, em meu nome, até o serviço ser entregue dentro do prazo.

Quando um projeto, como o Saúde na Hora, era lançado, ganhava vida depois de passar pela usina da comunicação até ser difundido por todos os canais possíveis, já cercado de todos os cuidados e protegido por todas as vacinas. Com a mesma mensagem, segundo uma estratégia que o levasse o mais longe que pudesse, da forma mais exata possível.

Na época, como ainda havia poucos postos funcionando com horário estendido, optamos por não fazer campanha de publicidade. Pouco adiantaria chamar a população de volta para os postinhos se o cenário continuava o mesmo, apesar de uma ideia excelente ter sido posta em prática. Planejamos fazer aquilo no ano seguinte, 2020, quando já teria vingado.

Duas das sementes que germinariam na pandemia dali a alguns meses estavam plantadas: a atenção primária à saúde e a comunicação social. Mas havia outras por jogar na terra.

CAPÍTULO 9
1º ABR. 2020
MINISTÉRIO DA SAÚDE

JÁ HAVIA DIAS QUE A carga de trabalho de toda a equipe se elevara em muito. Os dirigentes chegavam por volta das 8 horas, para a reunião do primeiro escalão, e saíam do ministério depois das 22h30, em média. Mandetta e os assessores mais próximos costumavam ficar até perto da meia-noite.

Almoçávamos no próprio prédio. Alguns traziam marmitas de casa. Outros juntavam-se em grupos e pediam comida pelos aplicativos de celular. À noite, nos virávamos com bolos, doces, biscoitos, água, muito café, chá, sobretudo de hortelã, refrigerante. Estávamos no Ministério da Saúde, mas aquela não era uma vida saudável. Comíamos pouco, mal, apressadamente. Dormíamos quase nada. E um sono assombrado.

Ninguém falou explicitamente, mas nosso trabalho em tudo lembrava a orquestra do *Titanic* – a que continuou tocando, mesmo com o navio fazendo água e todos ao redor tratando de lutar pela própria vida em meio ao caos. O que nos motivava ante a "morte inevitável" era deixar tudo pronto para aqueles que viriam depois de nós assumir a coordenação nacional do combate à epidemia.

Trabalhando muito, sob a pressão da doença e com a espada de Dâmocles sobre a cabeça, na quarta-feira, 1º de abril, não houve vestígio, no Ministério da Saúde, das tradicionais pegadinhas do dia da mentira. Pelo contrário.

GUERRA À SAÚDE 93

– Estamos concluindo os ajustes no sistema de mapeamento de leitos – avisou, sério, o secretário de Assistência Especializada, Francisco de Assis Figueiredo, na abertura dos trabalhos, lá da oitava fileira de cadeiras, onde sempre se sentava.

As muitas horas dentro do prédio, com intervalos apenas para dormir em casa, davam a impressão de que morávamos ali. Assim, o primeiro escalão se acomodava no auditório em lugares quase fixos.

O sistema de mapeamento consistia num grande painel eletrônico que informava a ocupação dos hospitais, tanto enfermarias quanto UTIs, município por município do país. Lá estavam os leitos do SUS e os leitos privados, ou não SUS no jargão do ministério.

Automaticamente, os computadores do DataSUS faziam um cálculo sobre a necessidade futura de leitos, levando em consideração o tamanho da população, as internações por síndrome respiratória aguda grave (SRAG) – que é como se chamam as pneumonias que os médicos desconhecem a causa – e os leitos disponíveis.

Com base nos relatórios da epidemiologia – feitos a partir das notificações dos laboratórios com os testes feitos na população –, os técnicos programavam a velocidade de transmissão do vírus e assim chegava-se ao número mágico. O sistema cuspia o dado de sobra ou falta de camas onde deitar os pacientes e de equipamentos para mantê-los respirando. Havia informação para cada município, micro ou macrorregião, estado e, óbvio, para o país.

Para isso, porém, o Ministério da Saúde precisava de duas informações fundamentais: 1) o número exato de internações por SRAG; e 2) o número exato de leitos realmente existentes. Cruzando essas informações com os relatórios epidemiológicos, saberia onde a doença estava caminhando de forma mais acelerada e, portanto, ocupando mais rapidamente os hospitais. Assim, poderia enviar equipamentos, médicos, enfermeiros ou o que mais fosse necessário.

Essas informações, contudo, precisam ser incluídas no banco de dados pelos hospitais. Ou seja, pelos médicos. Que, por seu turno, estariam sobrecarregados atendendo os doentes. Era um problemaço, um nevoeiro. O Ministério da Saúde não tinha nenhuma capacidade operacional de despachar insumos, pois estava navegando às cegas. O dr. Gabbardo vinha alertando que não confiava nos dados de leitos do Cnes, os únicos então disponíveis.

– Eu acho que é o seguinte: hospital que não preencher não recebe – endurecia o secretário Francisco. – E para os hospitais privados, vou pedir à ANS [Agência Nacional de Saúde Suplementar, reguladora do mercado privado brasileiro] que crie alguma penalidade – completou.

A expressão "não recebe" usada por Francisco de Assis Figueiredo diz respeito ao financiamento da assistência especializada no sistema público de saúde brasileiro. A União repassa aos hospitais uma determinada quantia em dinheiro referente à diária dos leitos usados. Mesmo que o valor dessa diária seja motivo de queixas históricas do setor de saúde, segundo o qual elas são muito menores do que o custo real de um leito de UTI, é com ela que muitos hospitais públicos brasileiros sobrevivem.

O que o secretário Francisco de Assis propunha era interromper os pagamentos para quem não preenchesse todos os campos do formulário, incluindo a causa da internação e o número de leitos. Era um castigo. Com ele, tentava forçar os médicos a melhorarem a informação e, assim, ajudarem a dissipar o nevoeiro em que navegava aquele transatlântico.

– Cara, eu acho que tem que fazer alguma coisa mesmo, mas você acha que o médico vai parar para gastar vinte minutos na frente de um computador, cuidando de papelada para cada paciente que der entrada? – questionou Mandetta. – Não vai, meu! Garanto que não vai...

O dr. Gabbardo acrescentou:

– O DF informou que está com setenta por cento de lotação nos hospitais. Mas as UPAs [Unidades de Pronto Atendimento, que atendem casos de menor complexidade] e postos de saúde estão vazios.

Já que falaram naquela unidade da Federação, Mandetta estendeu o assunto, dirigindo-se ao deputado federal Luiz Antônio Teixeira Júnior, o Luizinho. Ex-secretário estadual de Saúde do Rio de Janeiro, ele fora incorporado informalmente ao primeiro escalão dias antes e incumbido de servir como interlocutor do ministério no estado.

– Luizinho, o pessoal lá tá quieto? Porque eu vou lhe dizer, não pude ser mais explícito, mas o governador tá certo lá, viu?

O ministro referia-se à entrevista coletiva do dia anterior. Nela, comentou sobre as medidas de combate à pandemia tomadas pelos estados. O governador fluminense, Wilson Witzel, era um dos que provocavam urticárias em Jair Bolsonaro, por já ter iniciado movimentos para candidatar-se à Presidência da República em 2022. E, seguindo a corrente pelos estados afora, endurecia as medidas de isolamento social. Mandetta não o elogiou explicitamente para não afrontar o chefe no mesmo dia do acordo costurado pelos generais.

Já de volta do Rio Grande do Sul, Erno Harzheim, o secretário de Atenção Primária, estava sentado na sétima fileira de cadeiras do auditório. Não queria deixar o assunto dos leitos esmaecer. Entrou na conversa e puxou a vaca de volta ao brete.

– Mas vem cá, será que não vale a gente botar um adicional de letalidade e liberação de leito?

Se, por um lado, o secretário de Assistência Especializada buscava uma forma de forçar os hospitais a ajudarem na construção do sistema de monitoramento, Erno pensava em outra coisa. Queria estimular as equipes médicas a trabalhar loucamente para salvar os doentes e, assim, desocupar os leitos. Era uma perspectiva ligeiramente diferente.

– Eu acho que tem que botar uma meta lá em cima – prosseguiu ele. – Tipo, oitenta por cento! É pro cara não deixar morrer de jeito nenhum.

Ou seja, quando uma UTI salvasse 80% dos seus pacientes infectados por coronavírus, o hospital receberia mais dinheiro do SUS.

A proposta não chegou a ser aprofundada. Mas Mandetta pediu a Erno que a botasse no papel. Passou-se a assuntos previstos na pauta do dia. O chefe de gabinete, Gustavo Pires, avisou que aconteceria naquela manhã uma reunião na sede da Procuradoria-Geral da República. Seria, então, assinado um termo de cooperação com o Ministério da Saúde. Ele previa duas coisas. Por um lado, todas as compras seriam acompanhadas por gente da equipe do procurador-geral da República, Augusto Aras. Assim, o Ministério Público fiscalizaria de dentro e antecipadamente. Por outro, garantia que todas as iniciativas processuais contra o ministro ou contra o ministério partiriam do gabinete de Aras – sem isso, qualquer um dentre as centenas de procuradores lotados nos 27 estados poderia iniciar ações.

– Acione a imprensa, hein?! – disse Mandetta, olhando para mim, que me sentava sempre na terceira cadeira à esquerda da primeira fila do auditório.

Aquiesci com a cabeça. Mas a reunião só aconteceu no dia seguinte. E o termo de cooperação teve disposições menos restritas do que se supunha inicialmente.

O tema seguinte era a Força Nacional do SUS.

– Relance isso, reembale isso! – pedia o ministro.

A tal força era uma boa ideia, depois vencida pelo inimigo de sempre, a burocracia. Tratava-se de abrir inscrições, no site do ministério, para médicos, enfermeiros, farmacêuticos, psicólogos, fisioterapeutas, nutricionistas brasileiros. Eles se alistariam e seriam convocados como se para uma guerra. Receberiam um e-mail poucos dias antes do embarque, dando instruções de passagem aérea, estada e local para trabalharem por um período de quinze dias.

Para tanto, pensava-se em oferecer somas altas de dinheiro a cada membro da força. E, *voilà*, o Governo Federal teria uma cavalaria para socorrer cidades com o sistema de saúde em colapso. Depois se descobriu que já havia um valor de diária instituído por portaria muitos anos antes. E que o valor era irrisório. Mandetta mencionara algo como R$ 30 mil pelos quinze dias de front. A diária já cristalizada na burocracia mal passava dos R$ 400, o que renderia pouco mais de R$ 6 mil.

Ou seja, não havia como recompensar o esforço de um profissional que deixaria a família para se meter numa guerra contra um vírus, inclusive com risco à própria vida. Para editar uma nova portaria havia que se fazer uma série de outras ações administrativas. Era coisa de mais e tempo de menos. Ainda sem sabermos de nada disso, o tema continuou.

– Abrimos o cadastro. Já temos mais de três mil inscritos – contou Francisco de Assis Figueiredo, animado.

– Mayra, você é a pessoa da educação – chamou Mandetta, voltando-se para a secretária nacional de Gestão do Trabalho e Educação em Saúde, Mayra Correia Pinheiro.

Pediatra e intensivista, Mayra é uma profissional respeitada no meio médico. Aos 53 anos, foi candidata ao Senado pelo PSDB do Ceará na eleição de 2018 e acabou derrotada, com apenas 11% dos votos. Não tinha proximidade com o ministro. Fora indicada pelo senador Tasso Jereissati e também fazia parte do grupo de apoio irrestrito a Bolsonaro. Inexperiente no serviço público, ganhou dentro da equipe a má fama, talvez injustificada, de falar muito e fazer pouco.

– Prepare um *paper*, um briefing, sei lá, um relatório com o levantamento por estado para saber quem está capacitando e quanto – completou Mandetta.

A secretaria chefiada por Mayra havia criado um curso à distância para médicos e enfermeiros se inteirarem de como deveriam tratar doentes de Covid-19. O que se queria saber era se de fato o material estava sendo aproveitado. O temor era de que o pessoal da linha de frente contra a doença entrasse na guerra de forma estabanada.

Segue a pauta.

– A telemedicina começou ontem! – anunciou Raquel Melo, que recentemente tinha sido integrada à equipe.

– Pô, eu liguei pra ele, o robô me atendeu e me mandou procurar o Hospital Regional de Campo Grande! – divertia-se o ministro.

Como pedira, o pessoal da Secretaria de Atenção Primária apresentara o modelo inicial da telemedicina na tarde da véspera. Era um computador que atendia as ligações feitas para o número 136 – até então chamado Disque Saúde e na epidemia rebatizado de TeleSUS. Usando voz humana, colhia dados do chamador e dava informações sobre como obter ajuda no sistema público de saúde.

Havia uma tremenda inovação, pois aquele robô armazenaria os dados e, no caso de doença, ligaria de volta, acompanharia o paciente. Recomendaria formas de precaução. Nos casos leves, encaminharia a pessoa para um médico humano, que concluiria a consulta pelo telefone, inclusive emitindo pedidos de exames e atestados médicos. Nos graves, mandaria procurar o hospital mais próximo.

Mandetta ligara na véspera para o 136. Como sempre manteve o número particular, com o prefixo 67, referente ao estado do Mato Grosso do Sul, o sistema descobriu o telefone no cadastro de Campo Grande. E o mandou procurar o Hospital Regional da cidade. Na ligação, o ministro exagerou: disse que estava com febre, dor de garganta, falta de ar. Caso agravado de Covid-19, entendeu o computador.

Horas depois da primeira chamada, o celular dele tocou. Era o robô, perguntando se estava tudo bem. Mais um par de horas depois, outra chamada do robô. O ministro se irritou. Navegou nas opções até chegar a uma atendente humana.

– Senhora, aqui quem fala é o ministro da Saúde. Eu estava testando o sistema, agora ele não para de me ligar. Pelo amor de Deus, acabe com isso – implorou.

Do outro lado, a atendente fez *tsc*.

– Ahã… Senhor, o senhor relatou febre e falta de ar. Como o senhor está se sentindo agora?

Mesmo tenso e cansado, o auditório explodiu em gargalhada.

– Eu não vou me livrar nunca mais desse diabo desse robô – ria Mandetta. – Gabbardo, tem que inventar uma punição para quem der trote – pediu ao secretário-executivo. – TeleCTI, quem vai fazer? Teleconsulta, quem vai atender? Como estão essas coisas todas?

E ia chamando, assunto por assunto, para atualização dos relatórios.

– Ministro, nós recebemos ontem uma proposta de respiradores que é tão boa que é até difícil de acreditar – contou Roberto, o diretor de logística. – Proposta firme. Quinze mil respiradores a preço de treze mil dólares cada um. Esse preço é igual ao que se tinha antes da pandemia. O fornecedor está lá na minha sala me esperando.

– Então que é que cê tá fazendo aqui, Roberto? Vai embora assinar com o cara.

E lá se foi Roberto, apressado.

O ministro lembrou que dos mil leitos de UTI alugados, o governo só conseguira efetivamente duzentos.

– O que reforça a necessidade de as pessoas permanecerem em casa – raciocinou.

O médico cearense Jurandir Frutuoso, secretário-executivo do Conass, cumpria os decretos de isolamento com zelo. Tinha mais de sessenta anos e se recuperava de um tratamento sério de saúde. Por isso, participava das reuniões direto de casa, por vídeo. Naquele dia, a neta de quatro anos invadiu o escritório de onde transmitia a si mesmo para o telão do auditório Emílio Ribas.

– Alguém pegue aqui a Júlia! – gritou, para nossa diversão. Ele não sabia que o microfone estava ligado. – Ela quer vir pro colo do vovô, eu não posso pegar.

E, depois de entregar a neta à esposa, a também médica Maria Zélia, virou-se para nós:

– Mas vê, eu fiquei preocupado – disse Jurandir, em nome dos estados. – Porque a LifeMed me disse que consegue entregar tudo o que falta em 9 de abril.

Dali a oito dias, portanto.

Mais de um soou o alerta: "Não vai entregar, Jura!", disseram encurtando o nome do secretário, ou "Acho que não, hein?!".

O dr. Gabbardo interveio.

– Dessa empresa, tem 130 prontos para entregar. Qual a ideia de vocês para distribuir para os estados? – perguntou a Jurandir.

– Depois da reunião eu mando um plano por e-mail – prometeu o outro, pelo vídeo.

Mandetta seguia tendo ideias.

– Peguem os carrinhos de anestesia e respiradores das clínicas de cirurgia plástica.

Já era a segunda vez que mencionava a cirurgia preferida dos brasileiros.

100 UGO BRAGA

– Isso é que tem que fazer. E tem mais, quem vai saber disso são os anestesistas, que entendem muito mais de ventilação do que os intensivistas. E quer saber? Chega! Acabou a minha paciência. Cadê o Ciro?

E lá atrás, nas últimas fileiras do auditório, o consultor jurídico levantou a mão.

– Estou aqui, ministro.

– Ciro, prepara um ofício hoje pedindo ao Ministério da Justiça que a Polícia Federal entre nas clínicas privadas com mandados de busca e apreensão dos equipamentos.

Era uma medida de força. Na minha opinião, força excessiva. Sugeri que, antes de patrociná-la, o ministro fizesse um apelo na coletiva daquele dia. Aleluia aperfeiçoou a proposta.

– Estabelece um seguro para que o cara tenha tranquilidade em entregar. Para não precisar recorrer à força.

Mandetta disse que iria refletir. Aquilo nunca foi para a frente.

Ainda havia muita indefinição quanto à necessidade exata de respiradores. Estava claro que o Brasil precisava deles. Mas quantos?

A conta, então, era feita na base da estatística. Todas as vezes que eu as via, me lembrava dos meus tempos de repórter de Economia. Certa feita, o presidente do Banco Central, o economista Gustavo Franco, brincou com os jornalistas que costumavam cobrir a área – dentre eles, eu – dizendo que estatística era a prática de torturar os números até que eles confessassem.

No Ministério da Saúde, a tortura era mais ou menos a seguinte: segundo a epidemiologia, uma epidemia, qualquer que seja, tende a cessar quando metade da população é infectada. Nesse momento, o que se chama de Rt, que é a taxa de transmissão – designada pelo número de pessoas a quem um infectado transmite a doença –, chega a 1. Isto é, um doente só consegue passar o agente infeccioso a uma única pessoa sadia. A moléstia para de se alastrar de forma epidêmica. Pode surgir aqui e ali em forma de surto, mais fácil de conter. É o que se chama de "imunidade de rebanho".

Sabia-se, pela experiência na China e na Itália, sobretudo, que a doença provocada pelo novo coronavírus acomete somente 20% dos infectados. Os

GUERRA À SAÚDE 101

demais pegam o vírus, mas não desenvolvem nenhum sintoma. Ou seja, não ficam doentes, muito embora passem a coisa para a frente. São os chamados "assintomáticos".

– Esses são os que ganham na loteria da doença – brincava Mandetta, quando explicava o raciocínio.

Dos doentes, 5% desenvolveriam formas graves de insuficiência respiratória. Sendo assim, começavam as contas. Num país de 210 milhões de habitantes como o Brasil, a imunidade de rebanho seria atingida com a infecção de 105 milhões de pessoas. Dessas, 20%, ou 21 milhões, adoeceriam, e pouco mais de 1 milhão precisaria de tratamento intensivo e respiradores.

Óbvio que esse milhão de necessitados não adoeceria ao mesmo tempo nem no mesmo lugar.

Mas, independentemente disso, só havia 55 mil leitos de UTI no país, entre SUS e não SUS, segundo os dados do Cnes e as informações da rede privada. Esses dados, porém, não eram confiáveis. Os técnicos sabiam que a realidade era bem diferente. O leito desativado, quebrado, inconcluso ou o que quer que fosse não serviria para receber doentes. Mas decerto estavam no Cnes. Afinal, rendiam diárias aos hospitais públicos.

Desconsiderando esse aspecto, o número brasileiro de leitos com cuidado intensivo não era pequeno na comparação internacional. Mas era visivelmente insuficiente. A oferta relatada por Roberto, portanto, foi recebida com alívio, apreensão e esperança, pois, com 15 mil respiradores para mover pelo país conforme as andanças da epidemia, o Ministério da Saúde poderia chegar não só com a cavalaria de médicos e enfermeiros, mas também com a artilharia de respiradores na guerra contra o vírus.

Mas...

Havia, como se sabe, uma força poderosa atuando na direção contrária, o que complicava tudo. Pois os planos todos do Ministério da Saúde precisavam de tempo. E tempo, naqueles dias, era mercadoria escassa, já que o novo coronavírus tem imensa eficiência em passar de um hospedeiro a outro. Basta que o saudável se aproxime a menos de metro e meio do infectado. Ou somente que toque em algum objeto ou superfície contaminado e leve a mão a qualquer mucosa do corpo.

Na tarde da quarta-feira, dia da mentira, o presidente Jair Bolsonaro recebeu o grupo de médicos que convidara na véspera para falar sobre cloroquina. O ministro da Saúde não foi convidado. Mais do que isso, havia telefonado ao chefe, dado-lhe ciência de que sabia da agenda e pedido que ela não ocorresse. Qualquer outro, com os brios feridos pela desmoralização, teria pedido demissão.

Bolsonaro fez mais. Publicou em sua conta no Twitter o vídeo de um homem na Ceasa de Belo Horizonte. Ele mostrava atrás de si um vão amplo, com caixas vazias de frutas e legumes. Dizia que o isolamento social estava provocando escassez de alimentos numa das maiores capitais do país e que a população passaria fome.

O vídeo punha novamente o presidente da República em evidente ativismo, apesar do discurso moderado feito menos de doze horas antes em cadeia nacional de rádio e tevê. Ele disseminava medo na população, com ambição de instigá-la a abandonar o isolamento social decretado pelos governadores.

Para nós, estava claríssimo. Com as pessoas de volta à circulação, à vida cotidiana, a velocidade com que o vírus andaria de um hospedeiro a outro se aceleraria. Legiões de doentes buscariam o sistema de saúde, que entraria em colapso. Pessoas iriam morrer.

A possibilidade de escassez de alimentos foi rapidamente desmentida pelo próprio Ministério da Agricultura. E prontamente apareceram vídeos de outros ângulos do mesmo momento em que o "denunciante" gravara. Ficou claro que a Ceasa funcionara normalmente e que o vão atrás do sujeito se dera porque o lugar havia sido lavado pouco antes. Bolsonaro apagou a postagem e pediu desculpas.

Mas a trégua com Mandetta fora rompida. E jamais seria retomada.

Capítulo 10
Setembro de 2019

A tarde da quarta-feira, 25, caía preguiçosa, com o céu azul ganhando tons rosa-amarronzados a oeste, quando o telefone tocou no Centro de Informações Estratégicas em Vigilância em Saúde (Cievs). É uma das siglas menos conhecidas do Ministério da Saúde. O centro trabalha em silêncio, numa sala do sexto andar do PO 700, prédio construído na Asa Norte, a poucos quilômetros da sede do ministério.

O tempo nunca passa devagar nas instalações do Cievs. O pessoal lá é uma espécie de sentinela: nunca dorme, nunca para e nunca descansa.

O relógio na parede da recepção marcava exatamente 17h50.

– Alô, quem fala? – perguntou a voz grave ao telefone.

– Aqui é do Cievs do Ministério da Saúde, boa tarde. Com quem o senhor gostaria de falar?

O Cievs é um centro de excelência. Funciona em regime de plantão ininterrupto. Chamado, atende prontamente. Não importa se é domingo, feriado ou dia santo. Mesmo que seja no meio da madrugada.

– Boa tarde. Aqui quem está falando é Wim Degrave, da Comissão de Biossegurança da Fiocruz. Eu preciso notificar uma ocorrência, me passe pra quem estiver no plantão, por favor. É urgente!

A ligação foi transferida, então, para um técnico da Secretaria de Vigilância em Saúde que já se preparava para entregar o turno.

Poucas horas antes, contou Degrave, um grupo de pedreiros contratados começou a preparar a construção de um anexo próximo à Casa Amarela, que é o hotel de trânsito no campus da Fiocruz, em Manguinhos, no Rio de Janeiro.

Ao escavar o chão, preparando-o para o contrapiso, encontraram coisa de duzentas ampolas de vidro quebradas e umas dez inteiras, junto a ossos de animais. O material atiçou a curiosidade dos trabalhadores. Sorrindo, eles passaram de mão em mão, tentando descobrir do que se tratava. Até que um deles resolveu chamar o encarregado, que chamou o supervisor, depois o segurança, até que chegaram a Win Degrave.

As ampolas eram vacinas congeladas (liofilizadas, na linguagem científica) de varíola. Estavam enterradas próximo à Casa Amarela. Outros tubos foram encontrados em meio à vegetação, num raio de 320 metros quadrados.

Nos anos 1970, ali funcionara uma unidade de fabricação de vacinas. O material, portanto, provavelmente provinha de algum descarte. Os ossos seriam de animais usados como cobaias. Tudo havia sido enterrado, e agora, depois de anos de chuvas, ventos e trânsito de pessoas, era trazido à tona. Mais de quarenta anos depois, ninguém na Fiocruz tinha a menor ideia sobre a inativação das cepas de vírus usados, sobre sua viabilidade ou origem.

A varíola é uma doença altamente contagiosa causada pelo vírus *Orthopoxvirus variolae*. Ela começa como um resfriado comum, febre, dor de cabeça, dores musculares. O vírus se espalha rapidamente usando o sistema linfático. Aparecem manchas avermelhadas que, em pouco tempo, tomam todo o corpo, inclusive as mucosas, e evoluem para bolhas cheias de líquido pustulento – motivo pelo qual a doença também é conhecida como "bexiga".

O doente morre em 30% dos casos. Os que sobrevivem podem ficar cegos ou carregar cicatrizes horrendas pelo corpo inteiro, inclusive, e sobretudo, no rosto. Só no século XX, matou 300 milhões de pessoas no mundo – mais do que a tuberculose, a hanseníase, a gripe espanhola, a Aids e mais do que todas as guerras no período, incluindo as duas grandes mundiais, somadas!

Com a humanidade assolada por esse vírus, a OMS fez a primeira campanha de erradicação em 1959. Mas não chegou à parte alguma, pois não havia vacina suficiente.

A ciência a respeito da vacina remete a fins do século XVIII. Em 1789, o médico britânico Edward Jenner observou que algumas vacas tinham feridas nas tetas muito parecidas com as causadas em humanos pela peste. Na época, um ditado popular assegurava que quem ordenhava o gado não pegava varíola.

Jenner submeteu a teoria às últimas consequências. Colheu líquido da ferida na mão de uma mulher chamada Sarah Nelmes, leiteira que adquirira uma forma branda de varíola ao ordenhar o gado, na cidade de Berkeley, e o inoculou num menino de oito anos chamado James Phipps.

Hoje, o cientista seria preso e condenado. Na época, causou em sua cobaia uma febre baixa e algumas feridas menos agressivas. O menino James se recuperou em pouco tempo. Mas Jenner não parou. Depois de ver o menino curado, voltou a colher líquido infectado das feridas de um paciente que desenvolvera a forma grave da varíola. Novamente injetou no pequeno James, que não teve sequer a febre baixa. Estava comprovada a propriedade da imunização, e, a partir dela, criou-se a primeira vacina da história.

Apesar de conhecer o caminho da erradicação, a humanidade levou mais de vinte anos para fazê-lo, desde a primeira tentativa. O último caso de transmissão natural foi registrado na Somália, em 26 de outubro de 1977.

Menos de um ano depois, em agosto de 1978, em Londres, uma médica inglesa chamada Janet Parker morreu aos quarenta anos de idade, depois de ter sido infectada a partir do sistema de ventilação. Ela trabalhava no Departamento de Anatomia na Birmingham Medical School, um andar acima do laboratório onde se manipulava o vírus em pesquisas de microbiologia.

Depois de um descuido, o vírus escapou do ambiente hermético, suspendeu-se no ar, entrou na tubulação e achou a hospedeira mais adiante. O episódio levou o chefe do Departamento de Microbiologia, professor Henry Bedson, ao suicídio.

Foi por isso que, no fim dos anos 1970, a OMS emitiu uma orientação mundial para que todos os laboratórios destruíssem as cepas que cultivavam

106 UGO BRAGA

– com exceção de dois centros de pesquisa em Atlanta (EUA) e Koltsovo (Rússia). Assim fez a Fiocruz na fábrica de Manguinhos.

No primeiro momento, era legítima a dúvida sobre uma possível contaminação em pleno século XXI. Do nada, numa tarde em que o assunto mais palpitante no mundo eram revelações de que o presidente norte-americano usara o cargo para pressionar o colega ucraniano a prejudicar um concorrente à Casa Branca, o planeta seria assolado pela notícia da volta da varíola.

A notificação da ocorrência no Cievs provocou uma reação em cadeia que acionou a Rede Nacional de Alerta e Resposta às Emergências em Saúde Pública. O plantonista comunicou ao chefe do Cievs, que imediatamente reportou ao diretor do Departamento de Doenças Transmissíveis e daí chegou ao secretário de Vigilância em Saúde, Wanderson Oliveira.

Naquele dia, o ministro Luiz Henrique Mandetta estava fora do país. Viajara a Nova York uma semana antes. Participaria da Reunião de Alto Nível sobre Cobertura Universal de Saúde, afluente da 74ª Assembleia Geral da ONU.

Ao receber a notícia, Wanderson imediatamente catou o Plano de Contingência para Emergência em Saúde Pública por Agentes Químico, Biológico, Radiológico e Nuclear, um manual de 48 páginas com um passo a passo sobre o que fazer nessas situações. Com base nele, começou a tomar as providências.

Telefonou pessoalmente ao ministro-chefe da Casa Civil da Presidência da República, Onyx Lorenzoni, para dar-lhe ciência. E explicou o que aconteceria dali em diante. O lugar seria imediatamente lacrado, as amostras levadas para testes em laboratório, a OMS notificada, os pedreiros examinados e mantidos em observação, a população avisada, se fosse o caso. Lorenzoni pediu que o mantivéssemos informado.

A Rede Cievs é uma tropa de elite bem treinada que poucos brasileiros sabem que existe. Ela está montada em todos os 26 estados e no Distrito Federal e atua em regime de prontidão. Ao alarme, é imediatamente mobilizada. Cada um já sabe o que fazer. Reúne pesquisadores, médicos, biólogos, bioquímicos, bombeiros, enfermeiros e até o Exército – que tem um batalhão e um instituto no Rio de Janeiro especializados em Defesa Química, Biológica, Radiológica e Nuclear (DQBRN).

Como estava no manual, Wanderson acionou o Ministério da Defesa. No dia seguinte ao telefonema de Wim Degrave para o Cievs, expediu um ofício ao tenente-brigadeiro do ar Carlos de Almeida Batista Jr., chefe de Operações Conjuntas do Estado-Maior Conjunto das Forças Armadas. Pedia apoio do Batalhão de DQBRN "para adoção dos protocolos que o caso requer".

Dois dias depois, a Defesa nomeou a major Nádia Vaez, do Instituto de Biologia do Exército (Ibex), para tomar a frente da operação. A major pesquisa o tema. Sua tese de doutorado foi exatamente sobre a varíola. E sua orientadora, a dra. Clarissa Damaso, professora do Departamento de Biofísica da UFRJ, era a representante da OMS no Brasil para aquela doença havia dez anos. Vaez de pronto convidou Damaso para colaborar.

A primeira impressão da dupla sobre o caso não permitiu sossego. A princípio, elas achavam que se tratava do *Orthopoxvirus vaccinia*, uma versão abrandada do vilão *Orthopoxvirus variolae*. Teriam que trazer as amostrar ao laboratório do Ibex para examinar. Se fosse o primeiro, a contenção teria que seguir o protocolo do nível de biossegurança 2 (NB2, no jargão da área de Defesa), muito mais simples do que o NB4 que precisaria ser deflagrado caso os testes demonstrassem tratar-se do outro tipo.

A major Nádia e a dra. Clarissa fizeram a perturbadora observação: a vacina liofilizada, ao entrar em contato com a umidade, pode tornar o vírus ativo.

As ampolas foram, então, recolhidas pelas tropas do Batalhão de DQBRN e levadas para a Fiocruz, lá mesmo em Manguinhos, onde ficaram depositadas num laboratório NB3, à espera da análise do Ibex.

Não havia certeza de nada. Teríamos que esperar o resultado dos exames. Mas Wanderson fora diligente desde o momento zero daquela crise. Ele me telefonou.

– Ugo, a gente precisa cuidar desse trem da varíola. Isso é sério.

– Tá certo, secretário. Como é que a gente faz?

– Vou mandar pra você o manual de DQBRN. Dê uma lida. Lá já tem um passo a passo.

– Ok. Mande que eu leio. Agora a gente precisa combinar logo algumas coisas. O porta-voz aqui do ministério é o senhor. Mais ninguém pode falar.

– Claro, claro, quanto a isso não se preocupe.

– A gente não vai divulgar nada por enquanto, não é isso?

– Cara, eu não sei.

– A imprensa vai descobrir rapidinho. Alguém da Fiocruz vai vazar. O lide vai ser: "Fiocruz encontra vírus da varíola enterrado no campus". A gente tem que se preparar pra acalmar a população quando isso acontecer.

– Sim, com certeza.

– Eu posso dizer que os protocolos de segurança biológica foram adotados, que não há risco de contaminação e que o Ministério da Saúde está acompanhando o caso de perto?

– Isso mesmo.

– Então tá, eu vou preparar uma nota e deixar aqui guardada. A depender dos acontecimentos, a gente solta. Eu passo pro senhor pra validar, tá bom?

– Bão. Fico à tua espera. Tchau – disse, acentuando o sotaque do interior.

Desliguei e escrevi a nota. Tinha três parágrafos, explicava tudo resumidamente e tranquilizava a população quanto ao risco de contaminação. Garantíamos "ser próximo de zero". Era uma esperança, até uma possibilidade, mas não uma certeza. Longe disso.

Enviei para o secretário por WhatsApp, que devolveu: *Perfeito!*

Passei, então, a mão no telefone e liguei para Renato Strauss, que acompanhara o ministro a Nova York.

– E aí, velho, tudo bem por aí? Tá acordado?

– Pô, cara, correria essas viagens, né? E aí, só alegria?

– Bicho, seguinte: vou te mandar por zapzap o rascunho de uma nota oficial que a gente não soltou, só vai soltar se precisar, talvez nem precise. Mas como ela contém uma palavra terrível, varíola, eu tenho que dar ciência ao ministro.

– Como é que é? Varíola?!

– É, varíola – e contei a história toda a ele, antes de continuar: – Wanderson já acionou a OMS, a Presidência da República, os milicos, o caralho a quatro. Então, dá ciência aí pro ministro, tá?

Nem precisou.

O próprio secretário telefonara ao chefe e esmiuçara os acontecimentos.

– Ô, Wanderson, varíola!, Wanderson... Puta que pariu! – disparou Mandetta, aflito. – Antes que os países montem as fábricas da vacina de novo, já morreu um bilhão de pessoas! Meu Deus do céu...

Mandetta não pregou os olhos naquele dia.

Todos nós só relaxamos quando, na segunda-feira, cinco dias depois da deflagração da emergência, as duas peritas atestaram a inatividade do vírus nas ampolas desenterradas perto da Casa Amarela. A história não vazou para a imprensa e a população não tomou conhecimento.

O secretário de Vigilância em Saúde, porém, ficara satisfeito com o desenlace.

– Serviu pra gente testar a rede de emergência em saúde pública. Um monte de coisa funcionou errado, a resposta demorou demais, mas, no geral, até que foi bom, viu? – me disse ele.

Tendo visto as falhas, Wanderson voltou à carga. Dias depois, destinou R$ 20 milhões do orçamento que administrava para estruturar mais onze Cievs em municípios próximos às fronteiras. Havia dez anos o Ministério da Saúde não investia um centavo para ampliar a rede de emergência em saúde.

Além disso, comprou um sistema de comunicação que passou a equipar toda a Rede Cievs. E montou cursos à distância para treinar a equipe massivamente.

Em 14 de outubro, durante a reunião do primeiro escalão, exibiu uma apresentação com o plano detalhado da expansão do sistema de emergência em saúde pública. Nela, informou a conclusão do projeto executivo para construção de um laboratório NB4 em Pedro Leopoldo, Minas Gerais. Erguê-lo custaria R$ 30 milhões. Depois de pronto, o custeio do lugar consumiria R$ 3 milhões anuais.

Wanderson disse, então, querer iniciar a obra em novembro de 2020, com inauguração prevista para 2022. Seria o terceiro laboratório NB4 das Américas. Os outros dois ficam nos EUA e no Canadá. Só nesse tipo de instalação é possível fazer pesquisas com manipulação de vírus, o que significaria a entrada do Brasil com voz grossa no mercado mundial de biotecnologia.

Nenhum de nós tinha a menor ideia, mas as ampolas de varíola inativa da Fiocruz impulsionaram a Secretaria de Vigilância em Saúde a investir nos Cievs no último trimestre de 2019. Aquilo seria fundamental dali a alguns meses, quando outro vírus invadiria o Brasil vindo da Itália.

CAPÍTULO 11
2 ABR. 2020
MINISTÉRIO DA SAÚDE

As reuniões matinais diárias do primeiro escalão haviam sido transferidas semanas antes da estreita sala do quinto andar para o amplo auditório Emílio Ribas, para evitar que ficássemos perto demais uns dos outros. O distanciamento era cautelar. Tudo o que Mandetta não queria era ver o comando da crise doente numa só tacada. Vivia repetindo que deveríamos ter substitutos estritamente informados para, em caso de baixa do titular, trocar a guarda sem perda de tempo.

Mas, por via das dúvidas, tinha mandado reformar o corredor do prédio anexo, onde funcionava uma creche. Com a maior parte dos servidores trabalhando de casa, o lugar estava fechado. Deu a Marylene a coordenação da obra e, dias depois, ele estava transformado numa pequena hospedaria com seis suítes. Havia camas, banheiros, mesa, computador, sinal de internet reforçado.

– Se eu ficar doente, vou passar minha quarentena ali, trabalhando de perto – avisou o ministro, ao dar a ordem de construção. – Tô fazendo mais de uma suíte porque espero que vocês também queiram fazer o mesmo.

– Claro, claro – todos respondemos em uníssono.

Ele ainda brincou:

– Se bem que se eu pegar essa Covid aí eu não escapo não, viu? Eu fumo há mais de quarenta anos, meus *pulmão* tão daquele jeito, então se o corona me pegar, já era. *Ocês vai* ter que botar meu nome nesse prédio aqui, viu? – disse, sorrindo.

Sorrimos junto com ele. A dra. Cristina bateu três vezes com a mão fechada na mesa de madeira.

– Que é isso, Henrique, Deus me livre!

Da hospedaria ou de casa, todas as secretarias, diretorias e assessorias diretas do ministro tinham um ou mais substitutos prontos para assumir o lugar, caso o titular adoecesse. Por vezes, os substitutos iam às reuniões do primeiro escalão no lugar dos chefes.

Não sei dizer se pelo cansaço, se pelo desânimo causado pela campanha do presidente da República contra a política de saúde, se por fadiga de material, mas começou a ficar claro haver algum problema com as medidas postas sobre a mesa nas nossas reuniões matinais. Falava-se muito, longamente, detalhadamente, por vezes desnecessariamente, as informações iam e vinham, voavam e voltavam. Os problemas se acumulavam, se sucediam, se multiplicavam. Mas nada avançava rapidamente – com exceção da compra e distribuição de EPIs aos estados, que seguiam seu ritmo frenético.

O dr. Gabbardo e a dra. Cristina tomaram a iniciativa de propor a volta do primeiro escalão para a sala de reuniões. Num ambiente menor, mais fechado, portanto, menos propício a conversas paralelas, talvez se conseguisse dar foco e tirar tudo aquilo do papel.

A volta aconteceu na quinta-feira, 2 de abril. Havia certa impaciência no ar desde o vídeo que Bolsonaro postara no Twitter na véspera. Entre nós, naqueles papos menos formais que antecedem as reuniões, indiciávamos, denunciávamos e condenávamos na mesma frase. "Cê viu o que o imbecil fez ontem?" ou "O cara é infalível, é 100% de acerto, toda vez que ele fala, é alguma merda". Com exceção de Robson e Mayra – e eles ficavam sempre calados, mexendo no celular –, o presidente da República ali era uma unanimidade.

Mandetta chegou com cara de poucos amigos. À frente dele, o sorridente Léo, o mais famoso garçom do gabinete, havia deixado chá de hortelã e um pires com seis biscoitos de maisena. O ministro abriu a reunião, molhando-os na xícara e comendo-os amolecidos, como fazem as crianças.

– Ministro, já há alguns dias nós conseguimos fechar o painel de insumos – anunciou o dr. Gabbardo. E pediu que Alberto o apresentasse.

O economista Alberto Tomasi era outro ilustre membro da brigada gaúcha. Gabbardo o trouxera do Rio Grande do Sul, onde fora candidato a prefeito no interior anos antes e, depois, diretor na Secretaria Estadual de Saúde, e o nomeara diretor do Departamento de Monitoramento e Avaliação do SUS (Demas).

Naqueles tempos, Tomasi usava um cavanhaque ao qual não prestava muitos cuidados. A barriga pronunciada invariavelmente tirava-lhe a camisa de dentro das calças pela parte de trás. O ralo cabelo ruivo que lhe rodeava a calva passava a impressão de estar sempre desmantelado. Extremamente compenetrado, tinha informações precisas na ponta da língua o tempo inteiro. Andava com um laptop da Apple desses do modelo mais fino, o qual manuseava com o olhar fixo do que antigamente se chamava cê-dê-efe e hoje em dia se conhece por nerd. Com justiça, todos o consideravam eficientíssimo.

Seu papel, naqueles dias de crise, era organizar os dados da epidemiologia de tal forma que ajudassem a tomar decisões. Não houve ocasião importante em que ele não estivesse ao lado do dr. Gabbardo. Inclusive em todas as entrevistas coletivas, ficava sentado num canto do auditório, colado no laptop, passando por WhatsApp informações para o secretário-executivo.

Atendendo ao pedido do chefe, Alberto escreveu no computador da sala de reuniões um endereço da intranet e abriu o painel de insumos. Os dados surgiram na imensa tela formada por oito monitores de LED, cada um com cinquenta polegadas, que tomavam toda a parede do lado norte da sala.

O painel era basicamente um site com um monte de menus e submenus e um mapa do Brasil dividido estado por estado da Federação. Clicando-se sobre o estado, abriam-se as informações pertinentes a ele. Ali, constava tudo o que o Ministério da Saúde distribuíra desde o primeiro dia do combate ao vírus. Viam-se desde frascos de álcool em gel até leitos de

UTI. Houve certa euforia no ar. Pensei ter ouvido um "oh!..." e também um soar de trombetas.

Fui o primeiro a surfar naquela onda. Opinei de bate-pronto.

– Eu acho importante publicar esse painel na página do corona.

Referia-me ao site específico que havíamos criado no dia seguinte à instalação do COE – o coronavirus.saude.gov.br. Lá estavam disponíveis ao público todas as informações a respeito da doença, do vírus e dos planos do governo, inclusive protocolos de vigilância, de atenção primária, de atenção especializada e pesquisas sobre terapias e medicamentos.

E me expliquei:

– A imprensa tá publicando diariamente várias matérias com queixas dos secretários de Saúde sobre insumos que não chegam. A assessoria de imprensa tá lotada de pedidos de informação dos jornais. Então a gente publica o painel e reverte o ônus da prova. A própria imprensa, inclusive os jornais locais, vai ter acesso às informações e ajuda a fiscalizar lá na ponta, cobrando dos governadores, em vez de vir aqui bater na nossa porta.

O dr. Gabbardo concordou comigo. O Roberto, da logística, ponderou:

– Pra mim tem problema publicar isso na internet.

– Por quê? – questionou Mandetta.

– Por causa daquela parte ali de cima – respondeu, e apontou o dedo para a parte de cima do painel, onde se viam quadrados azuis um ao lado do outro e dentro deles informações específicas de cada insumo.

O primeiro quadrado azul, acima à esquerda, tinha como título "Máscaras cirúrgicas". Abaixo dele, as informações. O governo federal contratara 22.516.000. Até ali, havia recebido 16.790.000 e entregue aos estados exatos 14.298.500. Em seguida, uma barra semelhante a um marcador de tanque de combustível. Estava três quartos cheia, mas a cor amarela indicava sinal de alerta, significando perigo iminente de ficar sem estoque, já que distribuíra quase tudo o que recebera dos fornecedores. O último dado do quadro informava que outros 200 milhões de unidades estavam em processo de contratação.

Ao lado dele, outro quadrado azul mostrava as informações de máscaras do tipo N95, que são aquelas de material mais denso, indicadas para profissionais de saúde. Naquele caso, a barra mostrava o tanque quase vazio, no vermelho – 500 mil contratadas, 100 mil recebidas, 40.800 entregues. O plano era comprar mais 40 milhões de unidades.

– Se o mercado vir isso, vai me esfaquear – temia Roberto, que já estava àquela altura sob intensa pressão, pelos preços instáveis que o Ministério da Saúde vinha pagando pelos insumos médico-hospitalares. – Se eles souberem que a gente tá precisando, vão botar o preço lá em cima, mais do que já tão fazendo – explicou, com seu pesado sotaque carioca.

Alberto Tomasi se levantou da cadeira na ponta da mesa, na cabeceira oposta à do ministro, próxima, portanto, do telão, e tocou com o dedo na linha que separava o mapa do Brasil da parte superior do painel, onde estavam os quadrados azuis.

– Não tem problema. A gente pode incluir tudo e tirar só esse menu superior, que fica restrito apenas a quem tem acesso na intranet.

– Assim, por mim, tudo bem – liberou o diretor da logística.

– Então tá decidido – concluiu o dr. Gabbardo, resoluto. – Alberto e Ugo, vocês cuidam disso?

Já de volta ao seu lugar à mesa e olhando fixamente para a tela do laptop, o diretor do Demas levantou o polegar direito e garantiu:

– Pode deixar comigo.

Exatamente às 16 horas, o painel estava publicado na página do coronavírus e pronto para ser anunciado pelo ministro na coletiva de imprensa. Paralelamente, eu enviava o link com o qual se podia acessá-lo para as sucursais de Brasília da TV Globo, dos três grandes jornais nacionais *Folha de S.Paulo*, *O Estado de S. Paulo* e *O Globo*, do portal *UOL* e para alguns jornalistas das tevês a cabo que vinham cobrindo o combate à epidemia.

Roberto Dias passou a seu relatório diário de compras. Confirmou ter fechado vários contratos na noite anterior – as aquisições eram feitas na China, portanto, com negociações realizadas nas noites e madrugadas brasileiras. Inclusive os 15 mil respiradores que mencionara na véspera, ao preço de US$

13 mil cada um, uma pechincha. Era uma empresa de Macau, de que ninguém jamais tinha ouvido falar.

Ele contou da guerra comercial do mercado de insumos, sobretudo máscaras, com os Estados Unidos pegando tudo o que aparecia pela frente.

– Vem cá, por que a gente não usa máscara de pano? – perguntou Mandetta.

À sua frente, a plateia era formada por médicos, enfermeiros, pesquisadores e gestores experientes da área de saúde.

Wanderson respondeu:

– Ministro, tem uma resolução da Anvisa indicando expressamente o uso de máscaras daquele material TNT, que é o tecido não tecido.

– Sim, mas proíbe máscara de pano?

– Deixe eu pesquisar aqui – disse Wanderson, já abrindo o tablet e tamborilando no teclado em busca da resolução da Anvisa sobre o assunto.

Enquanto isso, Mandetta acelerava.

– Vamos imaginar que soltem uma bomba na China. Ou um terremoto. De repente, acabou a China. Não tem mais como comprar da China. E aí? O que a gente vai fazer? Quando eu comecei a operar, a gente usava máscara de tecido. Roupa de tecido, tudo de tecido.

E começou a contar de uma cirurgia que fez nos anos 1990 numa jovem acidentada de Dourados, cidade pouco mais de 200 quilômetros ao sul de Campo Grande. Ela estava na garupa de uma moto, caiu e quebrou o fêmur nas duas pernas. Foi levada de ambulância para a capital.

– A mulher era HIV positivo. Naquele tempo ninguém sabia muito bem como era aquilo, queriam que a gente operasse com umas roupas de astronauta, horrível. Mas não dava pra operar, porque com aquele plástico a mão não mexia direito, o braço não chegava no ângulo certo, não dava pra eu consertar o osso dela. Aí eu disse: "Quer saber? Eu vou operar normal". Aí tirei aqueles plásticos todos, fiquei só com a roupa de tecido. Quando eu cheguei em casa, minha cueca tava cheia de sangue da paciente...

O dr. Gabbardo interveio:

– Ministro, só fazendo uma reflexão em cima da sua ideia. A máscara de tecido é uma barreira física ao vírus, como é a de TNT. É um filtro. O vírus vem no perdigoto. Se o perdigoto não passa, o vírus não passa, pelo menos em tese. Então eu acho que a máscara de pano pode ser viável não para o profissional de saúde, mas para a população, sim, por que não? Está claro que nós não vamos conseguir comprar máscara cirúrgica pra distribuir pra todo mundo.

– Então vamos passar a estimular que a população faça suas próprias máscaras de tecido – decidiu Mandetta, passando o trator por cima da Anvisa, que sequer foi consultada.

– Tem que ter um laço assim acima das orelhas e pela nuca – disse Mandetta, olhando pra mim e passando a mão em volta da cabeça, em mímica, como se estivesse amarrando as cordas. – Tem que ser assim para que a máscara cubra o nariz e a boca e não deixe passar nada pelos lados. Tem que ter dupla face, o uso é individual, não pode emprestar pro irmão, nem pra mamãe, nem pro papai. Tem que lavar com Qboa, e só pode usar por no máximo duas horas. Quando sair de casa leva um saquinho pra guardar a máscara usada. Pode usar camisa velha, cueca, desmanchar calça. Providencia um vídeo disso, Ugo.

O ministro mencionou a marca, mas estava se referindo ao produto, água sanitária, um desinfetante comum.

Não almocei naquele dia. Depois da reunião, fui escrever o roteiro do tal vídeo. Quando pronto, pedi a Daniel Cruz, o Indiozinho, que se certificasse no COE de que não havia escrito nenhuma barbaridade. Não, não havia. Então o mandei por WhatsApp para a Ana Miguel.

AnaGuel!!!! Taí, consegues me entregar hoje?, pressionei.

Rapaz, isso aqui não é padaria não..., respondeu a coordenadora da Comunicação Digital, com um emoji sorrindo. E completou: *Amanhã de manhã. Pode ser?*

Respondi com um emoji, aquele da mãozinha com o polegar pra cima.

Só que a estratégia de estimular o uso das máscaras de pano era novíssima, a própria OMS nada falara a respeito, a Europa não cogitava fazê-lo, muito menos os Estados Unidos. E lutávamos contra o tempo. Precisávamos antecipar, botá-la na rua naquela mesma tarde. Além disso, nosso orçamento de publicidade estava apertado desde o ano anterior. Não havia tempo nem dinheiro para produzir um filme e fazer uma grande campanha nas tevês, rádios e jornais. Por isso, seria uma produção própria, caseira, no Departamento de Comunicação Digital.

Orientei Strauss e pedi que incluísse o tema no briefing da entrevista coletiva. O próprio ministro anunciaria ao país. À Juliana Freitas, chefona da área de publicidade, recomendei que o vídeo fosse impulsionado com patrocínio tão logo entrasse nas nossas redes sociais. Além disso, vali-me do ativo que o Ministério da Saúde tinha de sobra, mas não podia emprestar ao presidente da República: excelente relacionamento com a imprensa.

Telefonei ao chefe de reportagem da sucursal da TV Globo em Brasília, Iain Semple, e à repórter Natália Cancian, da *Folha de S.Paulo*, setorista do jornal no Ministério da Saúde. Informei a ambos que estava passando a mesma informação a um e a outro e só a eles – quando há notícia exclusiva, jornalistas costumam publicá-las bem. Pedi que ajudassem a disseminá-la. As máscaras cirúrgicas haviam sumido de todas as farmácias brasileiras. A oferta não seria restabelecida tão cedo.

Sendo assim, o governo mudaria a antiga orientação para que a população deixasse as máscaras descartáveis de lado. E na manhã seguinte iniciaria uma campanha estimulando o uso de máscaras artesanais de tecido. Enviei-lhes o roteiro do vídeo que estávamos produzindo para ser usado nos canais do Ministério da Saúde (portal, redes sociais, comunicação interna, WhatsApp). Lá, estavam todas as informações técnicas pertinentes.

TV Globo e *Folha de S.Paulo* não foram escolhidos à toa. A primeira lidera com folga a audiência da tevê aberta do Brasil. É de longe a forma mais eficaz de fazer mensagens chegarem às classes de menor renda em todas as regiões do país. A segunda é proprietária do portal *UOL*, o maior da internet brasileira. Conseguir manchetes na primeira tela, aquela que primeiro aparece quando se acessa o endereço, é meio caminho andado para ter informação circulando pelas redes sociais.

Curiosamente, a política de relacionamento do Palácio do Planalto pinçou exatamente essas duas empresas como inimigas juramentadas. Vivem às turras, em pugna perene. Nisso, o bolsonarismo se iguala simetricamente ao petismo, que na época em que governava também detestava ambas.

Para nós do Ministério da Saúde, porém, a parceria funcionou. Iain Semple pautou o canal a cabo do grupo, a GloboNews, que no meio da tarde já anunciava a novidade. Assim como Natália Cancian publicou um texto com serviço no site do jornal, com destaque na primeira tela do *UOL*, ensinando a população a fazer as máscaras. Toda a imprensa os seguiu. À noite, no *Jornal Nacional*, o de maior audiência da tevê aberta brasileira, o assunto foi noticiado com detalhes e mais orientações sobre como fazer e como usar as máscaras de tecido.

Na manhã seguinte, iniciamos nossa campanha, mas o assunto já havia tomado as ruas de norte a sul. No YouTube e no Instagram, cidadãos comuns ensinavam mil formas inventivas de fazer máscaras de pano. Costureiras postaram vídeos orientando sobre pormenores de dobras e preenchimento. Dali a dias estariam sendo vendidas nas redes sociais com entrega em domicílio e até nos semáforos das grandes cidades.

– Ministro, eu tenho um pedido a fazer – disse Roberto Dias, ainda na reunião. – Acabou o orçamento. O senhor pode pedir, por favor, para eles fazerem uma Medida Provisória?

Àquela altura, início de abril, o departamento de compras já esgotara sua cota orçamentária do ano. O ministro nem titubeou.

– Foda-se. Compra. Eu vou usar o dinheiro de dezembro. Depois a gente vê como é que fica. E olha, eu vou te falar, daqui a pouco, às duas e meia, a gente tem reunião com o embaixador americano, Todd Chapman. Faz uma lista de tudo o que a gente precisa que eu vou ver no que eles podem ajudar.

Discutiram ainda negociações com a multinacional norte-americana 3M, que produz insumos médicos e estava sendo pressionada pela administração do presidente Donald Trump a não vender para nenhum país a não ser os próprios EUA. E também sobre a falta de insumos farmacêuticos ativos (IFAs), que são matéria-prima para diversos medicamentos e cujo maior fabricante mundial, a Índia, decretara *lockdown* dias antes.

– Daqui a quarenta dias eu vou ficar sem remédio para diabetes no Brasil – repetia Mandetta, aflito.

Ainda a marcar passo sobre a equação dos leitos, pela primeira vez falou-se ali num comando único para manejo de leitos SUS e não SUS. Ou seja, o governo admitia a hipótese de tomar para si a gestão dos leitos dos hospitais privados, o que seria um atentado contra o direito de propriedade. Mas ninguém se aprofundou naquilo. Foi a primeira e última vez que a ideia apareceu na mesa do ministro da Saúde.

O último tema do dia foi também o mais indigesto.

Normalmente agitada e imperativa, Juliana Freitas entrou na sala de reuniões com ar de preocupação. Fora nomeada pelo ministro como preposta do Ministério da Saúde junto ao Ministério da Infraestrutura. A missão dela era acompanhar o processo de construção do hospital de campanha, o primeiro, um teste, a ser levantado na cidade goiana de Águas Lindas, a cinquenta quilômetros de Brasília.

A advogada e assessora especial de Mandetta havia participado de uma longa e desgastante reunião na véspera. Além do ministro Tarcísio de Freitas, também estava presente o chefe da Controladoria-Geral da União, Wagner Rosário, a quem o ministro da Saúde sempre chamava erradamente de Wagner *do* Rosário.

– Ministro, falaram lá um monte de coisa do hospital de campanha, eu acho que não vai ser tão fácil como eles tinham dito que seria, já estão até indicando uma empresa pra fazer a obra, o que é estranho, mas deixa pra lá… O que me preocupou mesmo foi que eles disseram que já mapearam todos os leitos de hotel no Rio de Janeiro. Vão chamar os velhos das favelas e botar todos eles lá nos hotéis.

– Eles querem isolar o idoso e botar os jovens para trabalhar, para se infectarem – acrescentou Roberto Dias, que também participara da reunião.

Ou seja, urdiam-se no governo planos paralelos para fulminar com a política de isolamento social. À revelia do Ministério da Saúde. Mandetta ficou furioso. Todos ficamos. O ministro fez um silêncio reflexivo por alguns segundos. Permanecíamos fitando-o, à espera de uma ordem de ataque. Mas não veio.

– Eu conheço o Rio de Janeiro, eu morei lá, estudei lá, trabalhei lá. Como é que esses caras vão tirar os velhos dos morros? Na marra? Ou eles acham que é só chamar que eles vão descer? Rapaz, dona Maria vai se agarrar lá em cima no barraco dela, não tem quem tire. Deixem eles, isso daí é bobagem...

Juliana inquietou-se.

– Bobagem, ministro?

– Bobagem, sim – respondeu Mandetta. – Deixe pra lá. Não vamos gastar energia com isso.

O dia ainda reservava uma última saraivada do que, para nós, provinha do inesgotável arsenal de sandices do presidente da República. No fim da tarde, ele deu uma entrevista à rádio Jovem Pan. Como sempre, criticou a política de isolamento social. Mas falou especificamente do ministro da Saúde, o "Mandettão", o "meu guerreiro" da reunião privada do Alvorada.

Entremeado de cacófatos e vícios de linguagem, falou, entre outras coisas: "O Mandetta já sabe que não está se bicando comigo", "Eu não pretendo demiti-lo no meio da guerra", "O Mandetta quer fazer muito a vontade dele. Pode ser que ele esteja certo. Pode ser. Mas está faltando um pouco de humildade para ele, para conduzir o Brasil nesse momento difícil". Ele teria que "ouvir mais o presidente da República".

Quando me deparava com os posicionamentos de Bolsonaro durante a epidemia, eu sempre ficava intrigado. Durante a campanha, ele deixou claro, evidente, cristalino, que, por ser um ignorante absoluto em economia, faria tudo o que o ministro que escolhera, o Paulo Guedes, mandasse.

No irromper de uma pandemia viral, porém, ele escolhera não dar ouvidos a seu ministro da Saúde, um médico. Mais do que isso, atrevia-se a receitar um remédio para a população usar em massa. Ora, ele entendia de saúde pública tanto quanto de economia!

Bolsonaro foi expulso do Exército quando capitão. Então ele tem formação militar de média patente, sequer fez os cursos necessários aos oficiais superiores. Depois entrou para a política e passou mais de vinte anos como um criador de polêmicas no baixo clero do Congresso Nacional, que é como são conhecidos os deputados sem influência. Chegara mesmo a desviar a finalidade da ajuda de custo paga pela Câmara para custear a moradia dos parlamentares e adquirira uma quitinete que, nas palavras dele mesmo, "usava para comer gente". Por que diabos esse cara encasquetou com a crise sanitária?

Nem mesmo a dicotomia entre saúde e economia, ou entre doença e desemprego, fazia sentido. Pois o próprio Paulo Guedes dissera dias antes, ao participar de uma videoconferência promovida pela poderosa Confederação Nacional dos Municípios, a seguinte frase: "Eu mesmo, como economista, gostaria que pudéssemos manter a produção, voltar o mais rápido possível. Eu, como cidadão, seguindo o conhecimento do pessoal da Saúde, ao contrário, quero ficar em casa e fazer o isolamento".

Não, Bolsonaro podia até estar preocupado com a recessão e com os empregos. Afinal, era o presidente da República e faz parte do cargo cuidar disso. Mas, na minha opinião, a rusga com Mandetta era causada por outra coisa. Por um misto de dois sentimentos muito comuns a espíritos pobres: inveja e ciúme. Afinal, Guedes é um brucutu político tanto quanto ele. Não há com o que se preocupar. Já Mandetta é um sedutor de multidões. Acabaria tornando-se seu rival na eleição seguinte.

E sendo assim, não valia a pena responder à entrevista na Jovem Pan, que, óbvio, nos procurou oferecendo o microfone para a réplica.

– Não, obrigado – recusamos, polidamente.

Mandetta não se conteve. À noite, atendeu uma chamada furtiva de Natália Cancian no celular e, sem pedir reservas, lançou mão de um velho truque retórico, o de responder negando que o fará.

– Oi, Natália, tudo bem? Não, eu não vou comentar. Quem tem mandato popular fala, e quem não tem, como eu, trabalha.

Era uma variante do dito popular segundo o qual "quem fala demais dá bom-dia a cavalo".

Saiu do ministério e foi jantar com os presidentes da Câmara dos Deputados, Rodrigo Maia, e do Senado Federal, Davi Alcolumbre. Detalhe: naquele mesmo dia, os dois haviam sido convidados para um encontro com Bolsonaro, mas declinaram.

Estava reaberta a guerra.

Capítulo 12
Setembro de 2019

Boatos de demissão de Luiz Henrique Mandetta foram plantados e frutificaram em alguns nichos da imprensa.

Na época, uma reportagem do *Correio Braziliense* noticiou que Marisete Scalco Franke, esposa do chefe de gabinete do Ministério da Cidadania, tinha um cargo no Ministério da Saúde. Ao passo que Sabine Breton Baisch, esposa do secretário-executivo João Gabbardo, tinha um cargo no gabinete do Ministério da Cidadania.

Logo, seria um caso de nepotismo cruzado. Um semiescândalo, passível de resolução com uma canetada rápida. Mas... como o governo se elegera com o discurso de que era preciso desconstruir a forma de fazer política no Brasil, um pecadilho como aquele seria suficiente para balançar um ministro de Estado.

Publicou-se, a partir daí, que Bolsonaro não estava contente com seu cara da Saúde. Pensava em trocá-lo, quem sabe pelo próprio Osmar Terra, ministro da Cidadania. Aqui e ali falava-se que o presidente o considerava tímido. Mandetta, de fato, quase não aparecia. Dava pouquíssimas entrevistas e nunca se metia na disputa ideológica, na tal guerra contra o "marxismo cultural" que faz vibrar os condões bolsonaristas.

Desde a posse, haviam chegado pedidos de entrevista de todos os grandes jornais brasileiros, dos principais programas de tevê, de emissoras de rádio de todas as regiões. Mas o ministro fora apenas ao *Roda Viva*, da TV Cultura, em maio, e a um programa de entrevistas da RedeTV chamado *É Notícia*, em agosto. Aparecera no *Jornal Nacional*, da TV Globo, apenas no dia da posse e no início de maio, quando vestimos o Cristo Redentor com a camisa do movimento "Vacina Brasil".

Era uma agenda acanhada e institucional. O nepotismo cruzado seria a deixa para tirá-lo.

A trama não prosperou. Mesmo sem nem saber quem era Marisete Franke, Mandetta a demitiu dois dias depois da reportagem. Mas ficou patente o vale de sombras que se esgueirava entre o Ministério da Saúde e o Palácio do Planalto.

Àquela altura, a dinâmica de trabalho no gabinete pouco mudou. Por ordem expressa do ministro, a agenda era inteiramente dedicada ao atendimento de parlamentares. Como ele próprio não dava conta de atender tantos pedidos, passou parte desse trabalho para seu chefe de gabinete, Alex.

Os secretários e assessores tinham imensa dificuldade de despachar com o ministro. Quando isso acontecia, era comum vê-los saindo frustrados das reuniões. Havia sempre pressa, porque o chefe não parava de falar, porque acabava o tempo e não se chegava à definição do assunto.

Pouco a pouco, a gestão passou a funcionar com o ambiente de uma panela de pressão. Estávamos todos cozinhando e o vapor saía pela tampa a ponto de explodir.

Parte dessa pressão punha Alex e Gabbardo em conflito. O primeiro administrava a agenda do ministro, uma de suas muitas funções. O segundo administrava o ministério propriamente dito. Duas coisas difíceis de sincronizar, segundo a rotina que se cristalizara desde janeiro daquele ano.

Certo dia, o chefe de gabinete passou mal no meio do expediente. Decidiu sair daquele ambiente, respirar ar puro e foi caminhar pelas proximidades. Parou no serviço médico da Câmara dos Deputados, que fica a uns quatrocentos metros, a pé, pela via paralela ao Eixo Monumental, onde ficam os prédios anexos dos ministérios. Como é servidor de carreira da casa, recebeu pronto atendimento. Auscultaram-lhe e aferiram sua pressão. Descobriu estar com um pico de pressão tão alto que um pouco mais e suas veias explodiriam. Teria um derrame, um AVC, ou algo parecido, disseram-lhe.

Alex achou que era hora de sair.

A Mandetta ele propôs um raciocínio frugal. Robson Santos da Silva, coronel do Exército, aquele que encontrara numa caminhada no parque, ganhara um cargo de diretoria na Secretaria Especial de Saúde Indígena alguns meses antes. Fora Alex quem cuidara da nomeação, por isso estava a par da rede de contatos.

Santos Silva era amigo pessoal do general Ramos, ministro-chefe da Secretaria Geral da Presidência. Trazê-lo para a chefia de gabinete significava construir a ponte que estava faltando com o Palácio do Planalto. Havia lógica naquilo. O ministro topou.

Semanas depois, Robson sucedeu a Alex na chefia de gabinete. Mandetta pediu a este que não fosse embora completamente. Propôs que ficasse como seu assessor especial – um cargo sem funções executivas, apenas de aconselhamento. Alex topou.

Como fizera seu antecessor, ao assumir o cargo, Robson chamou cada um dos chefes dos setores a sua sala. Queria se apresentar, conhecê-los e ouvir um panorama das diversas áreas. Encontrei-o pela primeira vez ao atender a esse chamado. Levei Juliana Jujuba e Brentano comigo.

Era um sujeito mais baixo que eu, cintura larga, barba bem-feita, cabelo crespo, grisalho, arrumado num corte curto, curtíssimo, acho que raspado com máquina três. Vestia terno cinza-escuro e gravata azul. Podia-se dizer com justiça que sua silhueta era atarracada. Tinha os olhos meio fechados pela pálpebra superior e bochechas largas. A voz suave tornava o conjunto de sua figura agradável.

Ao entrarmos na sala, apresentei uns aos outros. Ele se virou para Jujuba e falou:

– Nossa, me deu até medo. Você parece com aquela lutadora de MMA.

Sorrimos e nos sentamos à mesa de reuniões – para oito lugares, na espaçosa sala do chefe de gabinete.

Eu repeti os mesmos procedimentos que havia feito na chegada de Alex. Levei o relatório de transição, atualizado quanto ao organograma e quanto ao quem é quem, e me pus a explicar o que era e como funcionava a Assessoria de Comunicação Social, inclusive a estratégia de canhão e o modelo de comunicação integrada.

O perfil do novo chefe de gabinete era igual ao de todos os apoiadores acríticos do bolsonarismo. No que tange à comunicação, ele achava que a publicidade gastava dinheiro demais, pagando preços muito altos. Disse que, ademais, aquilo tudo não passava de bobagem.

– O presidente ganhou a eleição só com isso aqui, ó – e mostrou o aparelho celular para mim, na primeira reunião que tivemos.

Nessa mesma ocasião, ele também disse que estava farto da comunicação do ministério. Lera um documento qualquer e vislumbrara nele uma aura comunista.

– Rapaz, não é brincadeira, não. O PT tinha um plano até para dominar a linguagem. Por exemplo, essa expressão "estado democrático de direito" faz parte do glossário deles para dominar tudo, isso foi tudo muito bem pensado lá no foro de São Paulo. Eu vou acabar com isso aqui. A partir de agora, não quero mais saber de usar "estado democrático de direito" nas nossas coisas. Avisa lá ao teu pessoal.

Na época, eu travava uma pequena guerra com os redatores da assessoria de imprensa e da comunicação digital. Eles estavam havia muitos anos no ministério. E já falavam como os técnicos. Ler um release, um post nas redes sociais ou qualquer outra peça nossa era como dar um salto mortal na língua portuguesa. Uma mera dor de cabeça, para nós, era cefaleia. Dor nas costas, dessas mais embaixo, perto das nádegas, comum na dengue, nos resfriados? Lombalgia!

Eu vinha pressionando para que simplificássemos, usássemos palavras mais cotidianas, frases curtas, estrutura simples, com sujeito, verbo e predicado, nessa ordem.

– As pessoas têm que entender o que a gente fala – eu repetia.

Afinal, era um governo de linguagem simples que estava no poder. De certa forma, a impressão de Robson sobre a linguagem poderia me ajudar na revolução.

Saí daquele primeiro encontro com o novo chefe de gabinete e, de pronto, pedi a Brentano que reunisse todos os coordenadores da Ascom na sala de reuniões do quarto andar. A eles repeti o que ouvira. Inclusive a parte do "estado democrático de direito". Ficaram horrorizados. Mas eu fui em frente.

– Esse negócio de plano do PT pra dominar a língua eu não sei. Mas que a nossa linguagem tá uma bosta, isso tá. Então saibam que a chegada de Robson vai fortalecer essa minha pauta. Prestem atenção, se esforcem, vocês têm que mudar. Vão mudar por bem ou por mal.

O convite de Mandetta para que Alex permanecesse na equipe gerou, para mim, um efeito colateral. Logo chegou ao ouvido de Robson a fofoca segundo a qual eu era afilhado político do antecessor. Com quem eu teria algum tipo de acordo ou aliança. Não somente entre nós dois, mas também com a dra. Cristina, com quem ambos convivíamos muitíssimo bem.

Robson resolveu me demitir. Falou a um e a outro que o faria. Não tinha exatamente um motivo, achava por bem renovar os ares. Foi avisado, porém, de que eu era assessor de Mandetta, não dele. E que não poderia me demitir. Não sem o consentimento do ministro.

Não sei por que cargas-d'água, logo depois de arquivar a ideia da minha demissão, ele resolveu demitir a psicóloga Cleusa Bernardo, diretora na Secretaria de Atenção Especializada à Saúde e substituta do secretário Francisco Figueiredo na ausência deste.

A dra. Cleusa está há quarenta anos no ministério. É uma técnica respeitadíssima, sabe tudo o que se pode saber sobre a área hospitalar da rede pública desde a criação do SUS, em 1988. Não bastasse, é amiga pessoal da família Mandetta, que conhecera em Campo Grande. Robson também não poderia demiti-la.

Não demorou, o novo chefe de gabinete percebeu que entrara numa panela de pressão gigante. Ele não tinha perfil nem vontade para atender deputados, senadores ou qualquer outro político. Então, a torrente que antes era anteparada por Alex de repente correu para o próprio ministro. Que, por seu lado, continuava alongando as reuniões com prosas envolventes. Todos os interlocutores saíam da sala dele sorrindo, maravilhados com o papo. Mas a agenda se tornava um caos.

No dia 8 de novembro, pedi a Robson que, pelo amor de Deus, me conseguisse quinze minutos com Mandetta. Precisava gravar com ele mensagens para as redes sociais. Já havia se passado uma semana da virada do mês e estávamos atrasados para abordar a saúde do homem no Novembro Azul.

Quando não havia publicidade envolvida, usávamos vídeos do ministro para abrir as ações de comunicação. Ele gravara vários ao longo dos meses. Gostava daquilo. Fazia com facilidade, sem teleprompter – aparelho que projeta o texto num espelho, à frente da câmera. Raras vezes precisávamos repetir uma tomada e ele sempre, como por milagre, acertava o tempo que havíamos estabelecido. Parava de falar um ou dois segundos antes: é um craque da tevê.

Robson abriu a brecha na agenda e lá fomos eu, Ana Miguel, Juliana Vieira e Daniel Indiozinho no início da tarde, logo depois do almoço. Mandetta, como sempre, pôs-se a falar. Abordou o tema sobre a mesa: câncer de próstata. Historiou, teorizou, opinou. Quarenta minutos se passaram e nós não tivemos chance sequer de ligar a câmera. Ele perguntou sobre outra campanha que a Ascom estava preparando, do Dia Mundial de Combate à Aids, comemorado em 1º de dezembro. Relatamos. Ele também opinou, historiou, teorizou.

A todo momento, Robson botava a cabeça na porta e me olhava feio. Eu levantava as palmas das mãos, suspendia os ombros e apertava os lábios. Não podia fazer nada, era o chefe de todos nós. A agenda que se adequasse.

Era pedir muito a um militar.

O chefe de gabinete me mandou várias mensagens pelo celular exigindo o fim da audiência. O que eu podia fazer? Levantar e deixar o ministro falando sozinho?

Esse episódio aconteceu numa sexta-feira. Na segunda-feira seguinte, Mandetta viajou a Maceió para lançar o projeto-piloto de digitalização do SUS. Na terça, de volta ao gabinete, tinha uma agenda mesclada. Parte era atendimento de políticos, parte despachos internos com os dirigentes do ministério. Numa das audiências, o tempo previsto se esgotou. Mas o papo, não. Como sempre, a reunião se ampliava além do prazo reservado a ela. De repente, soou lá fora um zumbido fino, estridente e contínuo.

– Piiiiiiiiiiiiii!!!!

– Opa, marcaram falta – brincou o ministro.

Era Robson. Ele levara um apito para o gabinete. Decidiu assoprá-lo como alerta, como sinal de que aquela reunião acabara.

Ao longo da tarde, o estridente alarme foi ouvido várias vezes.

"Piiiiiiiiiiiiii!!!", "Piiiiiiiiiiiiii!!!!", "Piiiiiiiiiiiiii!!!!". A cada horário marcado para o fim da reunião, era Piiiiiiiiiiiiii!!!!

Mandetta ficou louco.

– Agora eu arrumei, viu... nem minha mulher regula meu horário, o chefe de gabinete acha que vai ficar apitando aqui o dia inteiro no meu ouvido – queixou-se em voz alta, andando pela sala das secretárias.

Robson soube da "bronca" por terceiros. Explicou que o apito lhe fora presenteado havia anos pelo então tenente Mandetta, e que ele saberia que seu silvo significaria o fim de uma reunião. Mas era apenas brincadeira... O apito acabou aposentado no mesmo dia que estreou.

O novo chefe de gabinete, por seu turno, estava decidido a impor ordem e disciplina naquela loucura. Estabeleceu o expediente de que, para falar com o ministro, o solicitante teria que preencher um formulário. Nele, anotaria a razão da audiência, que tipo de encaminhamento se daria, quem era o responsável pela execução do que seria falado. Deveria ser assinado e entregue na secretaria da chefia de gabinete.

Aquilo foi visto como uma burocracia divertida e inocente. Pois quando queriam falar com Mandetta, todos os assessores desciam ao térreo e esperavam próximo à entrada das autoridades. Ele passava por ali várias vezes ao longo do dia para fumar – dois maços por dia, pelo menos. Nesse momento era abordado. Nas conversas da "hora do pito", vários encaminhamentos foram conseguidos, muito mais do que nas audiências formais do gabinete.

O plano de ordem e progresso de Robson foi tocado com a sutileza de um elefante. O novo chefe discutiu de forma áspera com a dra. Cristina numa das reuniões do primeiro escalão. Levantou a voz, com dedo em riste, na frente de todo mundo. Acusou-a de querer se meter no trabalho dele. Estranhou-se também com Gabbardo, com Francisco, com Erno, com Juliana Freitas, com Gabi.

Na época, a antiga pendenga de Erno com os bolsomínions recrudescera. Médicos ligados ao senador Flávio Bolsonaro no Rio haviam feito chegar a Bolsonaro pai a informação de que ele era ligado ao PSOL. E o presidente dera ordem a Mandetta para demiti-lo.

Na mesma ocasião, o presidente da República tecera críticas à gestão de Sílvia Waiãpi na Sesai. Pediu providências.

O ministro resistia, pois Erno estava à frente da agenda que realmente significava mudança na gestão do SUS. E seu estilo trator tirara vários projetos importantes do papel. Além do mais, o secretário de Atenção Primária podia ser tudo, menos comunista, petista, psolista, brizolista ou qualquer outra ramificação política à esquerda.

Na hora em que precisou, a tal ponte que Robson ergueria até o Palácio do Planalto não chegou sequer ao *status* de pinguela. Pelo contrário. Ele havia desenvolvido o hábito de despachar direto na Secretaria-Geral da Presidência, numa espécie de *bypass* sobre o chefe.

A duras penas, ao longo dos meses seguintes, Mandetta conseguiu convencer Bolsonaro a largar Erno de mão. Salomonicamente, porém, convidou Robson para substituir Sílvia Waiãpi à frente da Sesai. Disse-lhe que era uma missão dura e difícil, pois lidar com as lideranças indígenas era tão complicado que até mesmo uma parente sucumbira. O coronel topou.

Paralelamente, Mandetta mandara Alex ir atrás de Gustavo Pires, o primeiro a quem tinha convidado para a chefia de gabinete. Ele já deveria estar voltando da temporada de estudos em Boston. Bingo! Sim, Gustavo estava no Brasil. Era dezembro e o gabinete do ministro da Saúde teria o terceiro chefe em menos de um ano. Não foi um processo rápido. A sucessão se arrastou até março.

CAPÍTULO 13
3 ABR. 2020
MINISTÉRIO DA SAÚDE

Noite de quinta-feira, 2 de abril de 2020.

Mandetta ainda jantava com os presidentes da Câmara e do Senado quando a advogada Rosângela Moro postou em sua conta no Instagram a seguinte mensagem:

Entre ciência e achismos eu fico com a ciência. Se você chega doente num médico, se tem uma doença rara, você não quer ouvir um técnico? @henriquemandetta tem sido o médico de todos nós e minhas saudações são para ele. In Mandetta I trust.

Rosângela é esposa do então superministro da Justiça, Sergio Moro. Juiz titular da 13ª Vara Federal de Curitiba, Moro conduziu o julgamento do ex-presidente Luiz Inácio Lula da Silva e de todos os grandes empresários e políticos influentes condenados na Operação Lava Jato. Renunciou à magistratura e aceitou integrar o gabinete de Bolsonaro emprestando ao presidente da República todo o prestígio de que desfrutava junto à população. A partir dele, claro, também reluzia na imagem do governo um inegável verniz anticorrupção.

Meses antes, Bolsonaro já impingira a Moro derrotas vexatórias em projetos de combate à roubalheira. Além disso, sabia-se que vinha insistindo para trocar o diretor-geral da Polícia Federal, Maurício Valeixo, homem de confiança do ministro da Justiça. Os dois, portanto, não viviam os melhores momentos de amor mútuo.

O ex-juiz estava presente na reunião do Alvorada em que Mandetta peitara o chefe. E os jornais publicaram dias depois a informação de que ele e Paulo Guedes, os dois superministros, apoiavam o colega da Saúde, preterindo o presidente da República.

A mensagem de Rosângela Moro, publicada logo depois da entrevista de Bolsonaro à Jovem Pan e da resposta de Mandetta à *Folha de S.Paulo*, tinha tanto simbolismo político, nesse sentido, que sequer amanheceu. Foi apagada horas depois de postada.

Mas não havia dúvida. Em se tratando do combate à epidemia do coronavírus, o presidente da República estava isolado dentro do próprio governo. O que é raro, estranho e, de certa forma, errado. Afinal, ele é que tinha sido eleito, não os seus ministros.

No Ministério da Saúde, a equipe de Mandetta estava feliz. As aparições do chefe nas entrevistas coletivas o tinham catapultado ao céu da opinião pública. Era elogiado pelos homens, pela serenidade e pela clareza com que expunha seus planos. Era amado pelos jovens, sobretudo pelas adolescentes, que não só o achavam bonito, como adoravam aquele jeito de contador de histórias de que ele se servia metodicamente diante das câmeras. E arrancava suspiros das senhoras brasileiras – era o que mostrava o monitoramento diário que fazíamos nas redes sociais e as várias pesquisas de opinião que nos chegavam de todos os cantos. E espontaneamente, começou a aparecer no Twitter e nos comentários do YouTube a ideia "Mandetta 2022" ou "Mandetta presidente". Ele sempre sorria e desdenhava.

A reunião do primeiro escalão da sexta-feira, 3 de abril, veio com o prelúdio do que seria a pandemia no Brasil. Era corrente a crença de que a doença se espalharia pelo país de forma desigual. E, embora tenha penetrado no extenso território brasileiro via São Paulo – pelo menos assim registrara a Vigilância Sanitária –, foi Manaus quem primeiro soou o alerta de colapso.

Depois de muitas idas e vindas, cálculos e recálculos, o secretário Francisco de Assis Figueiredo tentava apresentar o painel de leitos, ainda com dados do Cnes. Ele atestava a existência de 464.412 leitos de internação no Brasil. E mais 55.101 leitos de UTI, o que dava a proporção de 2,62 para cada

10 mil habitantes. Era muito mais do que Itália (0,83), Reino Unido (0,6) ou França (1,05). Perdia, longe, para a Alemanha (3,02).

No caso brasileiro, porém, 28.707 leitos de UTI estavam no SUS, o que atende a maioria pobre da população. E 26.394 nos hospitais privados, onde se trata a minoria mais rica, que tem plano de saúde. Era evidente o desequilíbrio. E frágil a fonte dos dados.

O dr. Gabbardo ficou fulo, porque o painel sugeria uma grande falha. A incoerência se dava porque, do número total de leitos de UTI do SUS, apenas 6.671 haviam sido reservados para receber doentes de Covid-19, segundo os planos mandados pelas secretarias estaduais de Saúde. Ou pouco menos de 25% do total.

Naquele dia, o Brasil tinha 9.095 infectados confirmados por exame molecular. E sessenta óbitos. A curva de velocidade de transmissão do vírus estava achatada no nascedouro, o que era uma notícia excelente. Mas estava óbvio que se reservaram leitos de menos para o futuro.

– Olha, o sistema não vai nem pagar. Se o número de internações for maior do que o número de leitos cadastrados, esquece. O dinheiro não sai. E não sou eu, não posso fazer nada, o sistema de pagamento bloqueia automaticamente – avisou o secretário-executivo.

Tudo de que não precisávamos era uma interrupção no financiamento bem no meio da guerra. O dr. Gabbardo encomendou:

– Francisco, fala com os estados. Eu acho que tem que refazer os planos de contingência.

O secretário assentiu.

Mandetta estava mais preocupado com outra coisa. Chegara agitado e não parava de mexer no celular. Dirigindo-se a nós, falou:

– O secretário de Saúde me mandou uma mensagem de madrugada e me ligou agora de manhã. A situação de Manaus é crítica. Manaus é uma cidade que tem aquele pessoal da Zona Franca, o pessoal mais rico, com uma conexão muito forte com Miami. Então, a importação do vírus deve ter vindo por aí. O secretário disse que o sistema dele entra em colapso domingo agora. Ele relatou que os doentes chegam ao hospital já em situação crítica, sem respirar, cianóticos, não dá tempo pra nada. Ele até já mandou botar dois contêineres atrás do hospital para refrigerar os corpos. Ô, Francisco, abre Manaus aí, nesse painel!

Enquanto o secretário pedia aos assessores que atendessem ao pedido do ministro, Mandetta contava mais sobre o alerta da capital do Amazonas.

– Depois que eu falei com o secretário, Rogério, é Rogério o nome dele?

– Não, ministro, é Rodrigo – corrigiu Wanderson.

– Sim, Rodrigo, isso, Rodrigo Tobias, né? Depois que falei com ele, fiquei tão assustado que telefonei para o pessoal da Rede D'Or lá do Rio. Pedi quinze respiradores emprestados. Vai de FAB. O Braga Netto me mandou mensagem de zapzap dizendo que já providenciou o avião. Eu acho que chega no fim da manhã ou no começo da tarde lá.

O painel de leitos mostrou o que havia para a região metropolitana de Manaus. Para uma população de 2,9 milhões de habitantes acima de quinze anos estimavam-se as necessidades hospitalares no caso de uma taxa de crescimento de 2, ou seja, se o número de doentes dobrasse a cada semana. Nessas condições, e levando-se em conta que o paciente ficaria internado por dez dias na UTI, os hospitais públicos de Manaus ainda tinham trinta leitos disponíveis e capacidade para mais 195.

O painel mostrava uma situação desconfortável, mas longe do desespero relatado pelo secretário a Mandetta. Além disso, os dados da epidemiologia registravam três mortes por Covid-19 no estado do Amazonas até aquela data.

– O monitoramento de leitos vai passar a ser de manhã e à noite, a cada doze horas, na minha mesa – decretou o ministro, impaciente. – O relato de Manaus é preocupante. O secretário me disse que morreram seis pessoas em cinco horas de ontem para hoje.

– Ministro, de fato esses óbitos podem não ter sido lançados no sistema ainda – comentou o secretário Wanderson, que cuidava com zelo dos dados da epidemiologia.

Mandetta pegou o celular que tinha deixado sobre a mesa, tamborilou, ligou o microfone da sala de reuniões e reproduziu a mensagem do secretário Rodrigo Tobias para que todos ouvissem.

Pelos alto-falantes da sala, ressoava a voz de um homem aflito, preocupado, tenso. O secretário contava da situação dos doentes ao chegarem em busca de socorro. Citava as mortes das últimas horas e informava dos contêineres frigoríficos que mandara instalar nos fundos do Hospital Delphina Abdel Aziz, na zona norte da cidade, referência para Covid-19.

– O gestor tem que ficar esperto – disse Mandetta, terminada a reprodução da mensagem. – Se o cara botar um paciente de corona num CTI cheio de paciente cardíaco, ele mata todo mundo. Eu não sei esse caso aí do Amazonas, eles tiveram eleição fora de hora, o governador é meio diferente, eu não sei como é a gestão da saúde lá...

Ele se referia à complicada política amazonense. O governador eleito em 2014, José Melo, foi cassado três anos depois de tomar posse, acusado de compra de votos. Uma eleição suplementar aconteceu em 2017. Elegeu-se para um mandato-tampão o veteraníssimo ex-governador Amazonino Mendes, que, em 2018, acabou derrotado pelo atual titular do cargo, Wilson Lima, ex-apresentador de um programa policial da Rede Record local.

O ministro, então, pediu ao dr. Gabbardo que formatasse uma premiação para que o SUS pagasse diárias maiores para internações nas UTIs por coronavírus. Curioso é que dias antes o próprio Gabbardo apresentara a ideia e Mandetta a descartara de bate-pronto.

– Mas bote umas condicionantes, CTI separado, taxa de mortalidade, essas coisas.

E, sem mais nem menos, passou a contar a história da epidemia de dengue, em 2007. Os médicos da rede pública municipal do Rio de Janeiro entraram em greve e Mandetta acabou convidado pelo Conselho Regional de Medicina a liderar o combate à doença, como fizera em Campo Grande, onde era secretário de Saúde.

Ele fez uma articulação nacional e médicos do país inteiro foram suprir a lacuna deixada pelos grevistas. Assim, com médicos "estrangeiros" e tendas de campanha espalhadas pela cidade por um sul-mato-grossense, os cariocas tiveram assistência em meados dos anos 2000. O ministro falou aquilo como crítica ácida ao profissional de saúde que se nega a atender em meio a uma crise sanitária.

Findo o causo, cobrou mais uma vez o início da TeleUTI – pela qual médicos dos hospitais Albert Einstein e Sírio-Libanês, de São Paulo, atenderiam por telefone os chefes dos leitos de tratamento intensivo do país inteiro, na luta contra a Covid-19. E tão rápido quanto escapara, voltou à capital amazonense.

– Eu vou dramatizar. Se for o caso, vou apertar daqui uma quarentena em Manaus.

O primeiro escalão respondeu com silêncio. O ministro pegou o telefone da sala de reuniões e pediu à secretária, Elisene, que achasse o secretário de Saúde do Amazonas. Um minuto depois, ele estava na linha. No viva-voz, todos o ouvimos.

– Bom dia, ministro. Rodrigo Tobias falando.

– Tudo bem, Rodrigo? Eu estou numa reunião com todos os dirigentes do ministério. Eles estão te ouvindo. Como está a situação aí, hein?

– Ministro, aqui em Manaus, nós temos uma situação complicada. A cidade tem uma conexão muito forte com os Estados Unidos, principalmente com Miami. Então, a gente pensa que vieram muitos viajantes infectados de lá. A rede privada está com cem por cento dos leitos de UTI ocupados. Entre as quatorze e as dezoito horas de ontem, tivemos três mortes confirmadas por Covid. A UTI do Hospital Delphina, que é nossa unidade de referência, tem 69 leitos, sendo que, em 45 deles, os pacientes estão entubados por razões diversas.

Na chamada ao vivo, Rodrigo Tobias ainda tinha a mesma aflição na voz que ouvimos na mensagem deixada no celular do ministro.

– Eu acho que atingimos no domingo nossa capacidade, a gente vai entrar em colapso. Como eu disse ao senhor mais cedo, já mandei instalar dois contêineres frigoríficos atrás do hospital para receber os corpos, porque o necrotério do hospital não vai suportar.

Apesar da tensão genuína que demonstrara, tecnicamente, o relato foi considerado inconclusivo. Ao fim da chamada, o ministro ordenou uma sondagem.

– Francisco, manda um técnico da Saes [Secretaria Nacional de Atendimento Especializado à Saúde] lá *in loco* para checar a situação. Vê se é isso mesmo, por favor.

GUERRA À SAÚDE 137

– Ok, ministro, pode deixar – prometeu o secretário.

– Eu gostaria de falar – pediu o dr. Jurandir Frutuoso, do Conass, pelo telão.

– Fale, Jura! – coordenou o dr. Gabbardo.

– Olha só, eu gostaria de dizer que os dados que o Ministério publicou na internet, naquele painel de insumos, não batem com o que os estados me relataram. Nenhuma secretaria de Saúde recebeu cem por cento daqueles itens que vocês informaram. Então eu quero pedir que, por favor, vocês tirem do ar.

O efeito da publicação do painel de insumos na internet fora instantâneo. Como planejamos, a imprensa saiu da porta do Ministério da Saúde e foi cobrar dos governadores a distribuição dos insumos aos hospitais públicos – reclamada àquela altura pelas associações médicas e de enfermagem. Agora o bumerangue voltava e a entidade que reúne as secretarias estaduais de Saúde pedia que tirássemos os dados do ar, com o claro propósito de livrá-los da incômoda cobrança da imprensa.

– Não vamos tirar – respondeu, resoluto, o dr. Gabbardo. – Temos aqui os comprovantes com a assinatura de quem recebeu. Ontem mesmo tivemos que acionar o secretário de Minas Gerais, porque o chefe do almoxarifado estava se negando a receber a carga, dizendo que o armazém já estava cheio, não tinha mais onde botar coisa.

– Então vamos fazer um encontro de contas. Porque os dados não estão batendo – propôs o dr. Jurandir.

– Diga um estado, só um, que vocês acham que está discrepante. A gente vai botar as notas na mesa e checar. Se estiver diferente, a gente revê todos, um por um – desafiou o secretário-executivo.

O diretor do Conass respondeu na bucha.

– Mato Grosso do Sul.

Ou seja, exatamente o estado de Mandetta. Todos rimos à mesa. "Escolheu a dedo, hein", alguém provocou.

– Tá bom, vamos bater os números e depois voltamos a falar disso – encerrou o dr. Gabbardo.

Roberto, da logística, anunciou enfim a assinatura da compra dos quinze mil respiradores da empresa de Macau. Explicou que os fornecedores na China estavam exigindo o pagamento antecipado de metade do valor da compra, algo que não chega a ser expressamente proibido pela lei brasileira, mas que tampouco é comum, o que atrairia manchetes e, com elas, os órgãos de controle. Arrumou-se um jeitinho para driblar o impasse.

– O Banco do Brasil vai abrir uma carta de crédito de um bilhão de reais. Uma empresa que já é fornecedora da Vale vai certificar as especificações da carga, então liberamos trinta por cento do valor no embarque e setenta por cento na chegada.

Mandetta ouvia aquilo tudo comendo biscoito de maisena molhado no chá de hortelã. Estava calado. Roberto seguiu. Disse estar negociando outros oito mil respiradores com uma empresa nacional, a MagnaMed, com assinatura naquele mesmo dia e entrega para dali a três meses. E, por fim, avisou que tinha recebido um pedido dos fornecedores chineses para reequilibrar o contrato de imunoglobulina, por causa da alta na taxa de câmbio.

"Reequilibrar" um contrato é o termo usado quando o vendedor pede para aumentar o preço depois do negócio fechado. Não é ilegal, mas para que possa ser feito é preciso que tenha acontecido algum evento extraordinário que justifique a mudança de valor.

– Pode isso, Ciro? – perguntou Mandetta, chamando pelo consultor jurídico.

– Eu acho que não – respondeu Ciro Miranda, historiando sobre os antigos e problemáticos contratos com a Blau Farmacêutica e concluindo que os chineses já sabiam do risco de grande volatilidade cambial quando assinaram o contrato.

Por fim, o ministro contou uma conversa que tivera naquela manhã, por telefone, com o jornalista Gerson Camarotti, analista de política da GloboNews. Camarotti o procurara para perguntar sobre a pugna com o presidente no crepúsculo da quinta-feira.

Por orientação minha e de Renato Strauss, Mandetta não estava falando com jornalistas naqueles dias. A não ser nas entrevistas coletivas. Era uma questão de logística. Chegaram pedidos de mais de setenta veículos diferentes, brasileiros e estrangeiros, para entrevistas exclusivas, fosse com o ministro, com dr. Gabbardo ou com o secretário Wanderson. Não havia como atendê-los sem prejudicar os trabalhos no Ministério. Nem como escolher algumas e preterir outras. Então, que se falasse com todos de uma vez, nas coletivas diárias.

Mandetta, porém, conhecia Camarotti dos tempos em que exercera o mandato de deputado, na Câmara. E o admirava. Assim, vez por outra trocavam impressões. Isso me causou muitos embaraços, pois eu e Camarotti estudamos jornalismo juntos no Recife e somos muito amigos. Todas as vezes que ele aparecia com informações exclusivas na tevê, eu recebia ligações de outros repórteres me acusando de "pernambucanada".

– Falei pra ele – começou o ministro – que família brigar com médico é normal. A gente tá acostumado com isso, faz parte da doença. É como a mulher do paciente xingando na sala ao lado. Eu tenho que examinar o paciente, tratar o paciente, esquecer os gritos e concentrar no paciente. E mais, a gente não vai dar conta. Vai faltar leito, vai morrer gente. No fim, vão botar a culpa na gente. É normal, é assim mesmo. Jesus andou na Galileia e curou onze leprosos. Não voltou um pra agradecer. Então, a ingratidão na medicina é bíblica. O padre Antônio Vieira, nos sermões, falou algo parecido com isso: "Se te sacrificares pela pátria e ela não te agradecer, não terás feito nada além da tua obrigação".

Quando mencionou a ingratidão da mulher do paciente, Mandetta referia-se a Bolsonaro, claro. E horas depois uma manchete do portal *UOL* traria a informação que deixaria a esposa ainda mais histérica: uma pesquisa do Instituto Datafolha aferia apoio de 76% da população a Mandetta. E apenas 33% a Bolsonaro. Pior, o comportamento do presidente em relação à pandemia agora era reprovado por 39% dos entrevistados, uma alta relevante em relação aos 33% detectados duas semanas antes.

A estratégia política da Presidência da República é traçada pelo filho Zero Dois. A julgar pelo que escreve nas redes sociais, ele dedica suas horas a imaginar conspirações para derrubar o pai. E a construir contraconspirações, para neutralizá-las. Pela perspectiva da popularidade, Mandetta agora era um inimigo. E inimigo, abate-se.

O tiro para tanto veio no fim de semana. Envolveu um grande esquema de perfis apoiadores nas redes sociais e uma notícia falsa. Jamais poderia imaginar que seria eu a bucha de canhão a ser usada para chamuscar o ministro da Saúde.

Capítulo 14
Novembro de 2019

Um homem de 55 anos entrou no restaurante em Wuhan, cidade de 10 milhões de habitantes, capital da província de Hubei, região central da China, pediu o prato e comeu calmamente. Era 19 de novembro, uma terça-feira, e nada de extraordinário foi notado. Ele pagou a conta e foi embora, como fazem todos os clientes.

Esse relato, reproduzido no Brasil por revistas de curiosidades científicas, foi feito pelo jornal *South China Morning Post*. Sua autora, a jornalista Josephine Ma, baseada em Hong Kong, o credita a fontes não reveladas do governo chinês.

O assunto é eivado de mistério. Mas Ma é uma repórter experiente, cobriu a epidemia de Sars em 2002 e edita há anos notícias da China, mesmo estando baseada em Hong Kong, ex-colônia britânica devolvida em 1997, que é uma espécie de cidade rebelde e autônoma do governo central.

Pelo que se sabe até a publicação deste livro, foi naquele exato momento, no restaurante em Wuhan, que uma nova mutação do coronavírus passou do primeiro hospedeiro humano para outros exemplares da mesma espécie. Iniciava-se a epidemia global que já infectou mais de 33 milhões de pessoas em 216 países, causando mais de 1 milhão de mortes.

Aquele vírus específico, que os cientistas batizaram de Sars-CoV2, tinha mais de 90% de equivalência genética com o coronavírus encontrados em morcegos. A hipótese mais aceita até hoje é a de que aquele homem, o paciente zero – ou seja, o primeiro e mais antigo a quem a investigação epidemiológica conseguiu rastrear –, foi infectado no mercado de peixes Huanan, no centro da cidade. Lá, são vendidos animais vivos, como cobras e morcegos, que integram a dieta regular das famílias em parte da China.

O nome Sars-CoV2 se explica pelo fato de ser uma segunda forma de coronavírus humano que provoca síndrome respiratória aguda grave. A primeira, também oriunda da China e chamada de Sars-CoV, foi descoberta em 2002. É causadora da Sars (sigla em inglês para *Severe Acute Respiratory Syndrome*) e, como essa, provavelmente também proveniente de morcegos. Em seu primeiro ano, infectou 8 mil pessoas e causou oitocentas mortes no mundo.

Isso significa que o Sars-CoV2 é mais contagioso e mais letal que seu irmão mais velho.

Ainda em novembro, quatro homens e cinco mulheres, o mais novo com 39 de idade, o mais velho com 79 anos, procuraram os serviços de saúde de Wuhan com os sintomas da doença que viria a ser batizada de Covid-19 dali a alguns meses. Eles tinham febre, tosse, falta de ar e infecção nos pulmões. A doença é muito parecida com a Sars.

Doze dias depois daquela frugal refeição, em 1º de dezembro, um paciente que não frequentava o mercado de peixes deu entrada no hospital provincial de Hubei. Ele recebeu atendimento e passou por exames. Apesar de a doença ser em tudo parecida com a Sars, os testes não encontraram o vírus Sars-CoV no organismo. Nos registros chineses, esse é o marco zero da doença.

Ao longo dos dias seguintes, mais doentes chegaram com os mesmos sintomas. Eram, em sua maioria, trabalhadores do mercado de peixes. Os painéis virais continuavam atestando negativamente para Sars-CoV. E nos registros da OMS, é desse tempo, 8 de dezembro, o primeiro diagnóstico de Covid-19 na China.

No dia 27, alarmados, os médicos do hospital provincial notificaram as autoridades sanitárias. Há uma pneumonia semelhante à Sars, diziam, mas o agente causador não é o mesmo. Já ali o médico Zhang Jixian afirmou que se tratava de um novo tipo de coronavírus.

No dia seguinte, a Comissão de Saúde de Wuhan emitiu um alerta a todos os hospitais da cidade. Nele, avisou sobre uma "pneumonia de causa pouco clara". Pediu que os casos fossem notificados e informados. Ou seja, aparentemente iniciou a fase 1 de qualquer plano de contenção sanitário: o rastreamento e bloqueio dos casos.

Normalmente, essa estratégia consiste em mapear todos os contatos que uma pessoa doente teve durante o período de incubação do vírus. E, a partir daí, isolá-los, de forma que aqueles que foram infectados não passem a doença adiante.

Nos primeiros dias de dezembro de 2019, porém, absolutamente ninguém tinha a menor ideia de que vírus era aquele exatamente. Muito menos quanto tempo ficava escondido no organismo do hospedeiro antes de atacá-lo. Ou ainda como fazia para ir de um a outro, do infectado ao são.

A onda de casos com os mesmos sintomas e sem identificação cabal da causa, porém, não soou nenhum alerta. Em meio à incerteza, dois médicos do Hospital Central de Wuhan decidiram agir por conta própria.

A primeira, a dra. Ai Fen, compartilhou com um colega resultados do exame de um paciente. O debate entre os dois transbordou para a comunidade médica local, que discutiu o assunto em mensagens de celular.

O segundo, o dr. Li Wenliang, oftalmologista de 34 anos, faz um alerta sobre o surto numa rede social. Nele, aconselhava os colegas a usarem roupas de proteção para se prevenirem da infecção.

Três dias depois, o dr. Li foi chamado no Departamento de Segurança Pública para se explicar. Tinha contra si a acusação de "fazer comentários falsos" que tinham "perturbado gravemente a ordem social".

Na China, as principais redes sociais não são as mesmas que fazem sucesso no Ocidente. A mais popular é a WeChat, com 1 bilhão de usuários ativos. E uma das "menores" é a Weibo, que é uma espécie de mistura de Twitter com Facebook. Tem mais de 400 milhões de usuários. Foi nela que a controvérsia médica de Wuhan se tornou polêmica, com rumores de um "novo vírus mortal" e de uma "pneumonia misteriosa" adoecendo e matando na região central do país.

Enquanto o Ocidente queimava fogos de artifício para celebrar a virada do calendário, em 31 de dezembro, a pré-história da epidemia registrava novos acontecimentos.

A Vigilância Sanitária admitiu estar investigando 27 casos de uma pneumonia viral em Hubei. Mas afirmou que até ali não encontrara vestígios de transmissão entre humanos. Ou seja, todos teriam sido contaminados a partir de animais, no mercado de peixes.

Depois do réveillon, em 1º de janeiro, enquanto o mundo ocidental acordava de ressaca, a dra. Ai Fen recebia uma repreensão formal do comitê disciplinar do Hospital Central por "espalhar rumores" depois que postagens sobre a "misteriosa pneumonia" apareceram no WeChat. Além disso, oito outras pessoas foram detidas pelo Escritório de Segurança Pública de Wuhan, acusadas de disseminar boatos sobre o vírus.

Essa sucessão de fatos suscita até hoje a desconfiança de que o governo chinês tentou encobrir o início da epidemia, certamente por achar que poderia contê-la.

Enquanto tais planos se desdobravam, no centro da cidade, o mercado de peixes era fechado pela polícia.

Por mais improvável que pareça, antes que o restante do mundo desconfiasse, o fervilhar da pandemia foi sentido a mais de 16 mil quilômetros a oeste, num país de clima tropical, abaixo da linha do equador: o Brasil.

O alarme soou precisamente num computador da Coordenação-Geral de Emergências em Saúde Pública. É uma sala que fica no quinto andar do edifício PO 700, na Asa Norte.

Lá, funcionam três das secretárias nacionais do Ministério da Saúde – a de Vigilância em Saúde (SVS), a Especial de Saúde Indígena (Sesai) e a de Gestão do Trabalho e Educação em Saúde (SGTES).

A Coordenação-Geral de Emergências em Saúde Pública faz parte de um dos cinco departamentos que compõem a SVS. É sob sua coordenação que funciona o Cievs, aquele grupo especializado que passa cada segundo do dia farejando o mundo atrás de riscos à saúde pública.

No ano anterior, o Brasil tinha perdido o certificado de país livre do sarampo, sofria com a falta da vacina pentavalente (que protege as crianças contra meningite, tétano, difteria, coqueluche e hepatite B) e passara pelo imenso susto de poder devolver a varíola ao mundo em pleno século XXI, caso operado exatamente pelo Cievs, ou seja, pela Coordenação-Geral de Emergências em Saúde Pública.

Significa que a equipe da Vigilância em Saúde, sobretudo no que tange a emergências, estava afiada. Havia recebido investimentos em infraestrutura tecnológica e em treinamento. Ainda mais depois que o secretário Wanderson aproveitara o episódio da varíola para investir na área.

À frente desse time estava o biólogo Rodrigo Frutuoso, filho de Jurandir, o dirigente do Conass. É um dos técnicos mais respeitados do ministério. Está lá desde 2007. Jovem, 39 anos, usa cavanhaque. A cabeleira cheia, preta com poucos fios brancos, sempre com um redemoinho à direita da testa. Nunca o vi de terno e gravata. Era comum encontrá-lo de jeans e camisa com as mangas arregaçadas. E seu jeito firme, seguro, meio impaciente, um pouco estressado, deixava claro que era alguém que estava no meio de uma batalha.

Ele é conhecido no país como uma das maiores autoridades do SUS no combate a arboviroses, como são chamadas doenças como dengue, zika e chikungunya. Naqueles dias, contudo, não estava envolvido com o mosquito *Aedes aegypti*. Comandava a tropa do Cievs.

Uma das iniciativas do time era gerenciar um sistema de captura de rumores sobre potenciais eventos que pudessem ameaçar a saúde pública. E foi precisamente esse computador que piscou o alerta em 3 de janeiro de 2020, uma sexta-feira: vestígio de "pneumonia de etiologia desconhecida" detectado na China.

Imediatamente depois de captar o rumor, Frutuoso comunicou-o à chefe do Departamento de Análise em Saúde, a engenheira Daniela Buosi. Doutora em Saúde Coletiva, ela era um dos pilares de Wanderson na SVS.

146 UGO BRAGA

Poucos anos mais velha que Rodrigo, é uma pesquisadora detalhista. É uma mulher de pele muito alva, daquelas que raramente são expostas ao sol, e de altura mediana. Sempre a víamos de óculos e o cabelo castanho-escuro preso num rabo de cavalo. Seu tom de voz assertivo e suas colocações recheadas de informações técnicas ensejavam confiança. Tinha em comum com o secretário e com o próprio ministro o gosto irrefreável por falar.

Era começo de ano e, nesse tempo, as autoridades da administração costumam estar de recesso. Normalmente, voltam somente na segunda semana de janeiro. De forma que tanto Mandetta quanto Wanderson estavam fora de Brasília, o primeiro, na fazenda da família, em Mato Grosso do Sul, o segundo, em Minas, seu estado natal.

Mesmo sem seu comandante, Buosi e Frutuoso não hesitaram. Encaminharam naquele mesmo 3 de janeiro um pedido de informações sobre a tal "pneumonia de causa não conhecida" da China à Organização Pan-Americana de Saúde (Opas). O destinatário não foi escolhido ao acaso. A Opas é o ponto focal regional da OMS. A ela o Brasil deveria se reportar, como manda o Regulamento Sanitário Internacional.

O país tornava-se o primeiro do mundo a cutucar a OMS sobre aquele zunzunzum na China.

No domingo, 5 de janeiro, a Opas publicou no site restrito, onde apenas a área de Vigilância em Saúde nacional tem acesso, o registo de um evento de "pneumonia de causa não conhecida" na capital da província de Hubei, na região central da China. E assim a pandemia deu seu primeiro passo para deixar de ser "boato" espalhado por médicos boquirrotos e começou a se configurar como ameaça global de saúde pública.

Na manhã da terça-feira oriental, ou seja, ainda noite da segunda no Brasil, a China notificou a OMS sobre a estranha pneumonia que se manifestava em Wuhan. Horas depois, já com dia claro em Brasília, a equipe da Coordenação-Geral de Emergências em Saúde Pública fez sua primeira reunião de avaliação de risco a respeito do "evento" descoberto.

A decisão daquele dia foi incluir a "descoberta" na pauta do Comitê de Monitoramento de Eventos, que se reuniria dali a três dias, na sexta-feira.

O comitê era formado por técnicos de todas as áreas da SVS. Reunia-se semanalmente para trocar informações e impressões sobre tudo o que tivesse potencial para se tornar emergência de saúde pública no Brasil e no mundo.

O dia oriental da sexta-feira, portanto noite da quinta no Brasil, trouxe o principal acontecimento científico da pandemia: após colher e analisar amostras nos pacientes da cidade, pesquisadores do Instituto de Virologia de Wuhan, chefiados pelo professor Yong-Zhen Zhang, revelaram a sequência genômica do vírus. O achado foi distribuído livremente a outros centros de pesquisa pelo planeta.

A estrutura era 80% idêntica à do vírus causador da Sars. Não havia mais dúvida: tratava-se mesmo de um novo tipo de coronavírus. O Sars-CoV2 era finalmente revelado.

Enquanto Zhang prestava aquela homenagem à ciência ao compartilhar seu estudo com o restante do mundo, o oftalmologista Li Wenliang se internava no mesmo Hospital Central em que trabalhava. Estava com febre e tossia sem parar. Eram os mesmos sintomas de uma paciente que atendera dias antes.

O laboratório do Instituto de Virologia sofreu represálias. Depois de compartilhar com o mundo o código genético do vírus, teve revogada a licença para investigar a doença. Acabou fechado.

Mesmo sem saber de nada do que ocorria no meio médico do Oriente, o Comitê de Monitoramento de Eventos brasileiro concluiu que o assunto tinha altíssimo potencial de se tornar emergência de saúde pública. Determinou a elaboração de um protocolo de vigilância, que foi finalizado no dia 16 de janeiro e publicado no dia seguinte no Boletim Epidemiológico da Secretaria de Vigilância em Saúde. É o primeiro em que se fala de coronavírus.

Nele, um conjunto de nove medidas preparava o Brasil para o que estava por vir. Eram elas:

1. Notificação da área de Portos, Aeroportos e Fronteiras da Agência Nacional de Vigilância Sanitária (Anvisa);
2. Notificação da área de Vigilância Animal do Ministério da Agricultura, Pecuária e Abastecimento (Mapa);

3. Notificação às Secretarias de Saúde dos Estados e Municípios, demais Secretarias do Ministério da Saúde e demais órgãos federais com base em dados oficiais, evitando medidas restritivas e desproporcionais em relação aos riscos para a saúde e trânsito de pessoas, bens e mercadorias;

4. Realização de avaliação de risco diário com base nas informações recebidas da Opas;

5. Relatório diário da situação para os órgãos;

6. Revisão da capacidade instalada de *primers* e testes diagnósticos para investigação e descarte de agentes etiológicos respiratórios conhecidos;

7. Revisão dos fluxos de investigação de casos identificados em pontos de entrada (ações no ponto de entrada, fluxo de investigação, hospital de referência, investigação de contatos etc.);

8. Revisão dos principais aeroportos de conexão (*hubs*) provenientes da China para identificação e mensuração dos riscos;

9. Atualização dos protocolos e procedimentos operacionais padrão de vigilância e atenção frente à identificação de casos suspeitos de Síndrome Respiratória Aguda Grave.

Além disso, preparava-se a tática de rastreio e bloqueio, assim como fizeram as autoridades sanitárias em Wuhan. O primeiro passo era definir o que era um caso suspeito. E decidir o que fazer com ele.

O boletim trazia, sobre isso, a "Recomendação para a adoção da definição preliminar de caso suspeito até que se tenha melhor descrição dos casos". Que consistia em:

Identificação de indivíduo de qualquer idade que, a partir de 29 de dezembro de 2019, apresentar histórico de:

a. Febre alta (acima de 38°C);

b. Tosse ou dificuldade de respirar;

c. Uma ou mais das seguintes exposições durante os últimos dez dias anteriores ao início dos sintomas:

- Contato próximo (cuidou, morou ou teve contato direto com secreções respiratórias ou fluidos corporais) com uma pessoa que seja suspeita ou provável caso de pneumonia indeterminada identificada na China;
- Histórico de viagens para uma área com transmissão local recente de pneumonia indeterminada identificada na China.

Não bastasse o burburinho na China, no mesmo dia em que a SVS publicou o Boletim nº 1 de 2020, cujo principal assunto nem era coronavírus, mas o monitoramento da febre amarela para aquele ano, morria no Hospital das Clínicas da USP um homem adulto, de cinquenta anos, morador de Sorocaba. Havia sido infectado por arenavírus, um vírus nacional, perigoso e mortífero, que provoca febre hemorrágica.

A doença começa com sintomas muito parecidos aos da dengue. O doente tem febre, mal-estar, dores musculares, manchas vermelhas no corpo, dor de garganta, no estômago e atrás dos olhos, dor de cabeça. Depois vêm tonturas, sensibilidade à luz, prisão de ventre e sangramento na boca, nariz e outras mucosas. Com a evolução, pode causar confusão mental, alteração de comportamento e até convulsão.

O arenavírus tem índice de letalidade muito grande, o que significa que muitos dos infectados acabam morrendo. Em compensação, o vírus não é tão eficiente em passar de um hospedeiro a outro.

Eu não sabia de nada disso, então telefonei assustado ao secretário Wanderson, que estava de férias, ainda em Minas.

– Oi, meu secretário, tudo bem, como vai o senhor?

– Bão, e ocê? Olha, o bicho tá pegando, viu?

– Eu sei, por isso que eu tô ligando. Esse negócio de arenavírus, hein? Eu li aqui o relatório do pessoal da imprensa, fiquei assustado. A gente deve dar carga nisso? Faço um plano de comunicação?

150 Ugo Braga

– Ô, Ugo, eu acho que não. Esse vírus tem letalidade grande, mas é pouco contagioso. Pra você ter uma ideia, tinha mais de vinte anos que não tinha um caso no Brasil. O que a gente tem que se preparar é pra essa história de coronavírus. Esse aí, eu vou falar procê, o bicho vai pegar.

– Sério, secretário? Então esqueço o arena e agarro o corona?

– É, agarre o corona! – disse ele, rindo muito. E seguiu: – Essa história de arena, a gente tem que cumprir um protocolo do código sanitário, então a gente vai anunciar, explicar direitinho. Vamos fazer uma coletiva, soltar um release e é só. Nós já notificamos a OMS, tudo certinho. Vou pedir pro pessoal preparar aqui as informações todas, quando estiver pronto eu aviso e a gente faz a coletiva.

– Tá joia, secretário, valeu.

Na segunda-feira, 20 de janeiro, a turma da Vigilância se reuniu com o pessoal da Opas para avisar que o Brasil instalaria um Centro de Operações de Emergência (COE) para tratar especificamente do coronavírus.

Ao mesmo tempo, o diretor do Departamento de Doenças Transmissíveis, o epidemiologista Júlio Croda, que substituía Wanderson na ausência deste, cumpria a missão protocolar de conceder a entrevista coletiva para esmiuçar o caso do arenavírus. Naqueles dias, o arena tinha mais atenção da mídia brasileira do que o coronavírus chinês.

Na terça-feira, cinco dias depois de o Brasil tê-lo feito, a OMS publicou seu primeiro Boletim Epidemiológico tratando do novo vírus. Considerava haver "risco moderado" de disseminação da doença pelo mundo.

Naquela semana, Mandetta não estava no Brasil. Viajara a Davos, na Suíça, para a quinquagésima edição do Fórum Econômico Mundial. Era a primeira vez que um ministro da Saúde brasileiro ia ao encontro dos milionários e poderosos para discutir o futuro da humanidade.

A pauta da qual participou foi, óbvio, repleta dos temas atuais da saúde – vacinas, doenças negligenciadas, como tuberculose e hanseníase, e até obesidade infantil –, mas não houve uma só reunião específica sobre aquela estranha pneumonia que aparecera na China.

Na quarta-feira, 22 de janeiro, Júlio Croda, com Rodrigo Frutuoso sentado à sua direita, instalava na sala número doze do quinto andar do PO 700 o

Centro de Operações de Emergência sobre o novo coronavírus (COE-nCov). O Brasil não tinha, então, nenhum caso suspeito. Aconselhada pelo COE, a Secretaria de Vigilância em Saúde estabeleceu nível de alerta 1, que significa basicamente observação.

Estavam todos com medo. Mas ninguém sabia exatamente o que vinha pela frente.

CAPÍTULO 15

"Graças a Deus, o primeiro fim de semana sem reunião!", pensei ao acordar naquele sábado cedo, às 6 horas, como de costume. Mas não me levantei. Feliz pela "folga", fiquei na cama, com preguiça. Peguei o celular e li os jornais brasileiros. A manchete da *Folha de S.Paulo* trazia, em letras garrafais, a pesquisa do Datafolha, com Mandetta brilhando sobre Bolsonaro. Como vinha fazendo havia meses, mandei para todos os membros do primeiro escalão, por WhatsApp, o link no qual se podia acessar o clipping dos jornais.

O clipping era muito útil. Fazia com que ganhássemos tempo. Vinha com os temas organizados. Tudo o que o noticiário trazia naquela manhã sobre Mandetta, coronavírus, SUS, sarampo, dengue, hospitais públicos, sobre cada um dos secretários, leitos de UTI, e por aí vai. Estava lá dividido por tipo de mídia. Jornais, rádios, tevês, revistas e portais da internet.

Uma reportagem da agência Reuters, que não estava no clipping, mas me fora enviada por um amigo, me chamou a atenção. Era um texto publicado três dias antes, assinado pelos correspondentes no Brasil, o jornalista britânico Gabriel Stargardter e a gaúcha Lizandra Paraguassu. Ele baseado no Rio de Janeiro, ela, em Brasília. A manchete dizia *"One Brazilian Minister Shines as Coronavirus Clobbers Bolsonaro"*. Em português, "Ministro brasileiro brilha enquanto o coronavírus derruba Bolsonaro". A matéria vinha ilustrada com uma enorme foto do rosto de Mandetta, fitando o horizonte e mordendo o lábio inferior.

Sediada em Londres, a Reuters é a maior agência de notícias do mundo. Os textos e as fotos que produz são comprados por grandes veículos de comunicação de todos os continentes. Ou seja, a imagem que o planeta estava construindo sobre o Brasil naquele momento punha, como realmente acontecia, o ministro da Saúde quilômetros acima do presidente da República.

O texto da matéria dizia: "O contraste com Bolsonaro – um populista de direita que atacou governadores por decretarem *lockdowns* que estão causando a perda de empregos e minimizou a ameaça do que ele chama de 'gripezinha' – tem sido marcante". Contava da defesa que o ministro da Saúde vinha fazendo da ciência, do conhecimento, da política de isolamento social como única forma viável de proteção em massa da população. E, claro, do enorme suporte popular que vinha recebendo, em contraponto ao chefe.

"Caralho, os caras devem estar putíssimos", pensei. Fiquei minutos refletindo sobre como a *entourage* de Bolsonaro processaria aquilo tudo. "É claro que eles virão pra cima. Vão querer desmoralizar Mandetta. Será que vai ser a história lá de Campo Grande?", especulava, sozinho.

Luiz Henrique Mandetta fora secretário municipal de Saúde na capital do Mato Grosso do Sul entre 2005 e 2010, durante a gestão de seu primo, Nelsinho Trad, na prefeitura. Era o primeiro cargo público que ocupava. Logo no primeiro ano, a cidade sofreu com um surto de dengue – doença que a assola de tempos em tempos. O médico lançou-se à frente do combate. Organizou tendas pela cidade para receber os doentes. Foi para a tevê e começou a explicar à população o que fazer, como tratar da doença e como se proteger dela.

Aquela voz tranquila de médico de criança – Mandetta é cirurgião ortopedista pediátrico –, o rosto simétrico emoldurado pela cabeleira preta, a retórica clara, cristalina, de pronto o transformaram no queridinho da cidade. Com duas semanas de surto, foi chamado para uma reunião no gabinete do prefeito. Avaliação da crise com o pessoal da comunicação. Estavam munidos de pesquisas de opinião e nervosos. Perguntaram "Quem é esse tal de Mandetta, hein?". Ele se apresentou. "Pois muito bem, de hoje em diante, você não fala mais. Nomeie um porta-voz em seu lugar. Você está com a avaliação melhor que a do prefeito e isso não pode acontecer."

Quando deixou o cargo, em 2010, estava em ascensão na política sul-mato-grossense. Candidatou-se a deputado federal e teve 78 mil votos, uma eleição relativamente tranquila para um novato que concorria pela primeira vez. Porém, saiu da secretaria municipal de Saúde acusado de ter fraudado a licitação para informatizar os prontuários dos pacientes. Sempre disse que a denúncia era uma farsa, o que repetia para nós, em privado.

Eu imaginava que o Palácio do Planalto fuçaria os detalhes daquela denúncia e poria sua rede de apoio na internet para amassar Mandetta naquele fim de semana. Seria um erro, pois a história veio à tona quando Bolsonaro o convidou para ser ministro, em dezembro de 2018. Na ocasião, o então presidente eleito o defendeu. Logo, o ataque viria com a defesa já embutida. "Não, não, isso não vai ser, vai vir alguma outra coisa", descartei.

Como era o cara da comunicação, cabia a mim monitorar os movimentos e avisar sobre os ataques. Mas o próprio ministro não estava nem aí. Naquela manhã, foi para a fazenda de Abelardo Lupion, nas proximidades de Brasília. Comeu e bebeu bem. Falou muito de política. Voltou para casa no fim da tarde. No caminho, recebeu o telefonema de uma amiga, funcionária do Senado. Ela tinha uma conexão com Xand Avião, cantor popular de forró que faria uma apresentação ao vivo no YouTube naquele mesmo dia.

A amiga pediu ao ministro que gravasse um vídeo e mandasse dando um alô para o artista e falando alguma coisa para a população sobre o coronavírus. Já que estaria com a mão na massa, ela sugeriu que aproveitasse e falasse também para a dupla sertaneja que se apresentaria logo em seguida, dos goianos, Jorge e Mateus, uma das mais populares do país.

Mandetta gravou o vídeo com o celular no pilotis do prédio onde mora, na Asa Norte. Estava com o rosto suado, cabelo despenteado, camisa desgrenhada, a cena meio escura. Afinal, estava chegando em casa depois de passar o dia comendo e bebendo com amigos. A mensagem era até certo ponto boba. "O show não pode parar, mas a aglomeração tem que parar." E fazia uma saudação a Xand Avião e a Jorge e Mateus. O efeito, porém, foi muito maior do que o esperado.

Na época, a população experimentava os primeiros dias de isolamento. As ruas estavam desertas. As pessoas em casa inventavam o que fazer. Artistas brasileiros começaram a oferecer shows ao vivo na internet para entreter a todos. Aproveitaram e criaram, durante as apresentações, campanhas de arrecadação de mantimentos e dinheiro para distribuir aos mais pobres e a quem perdera o emprego durante a pandemia.

O show de Jorge e Mateus foi assistido ao vivo por 3,16 milhões de pessoas. Quer dizer, 3,16 milhões de protocolos de internet (ou IPs, da sigla em inglês). Havia muito mais gente. Lá em casa, por exemplo, assistimos na tevê da sala, um só IP, portanto, mas havia quatro espectadores em frente à tela. Vinte e quatro horas depois, a transmissão tinha sido reproduzida mais 25 milhões de vezes no YouTube. Naquele momento, foi o maior evento ao vivo da história da plataforma de vídeos do Google. E lá estava Mandetta, com cara de qualquer brasileiro depois do churrasco, pedindo que as pessoas ficassem em casa.

O meu celular enlouqueceu de tantas mensagens pelo WhatsApp. *Parabéns, vocês são foda! Essa de botar Mandetta no Jorge e Mateus foi genial*, escreveu um amigo. *Porra, dessa vez vocês se superaram*, elogiou outro. *Sensacional a estratégia de botar o ministro na live*, enviou uma amiga que trabalha na Secom da presidência. A todos eu respondi com um imodesto *Obrigado, obrigado*. Mas a verdade é que nem eu nem ninguém do time de comunicação tivemos nada a ver com aquilo.

O tiro que eu tanto esperava foi, enfim, disparado no domingo, que já começou agitado. O chefe de gabinete, Gustavo Pires, me ligou no fim da manhã, preocupado.

– Estão dando um golpe pelo WhatsApp usando o nome do ministro. Tão se fazendo passar por ele e pedindo dinheiro para o combate ao corona. Temos que fazer alguma coisa – pediu.

– Tá, vou rascunhar uma nota oficial e mando pra aprovares. Mas eu acho que o gabinete precisa acionar a Polícia Federal para abrir inquérito. Daí é contigo.

– Tá bom, vou fazer. Faz a nota aí e me manda.

Escrevi a nota oficial e enviei para ele. Explicava que nem o ministro nem o ministério aceitavam doações em dinheiro e que havia golpistas agindo por aí. Minutos depois, Gustavo me respondeu dizendo que o texto estava aprovado. Encaminhei, então, para que a assessoria de imprensa o publicasse no site, nas redes sociais, e o distribuísse a todos os jornalistas cadastrados na nossa lista de transmissão do coronavírus – 540 deles, de todos os 27 estados da Federação e da mídia internacional.

Não foi a única novidade daquele domingo nublado. À tarde, Bolsonaro resolveu sair do Alvorada para encontrar apoiadores na pequena esplanada de visitação em frente ao gigantesco gramado frontal do Palácio. Além dos seguranças ao redor, tinha a seu lado o deputado Hélio Lopes, também conhecido como Hélio Bolsonaro, ou Hélio Negão, o mais votado na eleição de 2018 no estado do Rio de Janeiro, e o general Ramos. Todos vestidos de forma descontraída, o presidente da República em camisa polo vermelha, surrada.

Do seu jeito, com aquele português singular, falava palavras amargas em tom sereno.

– Algumas pessoas no meu governo… algo subiu à cabeça deles. Eram pessoas normais, mas, de repente, viraram estrelas. Falam pelos cotovelos, tem provocações… A hora deles não chegou ainda, não. Vai chegar a hora deles. E a minha caneta funciona. Não tenho medo de usar a caneta, nem pavor. E ela vai ser usada para o bem do Brasil. Não é para o meu bem. Nada pessoal meu.

A fala entrou rapidamente no azeitado esquema de WhatsApp de apoio ao presidente. Tão veloz quanto, transformou-se em manchete dos principais portais e assunto relevante nas redes sociais.

Na noite do sábado, um perfil falso de Mandetta no Twitter fora criado e, nele, o ministro criticava abertamente o chefe. Ana Miguel tomou a iniciativa de acionar a direção da rede social sobre a fraude. Queria apagá-la o quanto antes. Enquanto o Twitter avaliava a reclamação, nosso monitoramento mostrava haver uma movimentação de perfis bolsonaristas para "levantar" a polêmica.

Logo, porém, essa orquestração foi solapada pela fala da "caneta presidencial", que, nem bem havia sido feita à porta do Alvorada, saíra como um tsunami derrubando tudo pela frente e inundando o noticiário.

Horas depois, à noite, recebi uma mensagem de Daniel Cruz, o Indiozinho, o pilar central da comunicação integrada que havíamos implantado no Ministério. Era o link de uma matéria recém-publicada.

Viu isso?, perguntou.

Vi não, respondi.

Cliquei no link e fui mandado para um site chamado *Paraná Portal*. A manchete dizia: "Herança maldita: Mandetta renova contratos de publicidade de R$ 1 bilhão firmados no governo Dilma". Os dois primeiros parágrafos me fizeram rir. Pelo português sofrível e pela loucura do raciocínio.

> De forma silenciosa, no apagar das luzes do dia 26 de dezembro de 2019 e sem o aval do Planalto, o ministro da Saúde Luiz Henrique Mandetta renovou contratos de publicidade que ultrapassam R$ 1 bilhão com agências de publicidade que alimentam a mídia contra o presidente Jair Bolsonaro.
>
> Não é à toa que, [sic] Mandetta virou o ministro queridinho da extrema imprensa, pois o Ministério da Saúde escoa recursos para empresas de comunicação como Globo e Band que de forma orquestrada firmaram parceria em novembro com a China Media Group, estatal de comunicação do gigante asiático – braço midiático do Partido Comunista da China.

Pensei comigo mesmo: "Não é possível que vai ser com isso que eles querem atacar Mandetta…"

A menção ao "governo Dilma" feita na manchete atiçava o público-alvo. Ao tentarem construir um elo entre o ministro da Saúde e o PT, ficava claro que se buscavam os apoiadores de Bolsonaro. Sobretudo aqueles conhecidos por "bolsomínions", os acríticos, para os quais tudo se aceita desde que seja contra o PT. Ou, melhor ainda, contra o líder do PT, o ex-presidente Lula, ou sua cria, a ex-presidente Dilma Rousseff.

O texto era assinado por um sujeito chamado Oswaldo Eustáquio. Eu o conhecera meses antes. Ao sair das redações, em 2012, abri uma consultoria especializada em gestão de crises de comunicação – por incentivo de Mário Rosa, jornalista, meu amigo, espécie de "inventor" dessa atividade no Brasil.

De forma que, mesmo no governo, eu atendia algumas empresas privadas – o que é absolutamente legal, nenhuma delas mantinha negócios com a União. Traçava cenários, sugeria ações, planejava a comunicação. Um desses clientes estava em guerra mercadológica contra uma multinacional. Belo dia, os sócios me chamaram para conhecer um cara que pretendiam contratar. Queriam minha opinião. Entrou na sala o tal Oswaldo Eustáquio.

Apresentou-se como jornalista investigativo. Vinha do Paraná, se declarava amigo de Sergio Moro e adversário de Glenn Greenwald – o diretor do site *The Intercept Brazil*, que na época dava vazão às mensagens roubadas dos celulares dos procuradores da Lava Jato. Disse que tinha uma coluna no *Paraná Portal*. E que lá publicaria os "furos" que recebesse dos contratantes. Quando saiu, me perguntaram: "E aí?". Respondi constrangido:

– Na minha opinião, é um charlatão.

Aquilo não era jornalismo profissional. Jornalista a serviço de um veículo de imprensa não cobra por fora. Enfim, não sei se chegaram a bom termo. Depois, li em algum lugar que Oswaldo Eustáquio era casado com a jornalista Sandra Terena, indígena que ocupava um cargo alto no gabinete de Damares Alves, ministra da Mulher, Família e Direitos Humanos. Ou seja, ele não era amigo de Sergio Moro. Era amigo do que se chama de "ala ideológica do bolsonarismo", dos filhos do presidente.

Na "reportagem", Eustáquio afirmava que Mandetta renovara R$ 1 bilhão em contratos de publicidade. A cifra era um erro tolo. O Ministério da Saúde tem quatro agências de publicidade contratadas – Calia, Fields, CC&P e Nova SB. Por exigência legal, cada um dos contratos é feito com o valor do orçamento anual reservado às campanhas de utilidade pública, R$ 256 milhões. O repórter escreveu que na investigação tivera acesso aos contratos. Somou-os e chegou ao bilhão da manchete, que simplesmente não existe.

A verdade é que Mandetta mandara cortar os gastos com publicidade, como disse que faria ao me convidar para permanecer no cargo, no distante janeiro de 2019. No primeiro ano do governo, gastamos R$ 180 milhões. Menos de 20% do que a "investigação" garantia.

Quando trabalhava na mídia, eu sempre tive urticária quando ouvia a expressão "jornalismo investigativo". Para mim, toda vez que um repórter faz uma pergunta, está investigando. Logo, não existe jornalismo "investigativo". Existe jornalismo bom e jornalismo ruim.

A "investigação" do *Paraná Portal* se gabava de ter visto contratos do Ministério da Saúde como se eles fossem um grande segredo. Não são. Foram publicados no *Diário Oficial da União* e estão na internet. O Google os acha facilmente.

A reportagem também afirmava que os contratos, firmados no governo Dilma, haviam sido renovados por Mandetta sem conhecimento do Palácio do Planalto. Na verdade, eles eram do governo Temer. E todos os contratos de publicidade do Governo Federal, não só os do Ministério da Saúde, são registrados num sistema controlado pela Secom da Presidência da República. Ou seja, o Planalto sempre soube de tudo.

Em meio a tanta informação errada, chegaram a mim, o que de certa forma era natural, pois eu dirigia a área. Na segunda metade da reportagem, diziam que eu, "ligado aos governos lulopetistas", era o artífice por trás da "silenciosa" renovação dos contratos de publicidade, que punha a TV Globo e a Band a favor de Mandetta contra Bolsonaro.

Lembraram que eu fui secretário de estado de Comunicação Social num governo do PT – sim, fui, na administração Agnelo Queiroz, no DF – e que, dirigindo a comunicação do Ministério da Saúde desde o governo Temer, conseguira me manter no cargo graças a um "acordão" feito entre o Democratas, ao qual o ministro era filiado, e partidos de esquerda. Tudo escrito assim, sem maiores detalhes. Eu ri alto.

Aquilo me parecia exagerado até mesmo para o jornalismo ruim. Mandetta é um dos maiores críticos do PT que já conheci na vida. Os discursos dele quando deputado são ácidos contra o partido e contra a ideologia de esquerda em geral. Muitos estão no YouTube, fáceis de achar. Ele teria feito um acordo no começo do governo para me manter à frente da comunicação? Com quem exatamente? A troco de quê? Sim, era divertido.

Na segunda-feira, uma agência de checagem, Aos Fatos, passou o texto em revista e o classificou como *fake news*. O link do *Paraná Portal* fora disseminado na noite do domingo e madrugada da segunda em milhares de perfis nas redes sociais de apoiadores do governo. Ou melhor, apoiadores de Bolsonaro. O Facebook os tirou do ar, atestando a falsidade da acusação. Depois, duas outras agências de checagem, Lupa e Boatos.org, também carimbaram aquilo tudo como *fake news*.

Depois de ler o alerta de Indiozinho, transmiti por WhatsApp a "denúncia" para o próprio ministro, para Juliana Freitas e para a dra. Cristina Nachif, as duas assessoras mais próximas dele. Como o restante do gabinete, elas haviam acompanhado o processo de renovação dos contratos, portanto estavam cientes de que aquilo ali não passava de um amontoado de sandices. A ambas, tranquilizei e prometi: *Falo com o ministro amanhã*.

Era tanta mentira que sequer me preocupei. Dormi bem e acordei disposto. Logo descobriria que movimentos populistas não precisam da verdade para funcionar. A "traição" de Mandetta estava sendo usada como pretexto para demiti-lo. E o Palácio do Planalto amanhecera com outro ministro da Saúde a despachar com o presidente da República. Começava o que entrou para a história da pandemia como o Dia do Fico... *pero no mucho*.

CAPÍTULO 16
JANEIRO DE 2020

A PARTIR DE SUA INSTALAÇÃO, O COE passou a se reunir diariamente, às 8 horas, na sala de reuniões 12 do quinto andar do PO 700, na Asa Norte, onde funciona a Secretaria de Vigilância em Saúde.

Era uma sala média. Entrava-se nela por uma porta estreita que dava de frente para um janelão que toma toda a parede do lado oposto. Mas não havia nada de especial na vista. Até porque a janela era ornada com persianas que filtravam a entrada da luz solar.

Havia cadeiras dispostas lado a lado em volta de todo o ambiente. No canto, uma mesa com uma garrafa térmica de café, uma jarra de plástico com água gelada e copos descartáveis tanto dos pequeninos para café quanto dos maiorezinhos para água.

No meio da sala, uma mesa pequena, com apenas dois lugares, era equipada com um projetor, que apontava para a parede onde havia uma tela branca pendurada. A ele, ficava acoplado um laptop operado por Rodrigo Frutuoso. Ao seu lado, Júlio Croda coordenava a pauta.

Chefe de ambos, o secretário Wanderson ia quase sempre. Comentava, questionava, mas deixava a dupla à frente dos trabalhos.

As reuniões do COE contavam com técnicos de todas as secretarias da Saúde, das assessorias internacional, jurídica, de comunicação social, da Diretoria de Integridade e mais gente da Anvisa e de ministérios convidados. Houve várias ocasiões em que o número de cadeiras não foi suficiente. A audiência era sempre de, no mínimo, vinte pessoas.

Nenhuma informação em que houvesse a palavra "coronavírus" podia sair do ministério sem antes passar pelo crivo do COE. Sendo assim, para lá eram levados todos os questionamentos da imprensa, todas as mensagens com notícias falsas que nos chegavam, todos os posts de redes sociais, campanhas publicitárias, releases, minutas de portarias, estudos, regulamentos, normas, propostas, opiniões, pitacos, boatos.

O COE era o centro nervoso, era o local aonde todas as informações chegavam, inclusive os relatos da OMS sobre a pandemia, feitos no site restrito aos países-membros.

Todas aquelas informações eram processadas e passadas para o secretário Wanderson. Dele, chegavam a Mandetta, que também mantinha linha direta com seu conterrâneo Júlio Croda.

A forma como aquela massa crítica de dados e informações era tratada seguia o manual da OMS que Wanderson carregava pra cima e pra baixo.

As informações, na época, eram todas imprecisas. Dois dias antes da instalação do COE, a imprensa brasileira chamava de "vírus desconhecido" aquele que vinha adoecendo pessoas e já matara quatro na China. Sequer sabíamos que Wuhan era uma cidade. Nós a tratávamos como província – o equivalente a um estado no Brasil.

Em questão de horas, já se falava em "coronavírus", que saíra da China, chegara à Coreia do Sul e inevitavelmente se espalharia pelo mundo.

As coisas passaram a se suceder como que em vertigem.

Para tentar dar organização àquela torrente monumental de informação, a SVS consolidou tudo o que sabia numa edição atualizada do Boletim Epidemiológico – o volume 51, número 4 – e o lançou na tarde do próprio dia 22 de janeiro. Ali, sim, a manchete já era "Novo coronavírus (2019-nCoV)".

A publicação se explicava, na introdução:

Diante da emergência por doença respiratória, causada por agente novo coronavírus (2019-nCoV), conforme casos detectados na cidade de Wuhan, na China e considerando-se as recomendações da Organização Mundial da Saúde (OMS), as equipes de vigilância dos estados e municípios, bem como quaisquer serviços de saúde, devem ficar alerta aos casos de pessoas com sintomatologia respiratória e que apresentam histórico de viagens para áreas de transmissão local nos últimos 14 dias. Mais informações a respeito podem ser obtidas no link da Organização Mundial da Saúde (https://www.who.int/emergencies/diseases/novel-coronavirus-2019).

O primeiro frio na espinha nos chegou mais ou menos na mesma hora em que esse boletim era divulgado. A Secretaria de Saúde de Minas Gerais anunciou que uma paciente procurara um hospital público com sintomas "compatíveis com a doença viral aguda". E ela acabara de voltar da China.

A comunicação com as secretarias estaduais era feita sempre pelo próprio Wanderson. De pronto, ele pegou o Boletim Epidemiológico publicado na semana anterior e fez a checagem.

Lá dizia que o caso seria considerado suspeito quando a pessoa a) tivesse tido contato próximo com algum doente oriundo da China ou b) houvesse viajado para locais onde houvesse doentes na China.

Em conversa pelo telefone com o secretário estadual, ele soube que a paciente apontada em Minas viajara para Pequim e voltara gripada. Os casos da "pneumonia de causa não conhecida" estavam acontecendo a mais de mil quilômetros ao sul, em Wuhan. Logo, não se tratava de um caso suspeito.

Sendo assim, o Ministério da Saúde desmentiu a informação.

Mas estava inaugurada a paranoia típica das crises de informação. A imprensa passaria a abrir cada vez mais espaço para o assunto. E, claro como o amanhecer, a partir dali esperávamos uma explosão de anúncios de casos suspeitos.

Houve o curioso relato de Roraima, por exemplo, em que a secretaria estadual notificou um caso suspeito porque uma mulher correra para o hospital com dor de cabeça e tosse, depois de pegar um Uber. Como o motorista tinha os olhos puxados, ela prontamente alegou ter tido contato próximo com um chinês.

A primeira coletiva aconteceu no dia seguinte à instalação do COE.

Com o chefe ainda na Suíça, o dr. Gabbardo tomou a frente, tendo à sua direita Júlio Croda e à sua esquerda Carlos Alberto Jurgielewicz, o Nano, secretário-executivo adjunto, velho amigo de Mandetta. Nano havia assumido o cargo apenas dois dias antes. Todos de terno e gravata e com ar grave.

– Bom dia a todos, nós vamos fazer uma atualização do Ministério da Saúde em relação ao novo coronavírus – anunciou o dr. Gabbardo ao microfone, no auditório Emílio Ribas. E seguiu: – Ontem, nós tivemos alguns casos que estariam sendo notificados como casos suspeitos. Houve a necessidade de o Ministério da Saúde dar uma nova orientação em relação a isso, de acordo com protocolos da OMS, então de imediato eu vou passar para o dr. Júlio Croda, para que ele faça a atualização dessas informações, e depois nós vamos ficar aqui à disposição de vocês para responder às dúvidas e aos questionamentos que porventura restarem após a apresentação.

Croda era um velho conhecido dos repórteres que cobrem a área de saúde em Brasília. Como diretor do Departamento de Imunização e Doenças Transmissíveis da SVS, lidava com todos os temas de vacinação – e foram várias crises nessa área no ano anterior. Mais importante, 48 horas antes estivera ali mesmo esmiuçando o caso do arenavírus diante daquele mesmíssimo público.

Todas as vezes em que eu penso nele, o idealizo como o doce gigante. Pois ele é muito alto, tem mais de 1,90 metro. É esbelto, não enxerga bem de longe, por isso usa óculos, tem cabelos crespos. castanho-escuros, mantidos sempre cortados curtíssimos, e uma barba cheia e bem-cuidada. Não se vê sinal de grisalho por ali. Seu timbre de voz é, digamos, da segunda para a terceira escala musical, e isso o marca de forma singular, paradoxal. É atencioso com todos, paciente e educado. Médico infectologista, segurou aquele touro à unha nos primeiros dias.

Antes de começar a coletiva, a assessoria de imprensa havia distribuído o Boletim Epidemiológico atualizado. Então, os repórteres já sabiam de antemão não só qual era o agente causador da doença, mas também a história de como o Brasil saltara à frente do mundo na detecção do evento que potencialmente punha em risco a saúde pública global.

Os sinais e sintomas foram descritos de forma brevíssima: "febre, tosse e dificuldade para respirar". Mas a definição do que era um caso suspeito e do que o Ministério da Saúde considerava "transmissão local" do vírus estavam muito bem delineados. Assim como a orientação detalhada de como deveria ser feita a notificação:

> Os casos suspeitos, prováveis e confirmados devem ser notificados de forma imediata (até 24 horas) pelo profissional de saúde responsável pelo atendimento ao Centro de Informações Estratégicas de Vigilância em Saúde Nacional (Cievs) pelo telefone (0800 644 6645) ou e-mail (notifica@saude.gov.br). As informações devem ser inseridas na ficha de notificação (http://bit.ly/2019-ncov) e a CID-10 que deverá ser utilizada é a: B34.2 – Infecção por coronavírus de localização não especificada.

Croda também explicou os procedimentos em caso de o sistema de saúde se deparar com um suspeito. Como coletar a amostra, que tipo de proteção individual deveria ser usada pelos auxiliares, enfermeiros e médicos, quais os passos de assistência e cuidados para os casos leves e graves.

Eis as instruções:

1º passo: Isolamento
1. Paciente deve utilizar máscara cirúrgica a partir do momento da suspeita e ser mantido preferencialmente em quarto privativo.
2. Profissionais devem utilizar medidas de precaução padrão, de contato e de gotículas (máscara cirúrgica, luvas, avental

não estéril e óculos de proteção). Para a realização de procedimentos que gerem aerossolização de secreções respiratórias como intubação, aspiração de vias aéreas ou indução de escarro, deverá ser utilizada precaução por aerossóis, com uso de máscara N95.

2º passo: Avaliação
1. Realizar coleta de amostras respiratórias.
2. Prestar primeiros cuidados de assistência.

3º passo: Encaminhamento
1. Os casos graves devem ser encaminhados a um Hospital de Referência para isolamento e tratamento.
2. Os casos leves devem ser acompanhados pela Atenção Primária em Saúde (APS) e instituídas medidas de precaução domiciliar.

O doce gigante falou por exatos treze minutos e meio. Depois, ele e o dr. Gabbardo responderam a perguntas – muitas, muitas, muitas, das mais variadas, com dúvidas por todos os lados – por mais 44 minutos. A começar com algo que estava nas nossas preocupações centrais:

– Por que Minas insiste em dizer que o caso ainda é considerado suspeito? – disparou Zileide Silva, uma das estrelas da sucursal de Brasília da TV Globo, logo na primeira pergunta.

O SUS, como explicaria Mandetta a Bolsonaro numa manhã de sábado muitos dias depois, era um bicho de três patinhas: União, estados e municípios. O Ministério da Saúde faz a coordenação nacional. Em meio a uma crise, tudo o que não pode acontecer é o nível nacional entrar em conflito de versões com o nível subnacional, seja estado, seja município.

Por isso, Júlio Croda respondeu com todo o cuidado.

– Eu acho assim… que, em todo o mundo, existe… vamos dizer, um medo generalizado. Em muitos momentos, existe uma mudança importante na definição de casos. A definição de caso, ela é dinâmica. À medida que se comprove a transmissão de caso pessoa a pessoa, a definição de caso tem que se atualizar. Então, em muitas vezes, e é natural, a vigilância se antecipa a essa definição de caso. Já apareceram hoje na mídia diversas notificações de casos que não foram atestados laboratorialmente.

Os dias seguintes foram de estudo e aprendizado. As notícias de Wuhan eram cada vez mais alarmantes. Municiado por Wanderson a partir do COE, Mandetta pôs-se a ler freneticamente os relatos da OMS sobre a China.

No dia 27 de janeiro, uma segunda-feira, a OMS mudou seu critério de definição de caso. Até ali, era considerado suspeito aquele que apresentasse sintomas dentro do perímetro de Wuhan. A partir de então, a regra valia para toda a China.

Foi uma enorme virada. O caso de Minas, por exemplo, que fora descartado uma semana antes porque a paciente tinha vindo de Pequim, pelo novo critério já deveria ser enquadrado como suspeito. E o sendo, ela deveria ser posta em isolamento e testada. Nessa ordem.

Mais "nervoso" que a OMS no início da pandemia, o Brasil deu o passo seguinte: o COE elevou o nível de alerta para "perigo iminente". Estava claro que um evento de grandes proporções se aproximava. O secretário Wanderson era, de longe, o mais preocupado e me procurou na manhã daquela segunda, querendo falar disso. Chegou à minha sala acompanhado de Renato Strauss.

– Ugo, nós temos que preparar um grande plano de comunicação para o novo coronavírus. Não tem jeito, vai chegar aqui.

– Ué, secretário, na hora, vamos nessa. O senhor já tem alguma coisa na cabeça?

– Os especialistas são vocês, uai!

Strauss opinou, falando comigo:

– Cara, a gente fez uma coletiva semana passada. Tem muita pergunta chegando lá na assessoria. Eu acho que já tá na hora de a gente fazer outra coletiva.

– Bora fazer! – respondi, e continuei: – Mas secretário, deixa eu te perguntar: quando tem uma crise, crise grande mesmo, daquele tipo "caiu um avião", a gente segue uma espécie de manual. É desse tipo de coisa que a gente tá falando?

– É! Até maior. Um avião vai ser pequeno. É um aeroporto inteiro.

– Então tem umas coisas que a gente já sabe que tem que fazer. Ah, lembra da crise do sarampo no ano passado, que o senhor me chamou e a gente trabalhou junto?

Ele assentiu. E eu completei:

– Então, é daquele jeito, só que maior. Por exemplo, a gente precisa eleger e treinar um porta-voz. Precisa organizar o fluxo de informação, precisa acompanhar o viés do noticiário, pra corrigir nossa mensagem se for preciso, precisa criar uma rotina de divulgação, pras pessoas já esperarem a gente confiando que tem alguém capacitado, técnico confiável do caralho, tomando conta... Precisa arrumar um jeito de falar português, em vez de tecniquês ou mediquês...

– Bora fazer!

– Então tá bom. Nossa coletiva vai ser diária a partir de amanhã.

Strauss bateu na mesa e abriu um sorrisão.

– Agora sim!

– Só pode ter um porta-voz – continuei. – Quem vai ser? O senhor?

– Eu acho que sim, mas Gabbardo deu a coletiva semana passada, eu acho bom a gente falar com ele. Vai ser todo dia de manhã?

Strauss explicou:

– Coletiva é bom do meio pro fim da manhã ou no meio da tarde. Porque dá tempo de as tevês editarem, daí entra nos jornais do almoço ou nos jornais da noite.

– Eu prefiro de manhã – disse Wanderson.

– Eu prefiro à tarde – contestei. E expliquei: – Se for do jeito que o senhor tá falando, vai ficar meses no noticiário. É natural que o jornal da noite, que é o mais importante, lidere a cobertura. Então se a gente faz de manhã, nossa coletiva já vai estar velha de noite. A gente vai acabar atropelado, porque eles vão ficar inventando novidade. Bora fazer de tarde, às 16 horas, que aí dá tempo de os caras editarem bonito no *Jornal Nacional*, que é pra onde todo mundo corre na hora do vamos ver. E... quando o bicho pega, o *Jornal Nacional* influencia os jornais impressos da manhã seguinte e as rádios até a tarde seguinte, que é quando a gente vai voltar com outra coletiva.

Wanderson gostou. Abriu um sorriso e devolveu:

– Tá decidido, vai ser de tarde.

– Beleza. Então bora lá no Gabbardo combinar o jogo?

– Bora.

Telefonei e confirmei que o dr. Gabbardo estava na sala dele. Pediu que fôssemos lá. Descemos os três.

A sala do secretário-executivo fica quase que exatamente embaixo da sala do ministro. Embora dois andares a menos, ostenta a mesma parede de vidro ao leste, com vista para o Congresso e para o Itamaraty. É menos esplendorosa, por causa da perspectiva do terceiro andar. Ainda assim, é uma bela visão.

Próximo à porta de entrada, há uma mesa redonda com quatro cadeiras em volta. Nós nos sentamos eu, Strauss à minha esquerda, o secretário Wanderson à minha direita e o dr. Gabbardo à minha frente.

Relatei todos os planos, com as devidas explicações, e cheguei ao ponto.

– Doutor Gabbardo, estamos aqui para definir quem vai ser o porta-voz. O secretário disse que pode ser ele, mas pediu que viéssemos consultá-lo, porque o senhor foi quem esteve à frente da primeira coletiva, semana passada...

– Ué! – respondeu ele. – Eu acho que posso ser eu, sim. Eu tô a par do assunto, já falei sobre isso.

O secretário Wanderson sorriu amarelo. Strauss também. Já eu achava que Gabbardo seria o melhor porta-voz para aquela crise. Não houve muito debate. Foi decidido assim, num estalo, sem rodeios, como era o estilo do secretário-executivo.

Combinamos de tornar oficial aquela trama toda. Havia pressa, pois Wanderson iria à Casa Civil no início da tarde para relatar o que estava acontecendo e o que estava por vir. Strauss e ele subiram, então, ao quinto andar para contar tudo a Mandetta. Eu fui para a minha sala no quarto andar escrever um *paper* para ser distribuído no COE.

Foi nesse momento em que escrevia o plano estratégico da comunicação que troquei telefonemas com Strauss sobre a escolha de Mandetta a respeito do porta-voz. Em vez de um, teríamos dois. Ao longo dos meses seguintes, o próprio ministro escreveria novas regras por cima dessa, e todos os secretários nacionais, num momento ou noutro, acabaram participando das coletivas.

Como eu disse antes, o plano foi distribuído por WhatsApp ao COE e a todos os dirigentes do ministério. Ele se valia da sabedoria acumulada na epidemia de H1N1, ou gripe suína, que se espalhou pelo mundo em 2009 com grande alarde da OMS.

Eu havia recebido um relatório detalhado a respeito dos acontecimentos daquela época, feito pela jornalista Gabriela Wolthers. Em 2009, ela estava na equipe de assessoria de imprensa do ministério. Agora era diretora da FSB, a empresa que nos prestava esse serviço e da qual o próprio Renato Strauss era contratado.

Com base no que Wolthers me relatou por e-mail, tracei o plano de 2020. Minha mensagem exata foi:

> O coronavírus é um tema de alto interesse da opinião pública, a qual chamaremos de RECEPTOR das mensagens. Neste momento, há um amplo leque de EMISSORES mandando várias mensagens ao RECEPTOR. A saber, OMS, governos estrangeiros, médicos independentes, Ministério da Saúde, secretarias estaduais e municipais de Saúde, pessoas comuns repassando notícias falsas.
>
> Considerando o cenário, o MS exercerá seu papel de coordenador nacional do SUS, informando aos diversos públicos-alvo envolvidos com a máxima transparência, em linguagem acessível ao entendimento geral, de forma organizada e sistemática.
>
> Assim, algumas medidas estruturantes de comunicação social foram definidas hoje.

GUERRA À SAÚDE 171

i. Todas as mensagens serão dadas por um único porta-voz. Conforme delimitação do próprio ministro, o secretário de Vigilância em Saúde, Wanderson Kleber de Oliveira, exercerá esse papel durante a fase de vigilância. A partir do momento em que a demanda por informações se der quanto à assistência, o porta-voz será o secretário-executivo, João Gabbardo.

ii. O Ministério da Saúde realizará um encontro diário com jornalistas de todo o país às 16h no auditório Emílio Ribas. Nesse encontro, e somente nele, será atualizada a tabela epidemiológica do coronavírus no Brasil. O MS também se porá à disposição para esclarecer as dúvidas que surgirem ao longo do tempo. O porta-voz será responsável por fazer esse contato, que será transmitido ao vivo nos canais digitais do Ministério da Saúde.

iii. Todo e qualquer contato com jornalista ou veículo de comunicação deve ser direcionado à Assessoria de Comunicação do MS para fins de agendamento e organização.

iv. A Ascom disponibilizará dois relatórios diários de acompanhamento do noticiário a respeito do coronavírus, um no início da manhã, outro no início da noite. Esses relatórios serão distribuídos nos grupos de WhatsApp pertinentes.

No dia seguinte, 28 de janeiro, a OMS anunciou que decidira elevar seu nível de alerta sobre o novo coronavírus para "risco alto" de vir a se transformar em emergência de saúde pública global.

E nós iniciamos a escalada de entrevistas coletivas diárias. Sempre às 16 horas, no auditório Emílio Ribas, transmitida ao vivo para todo o país. E fizemos isso em grande estilo: era hora de revelar o "Super-Mandetta" ao mundo.

CAPÍTULO 17
6 ABR. 2020
MINISTÉRIO DA SAÚDE

O FIM DE SEMANA NÃO fora exatamente de descanso, como eu pensei ao acordar no sábado. Surpreendentemente, começávamos mais uma semana de trabalho na pandemia do coronavírus. Como sempre, reunião do primeiro escalão logo pela manhã. Entrando pela garagem do prédio, eu pegava o elevador direto para o quinto andar e ia seguia para a sala de reuniões do gabinete do ministro. Sequer passava na minha sala, que ficava no andar de baixo.

Mandetta chegou cedo, antes de todo mundo. Eu tinha me atrasado. Quando entrei, a reunião já começara. Constrangido, caminhei devagar e me sentei na última cadeira da cabeceira oposta à de Mandetta. O próprio ministro estava falando.

– As obras do hospital de campanha começam amanhã, em Goiás. A planta é do Ministério da Infraestrutura. O governador já escreveu que quer, tem os recursos humanos, mas tá pedindo respiradores.

O assunto fora delegado ao chefe de gabinete, Gustavo Pires, que avisou:

– Sim, ministro, temos reunião amanhã em Águas Lindas para fechar todos esses detalhes.

Raquel chamou o próximo assunto: *fast track* de leitos do SUS, a cargo da Saes.

O chamado *fast track* de leitos era um assunto simples, que se inflamou pelo velho e invencível inimigo do Brasil, a burocracia. Os hospitais públicos brasileiros são administrados pelos estados e municípios e recebem dinheiro da União por cada dia de internação dos pacientes. Para isso, porém, precisam cadastrar os leitos no Cnes e obter a habilitação deles junto ao Ministério da Saúde. Chama-se habilitação, mas é uma espécie de carimbo de reconhecimento de existência e autorização de funcionamento. Esse trabalho é feito na Saes. Só a partir daí o Governo Federal envia o dinheiro da diária de ocupação do leito.

Em tempo de pandemia, Mandetta determinara semanas antes que a Saes simplificasse o processo de habilitação, que o fizesse instantaneamente, tão logo os pedidos chegassem das secretarias de saúde. Conseguiria, dessa forma, aumentar o repasse de dinheiro para os estados e municípios.

A assistência gratuita à população costuma levar legiões de brasileiros às unidades públicas de saúde, que são frequentemente lotadas e têm menos profissionais do que o necessário para atender, equipamentos quebrados, instalações sujas. A saúde pública é historicamente mal avaliada e também é sempre um dos temas mais caros à opinião pública. Por isso, rende votos. Há sempre deputados, senadores, prefeitos e governadores pressionando o Ministério da Saúde pelos mais variados assuntos.

A habilitação de novos leitos durante a pandemia era um tema que chegava ao primeiro escalão na voz de Gabi, a chefe da Assessoria Parlamentar, que trazia a pressão que recebia do Congresso.

– Não é possível, a gente vem prometendo resolver isso "hoje à tarde" há vários dias e nada...

O secretário da área, Francisco Figueiredo, explicou:

– Olha só, deixa eu contar o que está acontecendo. O setor responsável pela habilitação recebeu centenas de ofícios em papel, mandados pelos Correios. São esses ofícios que os deputados dizem que já mandaram pra cá, pedindo a habilitação dos leitos. Já mandaram mesmo! Mas a gente tem que pegar cada um deles, abrir, digitar para incluir no sistema, muitos vêm com informação errada, a gente tem que corrigir. Então o que é que eu tô fazendo: tô construindo um sistema automatizado para eles já preencherem direto. Aí nós vamos ter o *fast track*.

– Francisco, faz uma força-tarefa lá, manda processar essa papelada rapidamente, a gente tem que resolver o problema, isso é urgente – disse Mandetta, duro.

Enquanto aquela discussão se desenrolava, meu celular entrava numa nova crise convulsiva. Dezenas de mensagens tanto no WhatsApp quanto no Signal – outro aplicativo de mensagens – chegavam freneticamente. Não só cheguei atrasado na reunião como me esqueci de pôr o aparelho no mudo. Ele não parava de emitir o alerta sonoro.

– Caralho! – xinguei, baixinho, enquanto o sacava do bolso do blazer para, enfim, silenciá-lo.

Eu evitava o celular durante as reuniões, achava uma tremenda falta de educação consultá-lo enquanto alguém falava. Mas, diante da histeria, dei uma olhada nas mensagens. A maioria vinha de repórteres perguntando se eu tinha visto a tal matéria do *Paraná Portal*. *Sim, tenho uma nota pronta que explica tudo, já te mando.* Outras eram de amigos do Palácio do Planalto. *Olha, o Terra tá aqui. Bolsonaro tá falando com governadores pelo telefone e Terra do lado dele, falando como ministro. Mandetta vai ser demitido hoje.*

A demissão em si era esperada por nós havia mais de uma semana. Mesmo assim perguntei: *Mas por que ele vai ser demitido?*. E não pude acreditar na resposta. *Tão dizendo que ele renovou uns contratos de publicidade da época da Dilma.* Eu fiquei pasmo. "Puta que o pariu, esses caras são muito doidos mesmo", pensei.

A presença de Osmar Terra no Palácio do Planalto, virtualmente no papel de ministro informal da Saúde, começou a ser noticiada em blogs e portais jornalísticos ao longo da manhã. Eu recebia todos os alertas da assessoria de imprensa em mensagens pelo celular. A justificativa da demissão aparecia aqui e ali, sempre em veículos com pouca expressão. Portais maiores, como *O Antagonista*, depois noticiaram com todas as letras: "Bolsonaro usa *fake news* para questionar Mandetta".

Alheio à movimentação, o ministro tocava a reunião.

Roberto Dias, do Dlog, foi chamado para relatar o próximo item da pauta. Era o encontro de contas pedido pelo Conass sobre o painel de insumos posto na internet. Como combinado, o teste fora feito em relação a Mato Grosso do Sul, o estado de Mandetta.

– Nós identificamos um problema. Tem discrepância mesmo entre o que a gente mandou e o que a Secretaria de Saúde recebeu. O que aconteceu é que a gente inclui tudo o que mandou para o estado no painel de insumos. Só que uma parte foi para o estado, mas não para a Secretaria de Saúde. Foi para a Polícia Federal, para a área de segurança, e então dá essa diferença.

– Porra, Roberto, eu já não falei que quero EPI exclusivamente para o meu povo da saúde? Tem que proteger o pessoal da saúde, o pessoal que tá no front. Para de mandar EPI para segurança, pro TCU, pra guarda-mirim.

O dr. Gabbardo saiu em socorro do diretor do Dlog.

– Ministro, eu recebo várias ligações diárias da Casa Civil pressionando pela entrega de máscaras para o Ministério da Justiça.

Roberto avisou que dali a cinco dias, na sexta-feira, portanto, um avião iria à China buscar um carregamento de 40 milhões de máscaras cirúrgicas e N95. Era muita coisa. Como os estados não tinham mais onde guardar insumos, o Exército os armazenaria.

– E os respiradores lá do seu Santos?

O ministro se referia ao fornecedor de Macau, com quem o Dlog havia fechado a compra de 15 mil respiradores. Mandetta perguntou sorrindo, gozando da cara de Roberto, pois nenhum de nós acreditava que aquilo fosse para a frente.

– Sem notícias de Macau – respondeu o diretor, um pouco constrangido. – Mas assino hoje um contrato de 4.500 leitos de UTI, produção nacional – completou. – Além disso, teremos 6.500 respiradores nacionais. Vão entregar dois mil por mês a partir de abril...

Nisso, tocou o celular de Mandetta. Ele olhou, franziu as sobrancelhas, comprimiu os lábios e meneou a cabeça. Olhou para Gabbardo.

– Eu não aguento mais esses gaúchos me ligando mil vezes ao dia. Já falei pra eles que não falo. Aí é Rádio Gaúcha, depois é Rádio Guaíba, é não sei o quê...

– É que o Osmar Terra deu entrevista no fim de semana, daí o assunto tá exacerbado lá – explicou o secretário-executivo.

Médico, deputado federal cumprindo o sexto mandato pelo MDB do Rio Grande do Sul, Osmar Terra foi secretário estadual de Saúde em seu estado e dedica o mandato ao combate às drogas. Nesse tema, é uma voz tonitruante. Radicalmente contra a estratégia de redução de danos, na qual se admite o fornecimento de droga ao usuário em pequenas quantidades, tornou-se no Brasil a liderança política mais relevante da estratégia oposta, a de abstenção total.

A primeira é defendida pelos partidos de esquerda e ganhou espaço no país a partir do governo Lula. A outra, pelos de direita, e começou a prosperar muito recentemente, no governo Temer, justamente pelas mãos de Terra, na época ministro do Desenvolvimento Social e como tal membro do Conselho Nacional Antidrogas. O deputado nunca escondeu sonhar em ocupar o Ministério da Saúde para levar adiante essa bandeira, mesmo que a política nacional antidrogas estivesse, hoje, a cargo do Ministério da Justiça.

No início do governo Bolsonaro, Terra foi ministro da Cidadania, pasta que cuida da política brasileira de renda mínima, o Bolsa Família. Acabou demitido para abrir espaço para Onyx Lorenzoni, que ocupou a vaga depois de "rebaixado" da todo-poderosa Casa Civil. Desde então, Terra tornara-se um crítico ferrenho da política de isolamento social no enfrentamento do coronavírus. Dava entrevistas e escrevia artigos nos jornais. Dizia que Bolsonaro estava certo e que a melhor estratégia era expor a população ao vírus para se atingir a imunidade de rebanho.

– Sim, mas o que eu posso fazer? – respondeu Mandetta à explicação de Gabbardo. – O Osmar tem lá a opinião dele, eu vou dizer o quê? É igual ao Bolsonaro, coitado. É uma alma pequena, atormentada, está totalmente desequilibrado. Eu li no fim de semana o Mito da Caverna de Platão. Quem aqui já leu?

Todos levantaram a mão.

Mandetta teceu, então, um longo discurso. Pontificou a biografia detalhada do autor, desde os pensamentos de Sócrates, seu mentor, e de Aristóteles, seu discípulo, bem como da história da filosofia. Depois chegou ao ponto. – O mito fala de um grupo de homens que vive preso dentro de uma caverna. No meio deles uma fogueira projeta sombras aterrorizantes na parede, na direção da saída da caverna. Então, eles acham que o mundo é aquilo ali. Até que um deles cria coragem e sai. Lá fora, ele vê o mundo, o sol, a natureza, as plantas, os animais. Mas sem experiência com a vida, se machuca todo, cai do barranco, se fura nos espinhos. Daí ele volta, entra na caverna e conta aos outros que a realidade é outra, muito maior do que aquilo que eles conseguem enxergar. Mas os outros caras, vendo que ele tá todo arranhado, todo mal-amanhado, dizem "Não... tá doido, a gente vai ficar aqui mesmo". Eu acho que é isso, estamos vivendo o mito da caverna.

Depois descobrimos que a leitura de Platão foi uma sugestão do pai dele, o dr. Hélio, com quem trocara impressões por telefone no domingo de manhã.

Impressionados com a análise, voltamos à pauta do dia. Falou-se de um projeto de testagem em massa da população sob os cuidados do secretário Wanderson, de um levantamento completo dos estudos sobre uso da cloroquina em doses altas na China, sob os cuidados do secretário Denizar Vianna, titular da Secretaria de Ciência, Tecnologia e Insumos Estratégicos (SCTIE).

Denizar fora contemporâneo de Mandetta na faculdade de medicina. Estudaram em universidades diferentes, mas se conheciam, se admiravam e tinham proximidade.

– Denizar era aluno modelo. Ele levava pera no lanche da escola. Alguém aqui já levou pera no lanche? Então, o Denizar levava – gozava o ministro. – Era daqueles que ficavam na primeira mesa, em frente ao professor.

Cardiologista renomado no Rio de Janeiro, de fato, o secretário Denizar fala um português corretíssimo, formal até. Sorri muito, porém moderadamente. Sempre simpático, usa uma linguagem técnica que me enlouquecia. Magro, tem um andar contido, de gestos tímidos, fartos cabelos grisalhos, sempre bem cortados e penteados para o lado.

– Denizar, prepara pra mim um *paper* completo sobre cloroquina que eu quero falar hoje na coletiva – demandou Mandetta.

A dra. Cristina pediu a palavra e me passou um pito, com toda razão.

– Ugo, o briefing do ministro está ruim. Muito ruim. Precisa melhorar. Não dá pra gente despachar correndo, cinco minutos antes de ele ir pra coletiva. Não dá para ficar mandando informação pra ele lá na hora da coletiva, alguém entra correndo e entrega um papel, isso não existe, é inadmissível.

– Está certo, doutora, eu peço desculpas. Vou consertar isso.

Passaram a falar de novo do painel de leitos. O ministro pediu que a Saes se juntasse à consultoria jurídica para redigir uma portaria tornando obrigatória a notificação de leitos ocupados nos hospitais. Pediu mais informações sobre a telemedicina, recebeu uma longa e detalhada explicação sobre os ensaios estatísticos do painel de leitos e encerrou a reunião com uma frase etérea, dedicada a todos os presentes.

– Atenção, prestem atenção, na guerra biológica, informação traz engajamento. Então cuidem da informação.

Todos se levantaram, já passava do meio-dia. Como sempre, uns andaram apressadamente para a porta lateral, que, após um corredor curto, desembocava na sala das secretárias. A maioria fazia esse caminho e dali ia embora. Outros, como o dr. Gabbardo, o secretário Wanderson e a dra. Cristina, costumavam sair pela porta leste, que dava na sala de despachos do ministro. E lá ficavam confabulando mais algum tempo.

Normalmente, eu era do grupo que ia embora direto. Tinha que transformar todas aquelas informações da reunião em ações de comunicação. Inclusive pautar, preparar e revisar o briefing do dia, em que eram detalhados os assuntos a serem explorados na entrevista coletiva. Como a reunião acabava tarde, ficava com prazo espremido. Daí os atrasos reclamados pela dra. Cristina. Naquele dia, porém, fui atrás de Mandetta.

– Ministro, preciso lhe falar.

Embora não estivesse sinceramente dando a menor importância àquilo, como envolvia meu nome, eu tinha encaminhado o link da "denúncia" do

Paraná Portal para ele por WhatsApp na noite anterior. Naquela época, Mandetta era ruim, muito ruim de zapzap, como chamava. Detestava o assédio das centenas de mensagens que recebia todos os dias. Por conta disso, chegou mesmo a passar despercebido por mensagens mandadas pelo chefe dele, o presidente da República. Depois melhorou. Passou a cuidar da ferramenta com método. Não só lia, mas respondia a alguns poucos afortunados. Naquele dia, porém, não lera minha mensagem.

– Publicaram ontem uma denúncia contra o senhor envolvendo a publicidade.

Ele não dedicou nem três segundos ao tema.

– Eu fiquei sabendo... Esquece.

E fez o que sempre fazia quando queria dar o assunto por encerrado. Voltou-se para o outro grupo – Gabbardo, Wanderson e a dra. Cristina – e abriu a pauta seguinte.

– Por que o projeto lá da testagem não sai, hein? Qual o problema com o contrato?

Meio sem jeito, eu insisti:

– Ministro, tem mais coisa.

– O quê?

– Os repórteres tão dizendo que o senhor vai ser demitido hoje.

– Ah, é? – disse isso e fez um silêncio reflexivo. Passou longos dez segundos mirando a linda paisagem do Itamaraty e do Congresso Nacional, antes de soltar, como um suspiro: – Vamos ver...

– Como assim, conta aí! – A dra. Cristina quis saber mais. – O que é que eles tão dizendo? – Ela não estava triste ou desapontada. O tom era de curiosidade e certa torcida para que fosse verdade.

– Tão dizendo que Osmar Terra tá lá no Palácio, já despachando com Bolsonaro. Ele é o próximo ministro.

Gabbardo não só é amigo pessoal de Terra, como fora por ele indicado para ocupar a secretaria-executiva. Fato que fez o grupo inteiro olhar para ele.

– Eu não tô sabendo de nada – deu de ombros.

– Vamos ver, temos que esperar... – desanuviou Mandetta. – Acho que se for o Terra, não é ruim, não, hein, Gabbardo?

Embora fosse um momento decisivo, como já disse, éramos a orquestra do *Titanic* e eu precisava continuar tocando o violino. Então saí da sala e os deixei lá. Desci para o quarto andar e, como sempre, chamei os coordenadores para as tarefas do dia. Não almocei, mais uma vez. Só que não houve tarefas do dia. Todos já sabiam o que estava se passando. Só falamos daquilo.

Não demorou muito, Gustavo Pires, o chefe de gabinete do ministro, me avisou que Bolsonaro convocara uma reunião com Mandetta para as 17 horas, mesma hora para a qual a coletiva diária do coronavírus havia sido marcada, porque depois que as coletivas passaram para o Palácio do Planalto não tinham mais hora certa. Pronto, tudo estava consumado.

Àquela altura, a notícia da demissão já saíra da fofoca palaciana para a imprensa on-line. O clima no ministério começou a ficar pesado. Perto das 15 horas, no quarto andar, tinha gente chorando pelos cantos. Eu costumava descer até o térreo pelas escadas. No caminho, passava em andar por andar. Tinha gente chorando em todos os andares! Muitos xingavam o presidente da República. Saí do prédio para especular com os repórteres que vinham já havia alguns dias fazendo plantão na portaria.

Normalmente, havia uma câmera da CNN Brasil a postos na entrada das autoridades. Sábado, domingo ou feriado, de manhã, à tarde ou à noite, chovendo, no frio ou no sol, ela estava sempre lá, com uma repórter sentada ao pé do tripé – revezavam-se na ingrata função Natália André e Josiane Ricardo, duas "novatas" em Brasília. Naquele dia, porém, tinha gente da TV Globo, da *Folha de S.Paulo*, do *UOL*, do *Correio Braziliense* e do jornal *O Globo*. Conversei rapidamente com todos eles e subi para o quinto andar.

Fui direto à sala do ministro. Lá estavam ele, Aleluia, Lupion, Gustavo, Gabi, Juliana, a dra. Cristina e o dr. Gabbardo. Os deputados Carmen Zanotto (Cidadania-SC), que era nossa "companheira" no primeiro escalão já há vários dias, e Hiran Gonçalves (Progressistas-AM) também. A dra. Cristina mexia na mesa de trabalho do ministro, recolhendo-lhe os pertences pessoais.

Entregava-os ao velho amigo e assessor de Mandetta, Carlos Andrekowisk, que os guardava em caixas de papelão.

O ministro se preparava para a reunião com Bolsonaro e dava as últimas instruções.

– Eu vou para a reunião, Gabbardo, cê vai com o Wanderson à coletiva e faz a atualização do boletim epidemiológico. Na volta, eu quero todos os secretários comigo. Vou dar uma coletiva aqui no ministério.

Não lembro quem deu a ideia, mas logo todos começamos a falar: "Nós vamos todos esperar o senhor lá embaixo, vamos apoiá-lo, vamos recebê-lo com todas as honras". O ministro deu um sorriso amarelo.

Exatamente às 16h45, ele se levantou, respirou fundo e decretou:

– Faltam quinze minutos. Vamos.

Mandetta saiu do gabinete pela porta que desembocava na sala das secretárias. Além das quatro secretárias que trabalham ali, todos os assessores diretos estavam lá. Ele abraçou cada um e agradeceu.

– Cês cuidem bem do próximo ministro, viu? – recomendava.

Eu avisei que havia muitos jornalistas na saída das autoridades. A dra. Cristina tomou a frente.

– Então cê vai pela garagem, Henrique.

Assim foi feito, para que o ministro não tivesse contato com a imprensa no calor daquele momento. Há uma consequência logística nessa decisão. O projeto da Esplanada dos Ministérios foi feito pelo maior arquiteto brasileiro de todos os tempos, Oscar Niemeyer, mas os prédios todos têm sérios problemas de divisão interna dos espaços.

No caso da Saúde, o elevador privativo das autoridades só é acessado por uma entrada que dá direto na rua, na face norte do prédio. No caso de se optar por sair pela garagem, há que se usar o elevador de serviço, que fica isolado na face sul. Mandetta preferiu as escadas até o térreo, onde Strauss já estava esperando. Acompanhávamos eu, Gabi e Marylene.

A caminhada foi triste, pesada. Para quebrar o gelo, provoquei:

– Ministro, todos nós estamos loucos pra votar no senhor pra presidente em 2022, viu?

Ele deu um sorriso sem graça e desviou, falando do time para o qual torce fervorosamente.

– Só se for presidente do Botafogo...

No primeiro andar, ele passou cumprimentando os poucos técnicos que não estavam trabalhando de casa.

– Muito obrigado pelo empenho durante todo esse tempo, pessoal, cuidem bem do ministério, não deixem o próximo que vier aí fazer besteira – disse.

– Obrigada por tudo, ministro – disse uma técnica, mascarada.

– O SUS não merece sua demissão – comentou outra, chorando, também de máscara.

Chegando ao térreo, sob a firme liderança da chefe do cerimonial, os seguranças nos conduziram até a biblioteca. De lá entramos numa sala que normalmente fica trancada, então seguimos por um corredor que ninguém sabe que existe até a escada de serviço e, por fim, à garagem. Sem nenhum jornalista por perto, o ministro entrou no carro junto com Gabi e Strauss e partiu para o Palácio do Planalto.

Esperei o carro sair pela rua paralela ao Eixo Monumental, entre o prédio do ministério e o anexo, e subi a pé a ladeira que serve de entrada principal à garagem, voltada para o norte, para o lado do Palácio do Itamaraty. O número de jornalistas tinha crescido muito. Agora havia pelo menos quinze fotógrafos, vários outros cinegrafistas e muitos repórteres.

– Opa, opa, opa, olha o distanciamento social! – cheguei gritando.

– Cadê o ministro? Cadê o ministro? – perguntaram eles.

– Acabou de sair, acabou de sair – respondi.

Não demorou, Marylene apareceu distribuindo máscaras cirúrgicas.

– Não pode ficar a menos de um metro e meio um do outro, afasta mais, afasta mais – disse, brava, enquanto entregava uma máscara a cada um.

Uns vinte minutos depois, lá estavam a dra. Cristina, Juliana, José Carlos Aleluia, Abelardo Lupion, Gustavo Pires, Carlos Andrekowisk, Ciro Miranda com outros dois advogados da União que faziam parte da equipe, Alex Campos, a coordenadora da agenda do ministro, Monique Orelli, todo o time da publicidade, alguns da comunicação digital e da assessoria de imprensa, o pessoal do cerimonial e da assessoria parlamentar, o secretário Francisco Figueiredo e toda a turma do gabinete da Saes. Ao grupo, juntaram-se técnicos de todas as áreas do ministério. Em pouco tempo, uma pequena multidão de mascarados tomara a pequena alameda lateral.

Eu tirava fotos com o celular e mandava tudo para Gabi, que, em tese, estava ao lado de Mandetta no Planalto.

Multidão à espera do ministro na portaria do MS, avisei.

Ela ficou aflita.

Pede pra manter o distanciamento!

E eu, vinte minutos depois, já perto das 18 horas:

Gabizinha, a multidão só aumenta. O ministro é Roque Santeiro, brinquei, citando o personagem da antiga novela da TV Globo.

Já com a notícia da demissão iminente do ministro da Saúde na internet, nas rádios e nas tevês, o monitoramento avisava haver panelaços contra Bolsonaro por todo o país. Telefonei para Gabi.

– Diz pra ele que tá tendo panelaço contra Bolsonaro por causa da demissão.

– Ih, meu filho, tem tempo que ele entrou na sala. É uma reunião ministerial.

– Como é que é? Reunião ministerial? Então ele não vai ser demitido? Ou vai? Na frente de todo mundo, dos ministros tudinho?

– Não sei, não sei, tô aqui fora esperando, não sei de nada.

À medida que o céu de Brasília começava a ganhar tons de rosa e marrom a oeste, no fim da tarde, a multidão foi escasseando. Ao crepúsculo, só a imprensa e os assessores diretos de Mandetta estavam por ali. Mesmo assim, eram mais de cinquenta pessoas. Já passava das 19h30 quando Gabi me telefonou. Eu estava de pé, perto do banco instalado em frente ao prédio do ministério, na calçada da Esplanada. Minhas costas doíam.

– Acabou aqui, estamos voltando. A gente vai entrar pela garagem.

– Sim, mas e aí?

– O ministro continua.

– Como é que é, Gabi?

– O ministro continua. Não foi demitido. Ele explica aí.

– Puta merda, que doideira... E agora, vai ter coletiva ou não?

– Espere aí... – Depois de consultar o chefe, ela confirmou: – Vai ter coletiva.

– Então eu preciso de uns dez minutos pra botar a imprensa no auditório, tá?

– Tá certo, eu vou subir com ele. Quando tiver pronto, liga avisando que a gente desce.

Pelos colegas que cobrem a Presidência da República, os jornalistas já tinham recebido a informação de que a reunião no Planalto acabara. Estavam fazendo um imenso tumulto na entrada das autoridades, à espera do carro com a placa oficial. Fotógrafos e cinegrafistas se acotovelavam em busca do melhor lugar. Caminhei até aquela fuzarca, peguei Marylene pelo braço e cochichei no ouvido dela:

– O ministro vai dar coletiva. Temos que arrumar o auditório.

Ela nem hesitou.

– Deixe comigo.

Virei para a pequena e ruidosa confusão e gritei alto, bem alto:

– Pessoal, atenção! Pessoal, atenção! – Todos fizeram silêncio e me olharam com cara de espanto, e eu segui em frente: – O ministro está chegando, mas não vai entrar por aqui. Vai entrar pela garagem, então não adianta fazer esse tumulto. Ele vai conceder uma entrevista coletiva. Vamos entrar, vamos pro auditório, que ele vai falar com todo mundo calmamente.

Os repórteres ficaram atônitos. Uns correram para a portaria geral, distante uns quinze metros, para entrar primeiro no prédio a fim de pegar os melhores lugares no auditório. Marylene já havia se adiantado e perfilado o pessoal do cerimonial para cadastrar cada um antes de passar nas catracas. Outros procuraram nervosamente o celular, para telefonar às redações e avisar da coletiva. Levou uns quarenta minutos para pô-los todos no lugar, sentados, instalados, devidamente mascarados e separados ao menos a um metro uns dos outros. Enfim pude ligar para Gabi.

– Pode descer.

Mandetta entrou no auditório não pela entrada das autoridades, mas pelo mesmo caminho do público geral. Estava acompanhado de quase todo o time titular e, ao entrar, foi muito aplaudido pelos assessores que se espremiam no corredor lateral. Lá estavam também o presidente do Conselho Nacional dos Secretários Municipais de Saúde (Conasems), Wiliames Bezerra, e muitos deputados federais integrantes da Frente Parlamentar da Saúde, inclusive Carmen Zanotto, que a preside.

O ministro se sentou, como sempre, ao centro e deu bronca na plateia.

– Tão aplaudindo por quê? Deviam era tá trabalhando...

Mas o microfone estava desligado. Ninguém ouviu.

O dr. Gabbardo e Wanderson se perfilaram à direita, Denizar, Erno e Francisco de Assis à esquerda. Os dois secretários bolsonaristas, Robson e Mayra, não estavam. Com exceção de Denizar, de terno cinza-escuro, mas sem gravata, todos vestiam o colete azul do COE por cima de uma camisa de botão com as mangas arregaçadas. As duas primeiras filas do auditório foram tomadas pelos técnicos e assessores, todos envergando orgulhosamente o mesmo colete. Mandetta brincou com Denizar pela "desunião" quanto ao traje. Marylene correu até a primeira fileira onde estavam os técnicos e pegou um dos coletes para que o secretário vestisse.

O que se seguiu não foi propriamente uma entrevista. O ministro avisou que não responderia a perguntas, só faria algumas considerações. Começou salientando que desde a posse, em 2 de janeiro de 2019, a equipe do Ministério da Saúde se notabilizara pelo perfil técnico, do qual ele era mero porta-voz. Atrás dele, Léo, o garçom do gabinete, com uma máscara cirúrgica escondendo-lhe a simpatia, trazia uma xícara de chá de hortelã.

– É muito difícil trabalhar nesse sistema em que a gente não sabe como vai ser o próximo dia, a próxima semana – desabafou Mandetta diante do país inteiro colado à tevê.

A emissora do governo, a TV Brasil, e mais a CNN e a GloboNews transmitiam o pronunciamento ao vivo. Nós usávamos o sinal da primeira e o reproduzíamos em todos os nossos canais proprietários, portal web, Facebook, Twitter, YouTube. O ministro ia estruturando sua fala.

– A gente não sabe se o comportamento da doença nos trópicos... no nosso meio, se vai se comportar igual se comporta nos outros países. Nos cobram perguntas, cenários, perspectivas, respostas para perguntas que nós nos fazemos diariamente. Nós não temos, nem somos... não temos a menor pretensão de sermos os donos da verdade aqui dentro. Somos os donos das dúvidas. E procuramos as respostas nos consensos, às vezes muito complexos, para as posições que temos que fazer.

Mandetta pontuou o discurso exatamente com aquilo que o diferenciava de forma abissal de Bolsonaro: louvou a própria equipe.

– Quis o destino que aqui se formasse a melhor equipe técnica da história do Ministério da Saúde – e anunciou o conceito-mãe de sua retórica: – Nos pautamos pela ciência.

Não faltou o cascudo no presidente da República, sem citá-lo nominalmente.

Lembrou que, como líder do combate à pandemia, havia convidado vários outros ministérios para participar do planejamento e que sempre esteve aberto às críticas.

– O que nós não gostamos é quando, em determinadas situações, por determinadas impressões, as críticas não vêm para construir, mas para trazer dificuldade no ambiente de trabalho. E isso eu não preciso traduzir, vocês todos sabem que tem sido uma constante: o Ministério da Saúde adotar determinada linha, adotar determinada situação, e termos que voltar, fazer determinados contrapontos e termos que reorganizar a equipe, que fica numa sensação de angústia. Hoje foi um dia que rendeu muito pouco de trabalho aqui no Ministério. Ficou todo mundo com a cabeça meio avoada, se eu iria permanecer, se eu iria sair. Muita gente limpando as gavetas. Até as minhas gavetas teve gente que ajudou a limpar. Nós vamos continuar. Vamos continuar para enfrentar o nosso inimigo, que tem nome e sobrenome: é a Covid-19. Nós temos uma sociedade para tentar lutar, para tentar proteger. Médico não abandona paciente e eu não vou abandonar.

Em pouco mais de meia hora, com apartes rápidos dos secretários, mencionou o plano de saída do isolamento social, que surpreendentemente havia sido apresentado por Wanderson na coletiva. Lembrou, sem que ninguém soubesse de que diabos estava falando, que havia quem quisesse tirar os idosos das favelas para colocá-los em hotéis. Disse, sem entrar em detalhes, ter lido o Mito da Caverna no fim de semana. E, numa espécie de epitáfio, pediu paz para trabalhar, admitiu dificuldades para fazer testes em massa na população e profetizou que aquela equipe sairia toda junta do Ministério da Saúde.

– O momento é de cautela. É de proteção aos nossos idosos, às nossas famílias. O momento é de distanciamento social. Isso que vocês passaram nas últimas semanas não é quarentena, não é *lockdown*.

Para valorizar aquele momento em que desfrutava do ápice de popularidade, agradeceu a Jorge e Mateus e a Xand Avião por o terem convidado para participar das apresentações ao vivo no YouTube no fim de semana. Sutilmente, pôs o bode na sala do presidente ao incluir no discurso o panelaço da tarde:

– Vocês do Ministério da Saúde que saíram dos seus setores e ficaram aqui me esperando, pra fazer choro, pra fazer canto de despedida, pra bater panela, vocês vão todos trabalhar, que é o que vocês deveriam estar fazendo enquanto eu estava lá!

Virou-se para Wanderson e, sorrindo, perguntou:

– Cê quer esclarecer alguma coisa do que falou lá na coletiva? A imprensa tá dizendo que você mudou de posição. O que houve? – e, virando-se para o auditório, comentou: – Ele tava com ciático, eu mediquei ele.

O secretário responsável pela epidemiologia abriu um sorriso nervoso. Falou de forma resumida e confusa sobre o plano de saída do isolamento social que prematuramente anunciara ao mundo, horas antes.

Mandetta enfatizou:

– Entramos juntos, vamos sair juntos.

Quando saímos dali, subi a escada até o quinto andar junto com ele e com o dr. Gabbardo. E perguntei a Wanderson:

– Secretário, o senhor anunciou o plano de saída na coletiva de hoje? Não é aquele que ainda não tá pronto?

A resposta provocou risos em mim e no secretário-executivo.

– Cara, eu tomei tanto remédio hoje que eu nem lembro direito o que foi que eu falei.

Só no dia seguinte, quando fui novamente questioná-lo sobre o assunto, ele esclareceu um pouco melhor a situação.

– Eu assisti depois ao vídeo da coletiva, eu tava péssimo mesmo! Cara, é o seguinte, quando a gente entrou na coletiva, o Mandetta tava demitido! Então eu tratei de botar o plano pra fora, pra depois ninguém vir dizer que a gente não tava fazendo nada a respeito. Era nosso inventário.

Como o ministro não fora demitido, a imprensa passou a nos cobrar pela contradição, já que o ministério vinha durante todo aquele tempo defendendo arduamente a política de distanciamento social, inclusive enfrentando o presidente da República de peito aberto. Mas eu compreendi o gesto do secretário. Aos jornalistas que nos questionavam, esclarecemos que o plano era para o futuro e que ainda receberia ajustes.

Na parte final do discurso, Mandetta perguntou a cada auxiliar se havia reparos a fazer. Ao passar a palavra a Denizar Viana, contou que depois da reunião ministerial, no Palácio do Planalto, havia sido levado por Bolsonaro para uma sala em separado onde havia dois médicos. Eles propunham a edição de um decreto presidencial, recomendando o uso da hidroxicloroquina no tratamento da Covid-19.

– Eu disse a eles que é super bem-vindo, que estudos são ótimos, era um anestesista e uma imunologista que lá estavam, e que eles devem se reportar a você [referindo-se a Denizar] e à Sociedade Brasileira de Imunologia e à Sociedade Brasileira de Anestesia, já que os dois são... fazerem um debate entre seus pares e chegando a um consenso... o Conselho Federal de Medicina e nós do ministério tratamos. Mas primeiro convençam os pares técnicos. Vamos fazer pela ciência.

E bradou o bordão que vinha tramando diariamente nas coletivas do Palácio do Planalto:

– Ciência, disciplina, planejamento, foco.

Ao pronunciar a palavra foco, exagerou na abertura da vogal e escandiu as sílabas. E repetiu:

– Ciência, disciplina, planejamento, fo-co.

Demitido pela manhã, Mandetta anunciou à noite que ficava. A situação era surreal. Como assim, um ministro virtualmente demitido pelo presidente vem a público dizer que não sai? E ainda mais fazendo uma admoestação ao chefe?

Àquela altura, tudo estava nublado para nós. O que aconteceu? E a reunião ministerial, o que se passou lá? Até quando vai isso?

Pasmos, só descobriríamos no dia seguinte.

O ministro saiu do auditório, passou rapidamente pelo gabinete e foi para casa. A dra. Cristina o acompanhou. Dividiram uma garrafa de uísque naquela madrugada.

Capítulo 18
Janeiro de 2020

Naquela última semana de janeiro de 2020, excepcionalmente, a reunião do primeiro escalão fora transferida da segunda para a terça-feira. Ao contrário de todas as demais desde 2019, naquela só havia um assunto a tratar: novo coronavírus.

Por aqueles tempos, ainda o tínhamos por "novo". E não havia designação para o nome da doença que provocava. Houve dentro do Ministério quem tenha proposto chamá-la de "gripe chinesa". Mas o ministro deu bronca.

– De jeito nenhum! Vai causar preconceito. Daqui a pouco, tem o olhinho puxado, o pessoal vai sentar o cacete por aí.

– Teve a gripe espanhola e não causou preconceito contra os espanhóis – contra-argumentaram.

– Não, senhor, a gripe espanhola foi chamada assim porque só a Espanha falava abertamente, sem censurar, na época da Primeira Guerra. Gripe chinesa… de jeito nenhum!

Pelo que tinha visto, e as notícias eram todas de Wuhan, Mandetta relatou que o coronavírus em si não era especialmente mortífero.

– É um vírus transmitido por gotícula [ou seja, viaja pelos perdigotos, aquelas gotas minúsculas de saliva que escapam da boca quando falamos, espirramos, tossimos], que infecta o sistema respiratório. O grande problema é o ataque aos hospitais. De repente, chega aquele monte de paciente, ocupa todos os leitos, todas as equipes e esgota o sistema assim, de repente.

Estalou os dedos ao falar as últimas palavras e foi em frente:

– Não tem medicamento, então a medicina não tem como curar. Sendo assim, vai haver um alinhamento internacional. O mundo procura a partir de agora um teste rápido, que é pra saber quem tá infectado ou não, uma vacina e medicamentos. Nós precisamos incluir o Brasil nesse esforço internacional. Então providenciem desde já reunião com a Fiocruz, com o Butantan, com o Adolfo Lutz e com o Emílio Ribas.

O ministro não estava perguntando, nem pedindo informação. Falava como quem lista uma série de providências a serem tomadas.

– Precisamos de um plano de contingência. Numa semana, eu quero que já esteja aqui, estado por estado. Também não temos nenhuma legislação de quarentena. Se precisar fazer, se precisar isolar um bairro, uma cidade, um edifício que seja, a gente vai esbarrar no direito de ir e vir das pessoas. Então a gente precisa fazer uma legislação de quarentena. Outra coisa, portos e aeroportos. O viajante entra no Brasil, o Estado não pega nem o endereço dele pra rastrear os contatos, se for preciso? Temos que dizer pra população evitar viagens à China.

A saraivada de pedidos envolvia praticamente todas as áreas do ministério. Não havia ninguém secretariando a reunião, logo, não havia como cobrar cada uma das medidas depois. Cada qual que anotasse a sua e se virasse pra entregar. Mandetta não parava.

– A Atenção Primária vai atender os casos, é a primeira cara que os doentes vão ver. Profissionais da saúde: tem que ter EPI. Então vamos atrás pra ver como estão os estoques e vamos fazer compras de emergência. Atenção Especializada, Saes, cadê a Saes? – O secretário Francisco de Assis levantou a mão, o ministro foi em frente: – Respirador. Vai faltar respirador. SGTES? Capacitação. Já vai preparando um programa de treinamento rápido pro pessoal. Comunicação? – Levantei a mão e ele encomendou: – Centralização no Ministério da Saúde. Vigilância primeiro, depois Atenção Primária e Atenção Especializada. Vamos fazer uma campanha com orientações para a população. Pra lavar as mãos o tempo todo, muitas vezes ao dia, pra tossir ou espirrar assim, ó, no braço – e mostrou o gesto de dobrar o braço e aproximá-lo da boca –, explicando o que é o vírus, como ele passa de pessoa pra pessoa, como é a doença.

O dr. Gabbardo entrou na história.

– Ministro, acho que a gente precisa fazer um *flyer* para os passageiros de voos internacionais.

Mandetta concordou.

– *Flyer* pra passageiros de voos internacionais. Wanderson, vamos elevar o nível de emergência em saúde pública. Hoje como está?

O secretário de Vigilância em Saúde respondeu prontamente, como sempre com as normas sanitárias internacionais na ponta da língua:

– Perigo Iminente, ministro. Mas para aumentar, é preciso que haja um caso confirmado dentro do território nacional.

– Ok, ok – disse Mandetta. – A Anvisa tem um manual de desinfecção de superfícies. Mas ele tem uma linguagem técnica demais. Ugo, pega ele, trabalha em cima e faz uma versão bem amigável. Tem que criar um site urgente pra gente publicar lá tudo o que for de corona...

– Já está criado, ministro – interrompi-o. – A gente botou no ar no dia seguinte à criação do COE.

– Já tá criado? – disse, em tom de desafio. – Duvido! Então abre ele aí que eu quero ver.

O secretário Wanderson, à frente do teclado que comanda o grande telão da sala de reuniões, digitou o endereço e abriu-se a primeira tela do site. Lá estava mais ou menos o conteúdo que ele havia pedido para a campanha de publicidade. Informações iniciais, o que é o vírus, o que se sabe sobre a doença, formas de prevenção, os dois boletins epidemiológicos editados até ali.

– Beleza, então tem que botar no site do ministério um botão levando pra esse site aí, do corona. E eu acho que cês deviam fazer uma relação por dia, a cada dia, com tudo o que o ministério fez.

– Uma linha do tempo! – resumiu Wanderson.

– Isso, isso – confirmou.

Cada qual saiu dali com a mala cheia de encomendas.

Desde a véspera, todos já estavam avisados de como se daria a comunicação da crise. E que dali a algumas horas aconteceria nossa primeira coletiva de imprensa.

O próprio Mandetta havia avisado a Strauss que pretendia participar das entrevistas sempre que houvesse um fato marcante ao longo da crise. Sendo assim, confirmei, à saída do primeiro escalão:

– Ministro, o senhor vai na coletiva hoje, não é?

Ele assentiu, mostrou a mão com o polegar pra cima e confirmou:

– Vou, sim.

A primeira das coletivas não teve nem de longe o ritual que antecedeu a maioria das que fizemos posteriormente.

Nosso dia sempre começava na reunião do primeiro escalão. Discutia-se tudo o que dizia respeito à pandemia. Inclusive várias iniciativas para serem anunciadas – como o aluguel de UTIs para instalar pelos estados, o aumento no valor da ajuda para postos de saúde que ficassem abertos por mais tempo, os dados da vigilância etc.

Saindo do primeiro escalão, o secretário Wanderson compilava as informações da epidemiologia e as passava para a assessoria de imprensa, que preparava uma apresentação em PowerPoint a ser feita na entrevista coletiva.

A secretaria cujo assunto fosse o tema do dia fazia a mesma coisa. Organizava as informações e mandava para a assessoria de imprensa. Elas entravam na segunda metade do PowerPoint.

Paralelamente, eu me reunia com Brentano e os quatro coordenadores da comunicação – Juliana Vieira, Renato Strauss, Ana Miguel e Daniel Cruz, o Indiozinho – e repassava ponto por ponto o que havia sido discutido mais cedo. Cada um ganhava uma missão.

O que fosse anunciado na coletiva seria horas depois disparado no nosso Canhão de Comunicação. Releases para jornais impressos e para o nosso site, posts nas redes sociais, podcasts para rádios, fotos, imagens em vídeo, tudo tinha hora exata para ser "atirado", numa sincronia pensada para atender os prazos de fechamento de cada tipo de mídia e, no caso da comunicação digital, os horários de maior audiência de cada rede social.

Todas essas informações eram resumidas, organizadas e condensadas num documento chamado Briefing do Ministro, também preparado pela assessoria de imprensa. Ele deveria ser entregue a mim às 15 horas, para que eu o levasse ao gabinete e deixasse o ministro inteirado dos detalhes do tema a ser tratado na coletiva.

Foi o atraso desse briefing que me custou uma senhora bronca da dra. Cristina, tempos depois.

Às 15h30, reuníamo-nos na sala do dr. Gabbardo – ele, eu, Strauss e o secretário Wanderson – para passar o verniz final na coisa toda. A apresentação em PowerPoint era projetada na imensa tevê que fica na parede em frente à pequena mesa redonda de reuniões. Revíamos os dados, discutíamos cada palavra. Termos técnicos eram trocados por outros de entendimento mais fácil. Houve debates renhidos por conta disso, sobretudo entre mim e o secretário Wanderson.

A primeira coletiva, entretanto, foi totalmente diferente. Sem rito antecedente, deu-se numa longa conversa, em formado de bate-papo, entre Mandetta, Wanderson e o dr. Gabbardo, na sala de despachos do ministro. Eles estavam sentados sem cerimônia nos sofás e poltronas dispostos no amplo vão central, com a paisagem do Itamaraty e do prédio do Congresso ao fundo.

Falaram sobre o cenário da doença, qual era o entendimento do ministério a respeito daquilo tudo e que medidas seriam tomadas dali para a frente. Às 16 horas – foi um dos poucos dias em que começou no horário marcado! –, estavam os três no auditório Emílio Ribas. Todos de terno escuro e gravata escura. Gabbardo à esquerda do ministro, Wanderson à direita, o contrário do que Marylene sempre exigia. Do lado de Wanderson, quase saindo do enquadramento das tevês, sentou-se o coordenador de portos e aeroportos da Anvisa, Marcelo Carvalho, convidado especial.

O auditório estava repleto. Repórteres de todos os grandes jornais do país, das principais rádios, de todas as redes de tevê aberta nacionais e mais os dois canais fechados de notícias – GloboNews e CNN – dividiam todos os assentos disponíveis com a equipe de comunicação do próprio ministério.

À frente das câmeras, Strauss atuava, impecável, como mediador. Nos bastidores, Newtão coordenava a projeção do PowerPoint no telão do auditório e se lançava como contrarregra, levando e trazendo o microfone para os jornalistas. Ao lado dele, o time de Ana Miguel cuidava da transmissão ao vivo no site do ministério, no canal no YouTube e nas redes sociais.

Técnicos da Secretaria de Vigilância em Saúde e da Secretaria-Executiva, que sempre acompanhavam os chefes, também ocupavam lugares no auditório e nas cadeiras laterais.

Mandetta tomou a frente.

– Então vamos lá. – Fez uma pausa e continuou: – Primeiro gostaria de agradecer a presença da imprensa, é um momento de esclarecimento, um papel fundamental da imprensa, nos momentos em que há uma apreensão generalizada no mundo, e não seria diferente que a imprensa brasileira divulgasse as notícias mundo afora sobre a situação do novo coronavírus. A cada novidade em relação a esse tema, nós trabalhamos muito com boletins epidemiológicos, com notas à imprensa... Nós estaremos abertos, divulgando todos os passos sobre o assunto, de forma que a população possa acompanhar o cenário brasileiro, nesse contexto dessa doença. Hoje, nós vamos abordar alguns temas sobre o que tá mais recente. Nós estamos... Ontem, a OMS, que até então tratava o assunto restrito à província de Wuhan, ela passa a tratar já a China como um todo. Então muda a orientação que nós tínhamos da própria OMS, em que nós considerávamos casos suspeitos aqueles procedentes daquela cidade onde estava o epicentro da situação. Agora a gente passa a tratar como eventuais casos suspeitos aqueles procedentes da China. Um caso suspeito que nós temos, hoje, em investigação, é de Minas Gerais. Nós analisamos mais de sete mil rumores, ah, esse pode ser, esse pode não ser! Desses 7.063, 127 deles exigiram a verificação se estavam dentro de padrão. Então temos hoje o caso suspeito de uma paciente que viajou para a cidade de Wuhan até 24 de janeiro de 2020, é um caso importado, ou seja, é uma pessoa que veio desse local, ela apresentou sintomas compatíveis com o protocolo da suspeita.

Nesse momento, pegou o papel que estava à sua frente e leu.

– O estado da paciente é bom, ela se encontra estável, ela não tem nenhuma complicação. Não há evidência ainda de qualquer maneira que o vírus esteja circulando, já que é um caso importado. Ela tá em isolamento e os quatorze contatos mais próximos estão sendo acompanhados. O nome dessa paciente, por motivos óbvios, não deve ser divulgado, não faremos divulgação de pessoas, em respeito até a sua privacidade e dos seus familiares. É bom deixar claro que o Brasil já tem total capacidade de identificar geneticamente o vírus. O mais importante, em qualquer situação, não é preciso esperar resultados, porque a identificação do vírus, ela nos presta muito mais para saber se há circulação do que propriamente para fechar diagnóstico. Nessa fase agora, a gente faz [exame] dos casos suspeitos, muito mais para saber se o vírus está em circulação, e, se houver, para saber se eventualmente essa circulação é sustentada.

O tom de voz era sereno, mas assertivo. Mandetta avisou que o Ministério da Saúde estava desaconselhando a viagem de brasileiros à China e admitiu que havia muito mais perguntas do que respostas sobre o vírus, sua transmissão e a doença que causava. De uma forma ou de outra, deixou claro o objetivo do dia.

– Estamos aqui para tranquilizar a população brasileira.

Falou por breves oito minutos e vinte e oito segundos. Respondeu em seguida, pacientemente, a uma hora inteira de questionamentos da imprensa. Que começou com uma pergunta que, na época, nos chegava aos borbotões pelas redes sociais: o que fazer no Carnaval?

A festa aconteceria dali a dois meses.

O ministro lembrou que, no ano anterior, o país recebera navios com turistas doentes de sarampo e que equipes de saúde entraram e vacinaram todos a bordo em nove desses navios.

– Mas não temos nenhuma orientação específica de comportamento, a não ser aquelas clássicas que nós utilizamos sempre em relação a toda e qualquer situação do dia a dia: lavar as mãos, evitar o compartilhamento de objetos, copos, talheres, para que a gente possa ter um risco menor. Mas nada específico sobre o Carnaval.

O repórter Matheus Vargas, do jornal *O Estado de S. Paulo*, pediu mais detalhes sobre aqueles mais de sete mil rumores que Mandetta citara em sua fala. O ministro apresentou o Cievs, falou do sistema de rastreamento de rumores – o mesmo que granjeara o zum-zum-zum dos médicos chineses antes do restante do mundo – e respondeu que esse "radar" estava captando qualquer pequena informação sobre brasileiros gripados. O sistema analisava-a, cruzava com os critérios da pandemia, classificava e, por fim, restara apenas uma única suspeita, a paciente de Minas.

Um par de horas depois da entrevista, começaram os problemas que, avolumados e amplificados nos dias e semanas seguintes, custariam o cargo a Mandetta. Alguns jornalistas me telefonavam, dizendo-se surpresos com o ministro da Saúde – "Nossa, como ele é tranquilo, passou confiança", "Nossa, ele é bem técnico, não é?", "Nossa, ele nem parece que é do governo Bolsonaro".

Sem Mandetta, a rotina de entrevistas foi retomada no dia seguinte, com o dr. Gabbardo à frente do pelotão, Wanderson à esquerda dele e Júlio Croda à direita.

O secretário-executivo tratou de "organizar o cabaré".

– Olha, eu queria combinar com vocês aqui, porque vários órgãos de imprensa estão mandando pedidos de informações ao longo do dia. Vocês pegam informações com as secretarias estaduais de Saúde e vêm aqui checar no Ministério, pra saber se é verdade. Então a gente quer combinar o seguinte: nós vamos fazer a atualização dos dados todos os dias aqui, nessa coletiva, e não falaremos mais. Todo mundo vai ter as informações de uma única vez. As informações serão sempre computadas até o meio-dia. O que chegar até o meio-dia será apresentado pra vocês às 16 horas. Fica um lapso de tempo entre o meio-dia e 16, que se chegar alguma informação do estado, seja de inclusão ou de exclusão, essa informação só vai aparecer no dia seguinte. Porque a gente precisa de um tempo para fazer a análise das informações que chegaram até o meio-dia.

A competição da mídia por informações, num primeiro momento, mostrara-se causadora de caos. Qualquer rumor sobre um caso suspeito era noticiado com estrondo. Sendo assim, políticos de cidades pequenas atrás de notoriedade começaram a passar notícias sobre uma possível contaminação. Tudo nos chegava para checagem, sempre com a observação "urgente!" no pedido.

A loucura cessou naquele dia. De certa forma.

Em 30 de janeiro, a OMS decretou emergência internacional por conta do coronavírus, algo que o Brasil já vinha defendendo havia dias. Quando eleva seu nível de alerta, o órgão abre espaço para que os países-membros tomem medidas mais duras de enfrentamento.

Havia uma forma gasosa de pânico pairando no ar.

Lá em Minas Gerais, uma mulher voltara de Wuhan, no dia 24, com os sintomas de febre, dores de cabeça e na garganta e coriza. Procurou o serviço de saúde e foi de pronto mandada para o Hospital Eduardo de Menezes, uma pequena e combativa joia do SUS, instalada no bairro de Bonsucesso, em Belo Horizonte.

O caso foi devidamente notificado como suspeito. A paciente ficou isolada no hospital. Todas as pessoas com quem tivera contato nas 48 horas anteriores ao início dos sintomas tiveram que ficar em casa, a pedido e sob vigilância do pessoal do Cievs mineiro.

Na sexta-feira, correu o boato de que os exames feitos nessa paciente atestaram a presença do novo coronavírus no organismo dela. Nada tinha nos chegado. Repórteres telefonavam para checar a informação. Alguns mais afoitos e menos zelosos acusavam o governo de tentar esconder a chegada da epidemia.

Os protocolos laboratoriais dos primeiros dias, porém, buscavam a economia processual. Pedia-se que fosse colhida uma amostra de muco do doente e a aplicasse num painel para todos os vírus respiratórios conhecidos. Só em caso de negativo seria feito o exame específico para coronavírus.

O exame da paciente mineira vinda de Wuhan foi submetido a esse ritual. Passou incólume pelo painel viral e seguiu para o teste do coronavírus – padrão-ouro, RT-PCR. Também deu negativo. Houve um segundo teste para confirmar. Também negativo. Por via das dúvidas, um terceiro teste: negativo de novo.

Enquanto se buscava o diagnóstico, a irmã dessa paciente começou a apresentar sinais de inflamação na garganta. Novamente, correu o frio na espinha. O vírus não só chegara como já pulara para outro hospedeiro. As informações eram todas dadas ao secretário Wanderson por telefone pelos infectologistas do Eduardo de Menezes. E por intermédio dele chegavam até Mandetta.

A potencial paciente zero no Brasil foi testada e retestada. Até que acusou rinovírus, que é o vírus do resfriado comum. Mas essa informação só chegou ao Ministério da Saúde na semana seguinte. De forma que o fim de semana passou com cheiro de pânico no país.

Além disso, as agências de notícias internacionais vinham noticiando, já havia alguns dias, que os países ocidentais estavam organizando missões de resgate para tirarem seus compatriotas da China. Assim fizeram França, Alemanha, Inglaterra, Estados Unidos. Não demorou até que a imprensa nacional nos questionasse: e o Brasil?

A primeira resposta foi dada pelo próprio presidente da República, numa entrevista do tipo quebra-queixo, isto é, aquelas em que a autoridade fala de pé, cercada por repórteres e cinegrafistas, sem muita organização, em frente ao Palácio do Planalto. Ele aproveitou e deu uma estocada no governo comunista da China.

– Pelo que parece, tem uma família na região lá, onde o vírus está atuando. Não seria oportuno retirar de lá, com todo respeito, pelo contrário. Não vamos colocar em risco nós aqui por uma família apenas. A gente espera que os dados da China sejam reais. [Que seja] só isso de pessoas contaminadas. Se bem que é bastante, mas a gente sabe que esses países são mais fechados no tocante a informações.

A imprensa brasileira definitivamente não gosta do presidente da República. Exibir os demais países em franca e legítima preocupação com seus nacionais, resgatando-os do epicentro da pandemia, só não era melhor do que exibir Bolsonaro negando-se a fazê-lo. Assim, era retratado como governante que não se preocupa com seu povo.

Óbvio, massacrado, ele teria que voltar atrás.

Os veículos nacionais passaram a reproduzir em horário nobre vídeos publicados nas redes sociais por brasileiros em Wuhan, pedindo comovidamente que fossem trazidos de volta.

Mandetta foi chamado ao Palácio do Alvorada. Relatou ao presidente a situação da pandemia. Explicou que o Brasil não tinha uma legislação de quarentena e avisou que o Ministério da Saúde a estava elaborando naquele exato momento.

O chanceler Ernesto Araújo e o ministro da Defesa, general Fernando Azevedo, estavam na conversa. Ao fim dela, os três e Bolsonaro se puseram ombro a ombro e concederam entrevista juntos na saída do Palácio. Não havia sinal de animosidade do presidente da República em relação ao ministro da Saúde.

A negativa de repatriar os brasileiros já não existia. Agora se listavam os muitos motivos pelos quais ela ainda não tinha sido feita. O governo estava estudando como vencer o cipoal que o prendia. Timidamente, o chefe do Poder Executivo insinuou que faria a repatriação.

Era tanta coisa envolvida – frete de avião, escala de tripulação militar, reserva orçamentária, mudança de lei, criação de protocolo sanitário, concordância dos repatriados em se submeterem ao isolamento, interlocução com cada um dos países onde o voo fosse aterrissar, negociação com a própria China, que fechara seu espaço aéreo – que o governo teve que criar um grupo executivo interministerial.

Em 3 de fevereiro, o COE encaminhou ao gabinete do ministro pedido de declaração de que o Brasil estava em emergência de saúde pública de importância nacional (ESPIN). A Portaria nº 188 foi publicada no dia seguinte no *Diário Oficial da União*.

O que ela trazia de importante era o item V do parágrafo terceiro:

Art. 3º Compete ao COE-nCoV:

V - propor, de forma justificada, ao Ministro de Estado da Saúde:

a.   o acionamento de equipes de saúde, incluindo a contratação temporária de profissionais, nos termos do disposto no inciso II do *caput* do art. 2° da Lei n° 8.745, de 9 de dezembro de 1993;

b. a aquisição de bens e a contratação de serviços necessários para a atuação na ESPIN;

c. a requisição de bens e serviços, tanto de pessoas naturais como de jurídicas, nos termos do inciso XIII do *caput* do art. 15 da Lei n° 8.080, de 19 de setembro de 1990; e

d. o encerramento da ESPIN.

Ou seja, ela permitia ao Ministério da Saúde contratar gente e empresas e fazer as compras emergenciais de insumos para combater a epidemia, desde que o COE o pedisse.

No mesmo dia, o secretário Wanderson encerrava uma jornada epopeica. Ele e parte de sua equipe haviam passado os últimos dias em claro, transmitindo dados e informações para a jurista Sueli Gandolfi Dallari, que escrevia a minuta do projeto de lei da quarentena madrugada adentro. Finalmente pronto, ele passou na revisão da advogada Juliana Freitas e da equipe do grandalhão Ciro Miranda na Consultoria Jurídica e foi mandado para o Congresso.

Mandetta havia conversado pessoalmente com os dois presidentes, Rodrigo Maia e Davi Alcolumbre, ambos seus companheiros de partido, de forma que o projeto acabou aprovado em tempo recorde: um dia depois de entrar no parlamento. Estava removido o último cipó que impedia a repatriação.

A longa viagem até a China para trazer de volta 34 brasileiros ficaria a cargo do Ministério da Defesa, que a batizou com o nome ufanista de Operação Regresso à Pátria Amada Brasil. Dois aviões Embraer 190, da Força Aérea Brasileira, decolariam da Base Aérea de Brasília ao meio-dia da quarta-feira, 5 de fevereiro, rumo à China. A bordo deles, além da tripulação militar, incluindo médicos e enfermeiros da Aeronáutica, estariam dois personagens escolhidos de forma curiosa para serem os representantes do Ministério da Saúde.

O primeiro era o enfermeiro Marcos Quito. Ele é o adjunto de Daniela Buosi no Departamento de Análise em Saúde. Quito é baixinho, tem a cabeleira cheia, preta, e cultiva uma barba cerrada. Tem os lábios grossos, olhos redondos e sobrancelhas altas sobre as pálpebras que, combinadas com uma leve bolsa abaixo dos olhos, dão a impressão de que está sempre com sono.

Meses antes, Wanderson tinha criado um grupo no WhatsApp em que incluíra todo o time da emergência – ele próprio, Júlio Croda, Dani Buosi, Marcos Quito, Rodrigo Frutuoso e Eunice de Lima, sua assistente.

Era preciso escolher um deles para ir a Wuhan. Frutuoso abriu uma votação nesse grupo de WhatsApp 48 horas antes do embarque para a China. Mas Quito havia saído com a esposa para jantar e passou batido pela enquete. Nem viu seu nome ser eleito, por gozação, por aclamação para a missão.

Quando chegou para trabalhar no dia seguinte, não entendeu nada quando os amigos lhe sorriam e parabenizavam "Vai conhecer a China, hein?!...". Esbravejou quando descobriu a trama. Mas a coisa ficaria por isso mesmo e ele acabaria obrigado a voltar para casa para arrumar as malas.

A outra personagem é a médica infectologista Ho Yeh Li. Ela nasceu em Cingapura e veio para o Brasil aos dez anos, com os pais. A dra. Ho é baixinha, tem menos de 1,50 metro, e pesa menos de cinquenta quilos. Com os cabelos curtos, pretos com discretos fios brancos, e uns óculos gigantes no rosto pequeno, passa facilmente por uma criança, se vista de soslaio. Trabalha no Hospital das Clínicas da USP. Estava entrosada com o time da emergência em saúde pública porque atuara intensivamente na crise da febre amarela, em 2018.

Júlio Croda telefonou para ela perguntando se ela não toparia ir a Wuhan, como representante do Ministério da Saúde, buscar os brasileiros a serem repatriados. A ideia dele era ter alguém familiar, com nome chinês, aparência chinesa, e assim aproximar a missão brasileira dos anfitriões na capital da província de Hubei.

– Júlio, sabe por que eu sou a pessoa certa para ir nessa missão?

Croda sorriu.

– Ah, Ho, além desse olhinho puxado, só falta você falar mandarim.

Ela soltou uma gostosa gargalhada do outro lado.

– É, eu falo mandarim fluentemente.

Apesar de estar no Brasil há mais de trinta anos, ela tem um português com um leve e indefectível sotaque chinês – aquele do "flango flito" – misturado ao paulistano mais arraigado. Seus pais mantiveram o hábito de falar a língua materna dentro de casa. Quando saíram de Cingapura, a língua mais falada era o mandarim. Hoje é o malaio, que a dra. Ho também fala fluentemente.

Wanderson chegou ao Ministério comemorando a notícia como se fosse gol em final de Copa do Mundo.

– Quem vai nos representando na missão é uma infectologista da USP que fala mandarim!

O Ministério da Defesa cuidou dos aviões, dos planos de voo, o Itamaraty negociou com a China, com a Polônia e com a Espanha, onde eles fizeram escala, a FAB fez reformas e transformou o hotel de trânsito da Base Aérea de Anápolis num lugar agradável de acolhimento, com lazer para adultos e crianças, internet grátis e leitos para todos.

A equipe partiu e a habilidade linguística da dra. Ho ajudou muito no tratamento com as autoridades chinesas para recepção dos brasileiros.

Tanto a viagem de ônibus pelas ruas vazias de Wuhan para buscá-los de casa em casa, quanto o embarque dos passageiros, o exame a que se submeteram ao chegar aos aviões da FAB, tudo foi documentado em vídeo com o celular do secretário Germano Correia, diplomata da Embaixada do Brasil na China. Ele enviou os filmes pelo WhatsApp e a assessoria de imprensa do Itamaraty os distribuiu aos jornalistas no Brasil. Assim tudo foi transmitido passo a passo em horário nobre nas redes de tevê abertas no país.

Em 9 de fevereiro, os dois aviões pousariam direto na Base de Anápolis e seriam recebidos por autoridades da Aeronáutica.

O ministro da Saúde nunca cogitou em ir. Perguntei o porquê, e ele me respondeu:

– Não tem nada que eu possa fazer lá pra ajudar, só vai juntar imprensa e atrapalhar a operação da Aeronáutica.

Circulou o boato de que Bolsonaro pretendia receber os quarentenados na chegada. Mas isso não aconteceria. O que aconteceu foi uma surpresa para os dois representantes do Ministério da Saúde. Ao chegar, o grupo foi informado de que todos deveriam permanecer ali, em isolamento, até o fim do período da quarentena.

Marcos Quito quase teve uma síncope. Saíra de casa às pressas, cruzara o mundo insone e ainda teria que passar duas semanas separado da família?

A dra. Ho subiu nas tamancas. Quem viu a cena descreve como comédia. Baixinha, ela alterou o tom da voz com o brigadeiro Damasceno, comandante da operação.

– Eu não fico aqui de jeito nenhum. A gente ficou de máscara o tempo inteiro, não tem perigo de termos sido infectados. E tem mais, se o seu pessoal vai sair, a gente também vai sair!

Por conta disso, o brigadeiro pôs todos os militares que participaram da missão em quarentena, não saiu ninguém.

Tempos depois, a dra. Ho me confidenciou que não tinha ideia de que se tratava de um militar de tão alta patente.

– Eu sou péssima com esse negócio de cargo militar. Pra mim, só existe general. Brigadeiro? Nem sabia que existe.

A dra. Ho daria várias entrevistas naqueles dias. Seu sucesso na tevê foi tão arrebatador que ela ganhou uma honraria que poucos brasileiros ostentam: transformou-se em personagem da história em quadrinhos da Turma da Mônica, numa homenagem de Maurício de Souza, criador da marca, às mulheres em destaque na sociedade.

Em 11 de fevereiro, enquanto a dra. Ho, Marcos Quito e os demais tripulantes e quarentenados se hospedavam compulsoriamente na Base Aérea de Anápolis, a OMS declarou ao mundo que a doença provocada pelo Sars-CoV-2 seria formalmente conhecida dali por diante como Covid-19.

Alheio a tais formalidades, o vírus mostrava-se cada vez mais eficaz no seu único propósito: passar de hospedeiro a hospedeiro e multiplicar-se. Na última semana de fevereiro, a OMS já elencava em oito os países em alerta – Japão, Cingapura, Coreia do Sul, Coreia do Norte, Tailândia, Vietnã, Camboja e a própria China.

Agora, qualquer um que chegasse desses locais e ficasse resfriado ou tivesse contato com alguém doente desses locais seria considerado suspeito no Brasil.

Quanto aos repatriados, os exames feitos no embarque já mostravam que nenhum deles estava infectado. Mas era preciso esperar o que se acreditava ser o tempo de incubação do vírus – quatorze dias – em completo isolamento, no hotel de trânsito da Base de Anápolis.

O grupo fez exames diários e, ao longo do período de quarentena, a FAB expediu oito boletins médicos informando sobre o estado de saúde de todos. Todo o tempo de incubação se passou sem que ninguém mostrasse sinal de infecção, clínico ou laboratorial. Foram liberados em 23 de fevereiro.

Três dias depois, longe dali, em São Paulo, o exame de um homem de 61 anos atestaria positivo. Tanto na prova feita no Hospital Albert Einstein, onde buscou o primeiro socorro, quanto na contraprova do Instituto Adolfo Lutz: o novo coronavírus chegava oficialmente ao país.

A HISTÓRIA BRASILEIRA BATIZA DE Dia do Fico o distante 9 de janeiro de 1822. Ali, o então príncipe regente d. Pedro de Alcântara se nega a obedecer ao chamado de volta a Lisboa e precipita a separação do reino formado por Brasil e Portugal.

São pobres os registros historiográficos sobre o que o jovem soberano – que, oito meses depois, viria a tornar-se d. Pedro I, imperador do Brasil – fez no dia seguinte à importante declaração.

Mas no caso da contemporânea história da luta do Brasil contra a pandemia do novo coronavírus, o dia seguinte ao Dia do Fico começou com uma estrondosa ressaca.

Mandetta chegou cedo para a reunião do primeiro escalão. Os olhos ligeiramente inchados e o semblante típico da dor de cabeça mal-humorada que se segue aos porres não só eram evidentes, mas confessos. Ele tomou xícaras e xícaras de chá de hortelã trazidas por Léo. E nelas amoleceu pelo menos doze biscoitos de maisena naquela manhã.

O ministro abriu a pauta atualizando a todos sobre as impressões que colhia ao ler o noticiário internacional.

– Ontem, a Inglaterra começou a usar saco de lixo nos médicos e enfermeiros, porque não tem EPI. Como é que nós estamos, Roberto?

– Ministro, eu já não consigo mais buscar na sexta-feira – respondeu o diretor do Dlog, antes de relatar problemas logísticos para a frustração da promessa que fizera dias antes.

– Porra nenhuma! – respondeu Mandetta, impaciente. – A Infraestrutura não disse que tá aí pra ajudar? Então é sexta-feira, sete da manhã, quero esse carregamento lá em Guarulhos, quero nem saber.

A notícia o motivou à criação.

– Olha, vamos fazer um protocolo simples de reutilização da máscara N95. A SVS tem que fazer. Hoje! Quero isso hoje!

O secretário Wanderson olhou para ele com cara de espanto, mas ficou em silêncio.

A reunião daquele dia recebia mais um convidado oriundo do Ministério da Economia, Gustavo Leipnitz Ene, secretário de Desenvolvimento, Indústria, Comércio, Serviços e Inovação. Sentou-se ao lado de Mandetta. Chamava a atenção pelo personagem que encarnava quase comicamente: jovem, atlético, terno escuro, camisa branca, gravata vinho, barba bem feita, cabeleira preta penteada com zelo para o lado. Era o típico *market boy*. Estava ali para levar à indústria brasileira as demandas que o planejamento sanitário criasse.

Ao saber que o imenso carregamento da China falharia, Mandetta não só pediu um arrazoado para orientar os profissionais de saúde a reutilizarem suas máscaras, como foi além.

– Na falta, sem a China, tem que fazer. O Brasil é rico em matéria-prima. Que se faça de juta, de sisal, de fibra de coco...

Olhou para o cara da economia, que o ouvia com as sobrancelhas crispadas em sinal de máxima atenção. O ministro da Saúde ainda deu a ordem:

– Vocês é que têm que articular isso com a indústria.

O secretário pegou a caneta e anotou no papel, balançando a cabeça afirmativamente. A ideia não era das melhores. O pessoal da saúde se entreolhou. Vi alguns fazendo o mesmo que eu naquele exato momento, concentração total para não explodir numa gargalhada.

Ex-secretário de Saúde de Minas Gerais e ex-deputado estadual, o psiquiatra Antônio Jorge de Souza Marques fora convidado pelo ministro para assessorá-lo durante a pandemia, função que cumpria informalmente. Nunca chegou a ser nomeado, mas participava das reuniões e, pouco a pouco, tornou-se uma das vozes mais ponderadas e respeitadas da equipe.

Vivia entre Brasília e Belo Horizonte e, ao contrário dos demais, estava sempre de terno e gravata. Seus olhos pretos redondos combinados com o rosto comprido e bochechudo, recortado por cabelos castanho-escuros levemente grisalhos armados numa franja que se divide para os lados opostos no meio da testa, emprestam-lhe um ar de tio querido. Estava acima do peso e foi o primeiro daquele time a contrair Covid-19 – que o levou à UTI, inclusive.

Naquele dia, Antônio Jorge interrompeu os planos morubixabas de Mandetta sobre as EPIs com outra ideia mais elaborada.

– A legislação trabalhista brasileira obriga uma série de categorias profissionais a usar máscaras de proteção. É o caso da indústria automotiva, mineração, siderurgia, o Ministério do Trabalho tem a relação de todas elas. Nesse caso, as máscaras têm outro nome, eu acho que é PFF1, mas é igual a N95. Vamos atrás dos estoques nas empresas.

"Boa", disse alguém. "Anota aí", recomendou outro. A ideia passou a constar da pauta cuidadosamente guardada por Raquel. Mas nunca prosperou.

Roberto Dias voltou a seu relatório. Dessa vez, o tema era aventais – aqueles de plástico que os enfermeiros usam, descartáveis. O governo pretendia comprar 900 milhões de unidades. Uma empresa de Curitiba apresentara o melhor preço e se credenciara a ser fornecedora. Porém, na papelada entregue na fase de habilitação, constava que tinha capital social de R$ 95 mil. Nenhum problema legal, mas um baita problema real.

– Vai dar merda – disse o diretor, com seu sotaque carioquíssimo. – É uma compra monumental e é óbvio que o cara não vai dar conta.

O ministro não quis debater a parte gerencial do problema.

– Mas, vem cá, por que eu não posso ir atender simplesmente? Boto a máscara e vou? Hein, Wanderson, por que eu não posso?

O secretário de Vigilância não poderia ter sido mais mineiro na resposta.

– Pode, uai!

– Então alguém tem que dizer isso, porra! – tascou Mandetta.

Era óbvio que se tratava de uma controvérsia ardida, inflamada. O Ministério da Saúde iria publicamente admitir a impossibilidade de prover os equipamentos de proteção? E ainda assim chamar os médicos e enfermeiros aos brios? O ministro não o fez, nem ninguém obedeceu àquela ordem.

A visão de Mandetta sobre o papel do pessoal da saúde no enfrentamento da epidemia era clara. Ele, como gestor nacional do SUS, estava fazendo de tudo para prover as unidades com os insumos necessários. Só que o mundo inteiro estava no meio de uma guerra. O mercado global entrara em colapso, os preços dispararam. Não dava para ficar resmungando pela falta de avental. Na perspectiva dele, o médico, o enfermeiro, o auxiliar, o fisioterapeuta tinham mais é que ir para o hospital e cuidar dos pacientes, fosse como fosse. Paramentados como astronautas, como se via pela tevê na China, ou somente com uma máscara N95 reutilizada, como se estava formatando no caso brasileiro.

Numa mudança brusca de assunto, o secretário do Ministério da Economia avisou que a indústria química havia encontrado uma solução para suprir o mercado nacional de álcool em gel – a viscosidade do álcool líquido se faz com uma substância chamada carbopol, que é importada dos EUA, em falta naquele tempo. Desenvolveram um espessante local e o forneceriam às usinas de açúcar.

– Já compramos mais de um milhão de frascos – relatou Roberto Dias.

Nesse momento, Gustavo Ene deu sua participação por encerrada, pediu licença e saiu.

Erno tinha um aviso a dar. Disse que vinha trabalhando com o Ministério da Economia numa operação de empréstimo de US$ 2,5 bilhões junto ao Banco Mundial para financiar os gastos do governo nas ações contra o coronavírus. Aquilo dava, ao câmbio da época, aproximadamente R$ 12,5 bilhões. Fizeram as contas de cabeça e estimaram que até aquele momento as despesas totais do governo estavam em cerca de R$ 3,5 bilhões. Mas pouco fora feito, muito ainda estava por vir.

O secretário de Atenção Primária deu detalhes das condições, que tinham juros baixíssimos e carência de cinco anos para pagar, ou seja, as "prestações do boleto" só começariam a chegar em 2025. Ele ficou com o rosto escarlate ao soltar a piada:

– A gente pega a grana agora e quem paga é o Haddad, o Flávio Bolsonaro ou o senhor mesmo...

Referia-se, claro, ao fato de que o empréstimo seria quitado no governo que sucederia o atual. E listou os nomes de propensos futuros presidentes do Brasil. Todos rimos da blague. Mandetta também. Mas fez o que políticos fazem quando querem algo, mas não podem admitir:

– Deus me livre! – e bem-humorado, ainda devolveu a piada: – Esses caras do PSOL são foda... Vai ver isso lá com a Economia.

– Já vi – respondeu Erno. – O Salim adorou, super topa trocar despesa de agora por dívida futura – disse, referindo-se a José Salim Mattar Júnior, então secretário de Desestatização e Mercados do Ministério da Economia, com quem tratava do assunto.

Aquele empréstimo entusiasmava Erno, mas só a ele. O ministro foi aconselhado pelos assessores da área jurídica a não tocá-lo adiante. Consideravam-no desnecessário e arriscado. Mandetta passou a mudar rapidamente de assunto todas as vezes em que a operação era invocada. A ideia foi morrendo nos dias seguintes até desaparecer por completo.

A pedido do ministro, as secretárias chamaram a segunda convidada do dia. Entrou Solange Vieira, que se sentou na mesma cadeira onde seu colega estava, ao lado de Mandetta. A participação dela na reunião anterior deixara péssima impressão no pessoal da Saúde. Dessa vez, ouviu tudo calada.

Seguiram-se debates sobre a Força Nacional do SUS, a incorporação dos bancos de dados do IBGE, da Anatel, da Aneel e da Receita Federal no Cad-SUS, que é o cadastro dos pacientes do SUS, as novas dificuldades do painel de leitos da Saes e o projeto de teste em massa da população a cargo da SVS, que também patinava havia dias.

O primeiro escalão foi, enfim, liberado para seus afazeres. Mandetta trancou-se na sala de despachos com os amigos e assessores da política – Lupion, Aleluia e Alex –, e também Gustavo, seu chefe de gabinete, a dra. Cristina, Juliana e Carlos Andrekowisk. A eles, contou o que se passara na véspera.

Disse que a reunião com Bolsonaro acontecera na frente de todos os outros ministros. Em momento nenhum o presidente falou em demissão com ele. De forma mais polida e ainda mais respeitosa do que já o fora da primeira vez, Mandetta repetiu a ideia central da famosa conversa do sábado de manhã no Alvorada.

Falou que o chefe do governo não respeitava a própria equipe, que tratava de assuntos de saúde sem ouvir seu ministro, que recebia médicos à revelia de quem estava coordenando o combate à epidemia, que descumpria ostensivamente as orientações de saúde pública, que daquele jeito a velocidade de transmissão da doença seria acelerada e que o sistema de saúde entraria em colapso.

Ao longo do dia, exceto sobre o que se passou na reunião ministerial, explicações sobre os acontecimentos da segunda-feira começaram a ser publicadas nas versões on-line das colunas dos jornais. Elas batiam com as informações que nos chegavam sussurradas do Palácio do Planalto.

Bolsonaro decidira mesmo demitir Mandetta pela manhã. Osmar Terra atuara como uma espécie de consultor da sucessão. Deu palpites, intermediou conversas, opinou sobre nomes. Chegou a ser aventado para o cargo. Acabou preterido por ser político demais. O presidente queria alguém mais identificado com o meio médico, um nome mais técnico.

A certeza quanto a mandar embora o ministro da Saúde foi abalada a partir da entrada em cena dos generais Ramos e Braga Netto. Numa longa conversa no gabinete presidencial, no terceiro andar do Palácio, eles fizeram Bolsonaro enxergar que a demissão de Mandetta naquele momento poria o governo numa crise política desnecessária. A população estava protestando, batendo panela nas casas, como fizera na deposição de Dilma Rousseff. Melhor seria ganhar tempo, e fazê-lo quando a popularidade do subalterno sofresse algum revés.

Acertaram em cheio. O ministro da Saúde cometeria um erro de cálculo político menos de uma semana depois.

Há que se levar em conta que, àquela altura, Mandetta sabia que seria demitido de uma forma ou de outra. Já tinha dado motivos para tanto e não nutria mais um grande entusiasmo em estar ali. Só não estava fora do governo por algo extraordinário, a completa inabilidade política do presidente da República o isolava tão assustadoramente que ele se tornava fraco para mandar embora o subordinado.

O tema tornara-se maior do que a própria pandemia. A epidemiologia seguia atualizada diariamente, o ministério tentava controlar a agenda da comunicação, como sempre fez, o colapso do sistema em Manaus de fato chegou, o alarme começou a soar em outras cidades – Fortaleza, Belém, Recife, Rio de Janeiro, nessa ordem.

Mas todas as atenções da opinião pública se voltaram para a briga do presidente com seu ministro. Analistas tentavam explicar isso à população, sem sucesso.

Por conta da localização estratégica, a apertada sala da advogada Juliana Freitas tornou-se naqueles dias o ponto de encontro da resenha do gabinete. Ficava contígua à sala de reuniões e de frente para o corredor que se encerrava na porta de entrada da sala de despachos do ministro. O próprio Mandetta costumava ir até lá no final do expediente para bater papo e comer as guloseimas postas na pequena mesa redonda de reuniões – sempre havia um vaso repleto de chocolates e pelo menos um bolo desses brancos amanteigados, comprados de uma vendedora ambulante na calçada de entrada do prédio.

A tevê ficava ligada, alternando-se entre a CNN Brasil e a GloboNews. Nós nos divertíamos com as análises dos jornalistas. Naquele dia, o ministro entrou e estávamos assistindo a uma curiosa interpretação sobre o que ele quis dizer com o Mito da Caverna de Platão no discurso do Dia do Fico. "Não, só pode ser maconha estragada", gozava alguém.

Ele se sentou na cadeira mais perto da tevê, virou para nós e, depois de teclar no celular, exibiu a tela para que a enxergássemos.

– Quem fez a melhor análise foi esse cara aqui, ó – tocou o dedo onde estava o sinal de "play" e nos fez assistir a dezenove minutos de um vídeo publicado no YouTube.

Nele, estava o coordenador nacional do Movimento Brasil Livre (MBL), Renan Santos, escrutinando cada vírgula do discurso e, ao mesmo tempo, fazendo uma análise comparada com a atitude de Bolsonaro na chefia do governo.

Com Renan à frente – era o articulador por trás da face mais conhecida do movimento, o hoje deputado federal Kim Kataguiri –, o MBL teve papel importante na mobilização dos jovens para pressionar o Congresso a depor Dilma Rousseff, em 2016. Utilizou massivamente as redes sociais para tanto, de forma que tinha um esquema bem armado de comunicação digital.

Obviamente, o MBL apoiou o governo quando o vice-presidente Temer assumiu o lugar da deposta Dilma. E depois, na eleição seguinte, defendeu Bolsonaro contra o petista Fernando Haddad. Quando a gestão Bolsonaro começou a se revelar confusa, fraca, incapaz de implantar uma agenda liberal na economia e a aviltar os princípios democráticos, o movimento abandonou-a. Passou a criticá-la e a ser chamado de traidor pelos seguidores do presidente.

Renan começou o vídeo empunhando uma guitarra e cantando "Como um boiadeiro / vou levando a boiada / pela longa estrada, vou / estrada eu sou". São versos da música "Tocando em frente", de Almir Sater, com a qual Mandetta concluiu o discurso do Dia do Fico. O ministro é amigo do músico, como ele nascido em Campo Grande, com quem vez ou outra "toma umas pinga" na fazenda.

Renan dizia no vídeo que Mandetta escolhera essa canção para explorar a ideia de travessia e de caminhada.

– Ele é um boiadeiro conduzindo a boiada numa travessia. Ele tá conduzindo pessoas por essa crise do coronavírus, é um trânsito, não é uma coisa que vá durar. Primeiro que o boiadeiro não é o dono da boiada. Ele é contratado praquela empreitada e não necessariamente ele vai estar sempre com aquela boiada, ele vai só cumprir o destino dele. Então, ele não vai ficar, ele só quer fazer a travessia, cumprir seu destino e ser a estrada. Isso daí é sabedoria popular brasileira e não populismo brasileiro, como Bolsonaro faz. É a diferença entre a inteligência do homem comum brasileiro e o populismo brega, cafona, burro que infelizmente é seguido pelo presidente.

O discurso do Dia do Fico massacrava Bolsonaro como um rolo compressor. Colunas e editoriais nos jornais se refestelaram com o Mito da Caverna. Analistas gastavam minutos, horas com aquilo no noticiário das tevês a cabo, nas rádios.

Comecei a ter um *déjà-vu*. Acuado, Bolsonaro iria reagir. Mandetta seria atacado novamente. Outra *fake news*? Um passeio na feira? Decreto da cloroquina? Quem seria a bucha de canhão dessa vez?

Houve de tudo um pouco. E começou 48 horas depois.

Capítulo 20
Fevereiro de 2020

Codogno é uma pequena cidade italiana de 15 mil habitantes. Fica perto, muito perto, sessenta quilômetros distante apenas, da grandiosa Milão, centro financeiro do país e espécie de capital mundial da moda.

Lá, na pequena Codogno, vivia Mattia, um homem perfeitamente saudável, de 32 anos, casado, com histórico de atleta e vida sem excessos. Na sexta-feira, 14 de fevereiro, ele começou a sentir dores pelo corpo e tinha febre. Uma tosse leve, seca, o atormentava.

Na terça-feira seguinte, Mattia decidiu procurar um médico. Passou no pronto-socorro do hospital municipal, contou o que estava sentindo e fez raios X do tórax. As radiografias atestaram uma pneumonia leve. Mas não havia com o que se preocupar. Deram-lhe remédios e ele preferiu voltar pra casa.

Horas depois, na quarta-feira, Mattia voltou ao pronto-socorro, mas não mais andando com as próprias pernas. Seu estado era gravíssimo. A pneumonia já consumira seus dois pulmões. Ele precisou ser reanimado.

A médica que o atendeu, a anestesista Annalisa Malara, 38 anos, ficou inquieta por ver que o paciente não reagia à terapia normal para casos clássicos de pneumonia. Chamou a esposa e interrogou-a. Afinal, ele teve contato com alguém vindo da China? A mulher se lembrou de um jantar com um amigo na semana anterior, mas não tinha certeza.

Apesar de não ser infectologista, a dra. Malara tomou a frente do caso. Tempos depois, explicou que "quando um paciente não responde aos tratamentos normais, na universidade me ensinaram a não ignorar a pior hipótese". Ela decidiu requerer exame para coronavírus. O caso não era considerado suspeito pelos protocolos italianos.

Na Itália, o sistema de saúde pública é parecido com o brasileiro. Mas para fazer exames e outros procedimentos após o atendimento do médico de família, o cidadão precisa pagar uma espécie de taxa referente ao que eles chamam de "ticket sanitário".

O caso de Mattia era diferente. Ele tinha ido direto para o hospital, sem passar pelo médico de família. O exame era requerido por uma anestesista e ainda mais num caso não indicado pelos protocolos clínicos do sistema. Assim, disseram-lhe que o teste só poderia ser feito se ela assinasse um termo de responsabilidade. Aí, sim, o "ticket sanitário" seria emitido.

A anestesista o fez na quinta-feira, 20 de fevereiro. A amostra de secreção da mucosa nasal seguiu para Milão pouco depois do meio-dia. Horas depois, às 20h30, chegou o resultado: sim, Mattia era o primeiro caso oficial de Covid-19 na Itália.

No domingo, 72 horas depois do diagnóstico de Mattia, o número oficial de infectados já contava 130 pessoas, muitas delas profissionais de saúde do próprio hospital onde ele fora atendido. Uma semana depois, já eram mais de quatrocentos contágios e pelo menos dez mortes. Dez dias depois, havia 5,3 mil doentes e mais de duzentos mortos na região da Lombardia, onde ficam Milão e seu pequeno satélite Codogno.

A velocidade com que a epidemia mostrou a cara depois do primeiro diagnóstico consolidou entre os médicos italianos a crença de que o vírus circulou livremente por semanas até ser detectado pela inquietude da dra. Malara. Ele provavelmente foi confundido com a gripe comum e se espalhou rapidamente por pessoas assintomáticas.

O infectologista Fabrizio Pregliasco, em entrevista ao jornal espanhol *El País*, afirmou que Mattia é chamado de paciente 1, mas provavelmente é o paciente 200. Como ninguém sabe quem transmitiu para ele – o amigo com quem jantou fez exame e deu negativo –, não se sabe quem é o paciente zero na Itália.

A história da Covid-19 na península itálica faz parte da pré-história da doença no Brasil. Pois os dois povos têm uma estreita relação.

Há, no Brasil, estados em que metade da população descende de italianos – como Santa Catarina e Espírito Santo. Em São Paulo, a mais rica das nossas províncias, há 13 milhões de brasileiros com sobrenome italiano.

A migração se iniciou em 1870, com políticas de estímulo do governo após a proibição do tráfico de escravos, vinte anos antes. Os "carcamanos" vieram eivados de promessas, mas na verdade serviriam para substituir a mão de obra negra, que já não podia ser arrebatada da África.

Muitos dos que chegaram fizeram fortuna e se tornaram, ao longo dos anos seguintes, ricos e influentes industriais, sobretudo em São Paulo. De modo que até hoje, nos períodos de férias, inúmeras famílias brasileiras ricas cruzam os mares para visitar a terra de seus antepassados.

Enquanto o coronavírus passava de pessoa para pessoa e era confundido com simples resfriado na região da Lombardia, muitos brasileiros estavam por lá curtindo o que para nós são as férias de verão.

Um desses viajantes, um homem morador da cidade de São Paulo, de 61 anos, foi para aquele país, comeu bem, bebeu vinho nacional, visitou Milão e arredores e voltou ao Brasil pouco antes do Carnaval. Na terça--feira de Carnaval, 25 de fevereiro, procurou o Hospital Albert Einstein, privado, fundado pela comunidade judaica, caríssimo, excelente, onde são tratados os ricos e poderosos brasileiros. Queixava-se de febre e dores pelo corpo. Tinha ainda aquela aborrecida tosse seca. Acabara de chegar da Lombardia.

Apesar de até então a Itália não estar oficialmente na lista protocolar de destinos suspeitos, já eram muitas as notícias dos primeiros casos na região da Lombardia que chegavam ao Brasil por intermédio das agências internacionais, sobretudo a respeito de como o número se multiplicava dia após dia em ritmo frenético. Então, a rede Cievs fora instruída a ficar atenta aos casos brasileiros que tivessem passado pela Itália.

Naquele tempo, o Ministério da Saúde vinha havia um mês e três dias prestando contas à população quase que diariamente. Haviam sido 22 entrevistas coletivas. Elas aconteciam de segunda a sexta-feira. Aos sábados e domingos, fazíamos uma pausa para balanço.

O ministro da Saúde estivera apenas em cinco delas até então. Aparecia sempre que um fato marcante da epidemia exigia sua presença – como no início de fevereiro, quando o Brasil elevou seu grau de alerta e declarou emergência de saúde pública de importância nacional.

Normalmente, quem estava lá, à frente das coletivas, eram o dr. Gabbardo e o secretário Wanderson. Pela hierarquia, o número dois do ministério presidia a mesa, o outro fazia a atualização do Boletim Epidemiológico. O formato já se cristalizara: o chefe da Vigilância apresentava os dados num PowerPoint, em que a situação do mundo e do Brasil eram passadas em revista. Depois, os dois dedicavam dezenas de minutos a responder a dúvidas da imprensa.

Até a véspera, tudo o que se fazia era contar os casos suspeitos, que iam aparecendo estado por estado. Havia método. O paciente era enquadrado, isolado, testado e, após o resultado negativo, descartado. Os dados eram gerados nas secretarias estaduais e postos nos bancos de dados administrados pelo Ministério da Saúde. Como combinado, só entravam nas estatísticas os registros feitos até o meio-dia, o que sempre gerava um pequeno atraso no dado apresentado na entrevista.

A última coletiva fora realizada na segunda-feira, 24 de fevereiro. O secretário Wanderson a apresentou sozinho – como era a semana do feriado de Carnaval, iria se revezar com o dr. Gabbardo.

Os dados mundiais somavam 78.811 doentes confirmados, com 2.462 mortes. Mais de 97% desse movimento aconteciam na China, apesar de o vírus já ter se espalhado para 31 outros países – inclusive Estados Unidos (35 casos) e Canadá (nove). No Brasil, 53 pessoas haviam sido consideradas suspeitas de infecção, porém testadas e descartadas. Quatro permaneciam sob investigação.

Nesse clima de inquérito epidemiológico, o Hospital Albert Einstein colheu a amostra de secreção da mucosa nasal do homem de 61 anos que o procurara e seguiu as orientações: passou no painel viral, que não deu nada. Então, levou para a etapa seguinte, o RT-PCR. Sim, era coronavírus.

Como o laboratório do Einstein fazia, na ocasião, seu primeiro exame daquele tipo, seria preciso checar se tudo fora feito corretamente. Assim, a amostra teve que ser submetida a uma contraprova no Instituto Adolfo Lutz, que desenvolvera a técnica laboratorial junto com as universidades de São Paulo e de Oxford.

A contraprova confirmou: coronavírus.

O Cievs paulista, que prontamente notificara a suspeita, acionou a vigilância municipal e seus técnicos saíram para identificar, isolar e monitorar todo mundo que havia mantido contato com o senhor internado no Einstein nas 48 horas anteriores. A Anvisa foi acionada para descobrir quem eram os passageiros nas poltronas próximas, no avião. Eles também seriam monitorados.

Deu-se uma frenética troca de telefonemas entre o secretário Wanderson, o ministro Mandetta, o governador João Dória e o secretário estadual de Saúde, José Henrique Germann. Mandetta também informava tudo a seu chefe, Bolsonaro, deixando-o a par dos acontecimentos.

O ministro convidou Germann para vir a Brasília participar do anúncio, a ser feito na entrevista coletiva diária do dia seguinte, 26 de fevereiro, Quarta-feira de Cinzas. O secretário paulista chegou cedo ao ministério. Estava acompanhado do diretor de Controle de Doenças da secretaria estadual, Paulo Rossi Menezes. Ambos participaram da reunião do primeiro escalão, na sala de reuniões do quinto andar, no gabinete do ministro. Mandetta vestia terno escuro e gravata cinza. Estava tranquilo, porém sério.

– Bom dia a todos, hoje temos aqui conosco o secretário de Saúde de São Paulo, o Zé Henrique, que vai anunciar junto com a gente a confirmação do primeiro caso.

O ministro contou das conversas todas que tivera desde o dia anterior. Convidado a falar, Germann elencou como o protocolo foi seguido desde a notificação do caso. E deu detalhes de como as equipes de vigilância montavam o bloqueio sanitário em volta dos contatos do primeiro diagnosticado.

A reunião do primeiro escalão costumava durar horas. Começava no início da manhã e acabava sempre próximo ou depois da hora do almoço. Naquele dia, porém, deve ter levado pouco mais de meia hora de relatos e conversas. Combinou-se qual o tom do comunicado, quem falaria o quê.

Todos já sabiam seu papel, o roteiro que precisam cumprir e como fazê-lo. Era só descer e encarar a imprensa, que já estava a postos no auditório Emílio Ribas, no térreo do prédio do ministério.

A coletiva daquele dia durou pouco mais de duas horas.

Mandetta abriu-a, explicando que o ministério antecipara o horário da entrevista, normalmente marcada para as 16 horas, porque havia um fato relevante a ser informado. Apresentou todos à mesa. Além dos já tradicionais Gabbardo e Wanderson, e mais os paulistas, estavam o diretor-executivo do Conass, Jurandir Frutuoso, e o coordenador técnico do Conasems, Nilo Bretas Júnior.

– Bom, conforme o coronavírus vai se disseminando... – entoou o ministro, sério. – Na semana passada, nas avaliações que nós fizemos, nós havíamos feito o painel global, começamos somente com a província de Wuhan, depois passamos para toda a China, depois passamos para oito países, Japão, Coreia, vocês devem ter a lista aí... Cingapura, basicamente aquela península asiática. Na sexta-feira, a situação na Europa se mantinha naqueles números habituais. A Itália comunicou o primeiro óbito e, na segunda-feira, comunicou nove óbitos e fez todo aquele movimento em relação ao entorno de Milão. Naquele momento, o Ministério da Saúde, através aqui da Secretaria de Vigilância, do Gabbardo, colocamos também a Itália como país que se você é procedente dessa região que tem uma transmissão sustentada e apresente caso de febre, tosse, enfim, respiratórios, os profissionais de saúde já podiam fazer o nexo com a possibilidade dessa doença. Ao fazermos esse procedimento e comunicarmos a toda a rede, um paciente que ficou na Itália do dia 9 até o dia 21 de fevereiro chegou assintomático, sem nenhum tipo de sintoma, permaneceu sexta, sábado, no domingo, fez uma reunião familiar no retorno da viagem, e na segunda-feira procurou uma unidade de saúde, que em função do nexo com a Itália, o pronto atendimento e o padrão de atendimento dado no Hospital Albert Einstein foram dignos de nota porque coletou o material e adotou o mesmo padrão de excelência nas PCRs do Ministério da Saúde. Então, quando ele confirma positivo, ali naquele momento a gente faz a contraprova por segurança e controle, mas já disparamos as medidas, assumindo o caso como um caso de atenção à saúde, de cuidado intensivo dele e de seus contactantes. A partir dali começa-se todo um trabalho de localização de quais são os contatos, quais são os que a gente coloca próximos, contatos eventuais... Os próximos são a esposa... pessoas que estão em contato prolongado e íntimo. E os contatos eventuais são as pessoas que ficaram por instantes com esse paciente. O Adolfo Lutz recebe o material, concluiu o material num tempo muito bom, foi de uma agilidade muita intensa, não é?

Ao dizer isso, Mandetta olhou para Germann, como que em busca de aprovação. O corpulento e bigodudo secretário paulista assentiu. O ministro continuou:

– Nós já tínhamos a confirmação, o que só reforçava o caso positivo já diagnosticado laboratorialmente pelo Einstein.

Ele lembrou que o Brasil se antecipara dias antes, elevara seu nível de alerta e declarara a Espin. O que significava que após a confirmação do primeiro caso não havia mais como subir a gradação da Vigilância em Saúde. E disse mais:

– A doença é mais uma síndrome gripal, mais agressiva nos pacientes de mais idade, nos pacientes acima de sessenta, setenta e oitenta anos. Os pacientes jovens são muito poupados. Até por isso eu entendo um pouco a reação da Itália, que é um dos países que tem o maior número de idosos do mundo, então eles lá devem ter um tipo de comportamento da doença típico de uma sociedade extremamente... de muitos idosos. Nós estamos no hemisfério sul, nesta semana, acho que foi segunda-feira, quer dizer, na terça, foi ontem, a Argélia, e agora o Brasil confirmando, então no hemisfério sul agora é que nós vamos ver como é que o vírus vai se comportar numa situação de um país tropical, em pleno verão, como vai ser o padrão de comportamento. É um vírus novo, ele pode manter o mesmo padrão de comportamento de transmissão que ele tem no hemisfério norte, onde basicamente você tem o frio, você tem a temperatura como fator aonde ele já está se colocando, já se percebe como é o comportamento do vírus, e agora no hemisfério sul a gente começa a perceber qual vai ser o comportamento dele.

O ministro não percebeu o erro elementar de geografia que cometeu ao localizar a Argélia no sul. O país africano fica acima da linha do equador, portanto no hemisfério norte. Foi um pecadilho.

Além da transparência na apresentação das informações, a mensagem era de tranquilidade e esperança. A retórica procurava explicar todo o fenômeno social que cerca a pandemia, assegurando confiabilidade junto à audiência. Com esse objetivo em mente, ele prosseguiu:

– Os números de casos em função de toda a rede de comunicação global que existe, é quase como se vocês estivessem todos acompanhando em tempo real uma situação, então isso acaba transmitindo pras pessoas todas uma sensação de estresse muito grande, mas nos números globais, quando a gente olha a China, quando a gente olha um bilhão e seiscentos milhões de habitantes, já convivendo com esse quadro desde provavelmente novembro, mas oficialmente dezembro, ela já com setenta mil casos, você consegue ter mais ou menos qual é o grau de transmissibilidade e qual é o grau de letalidade. São perguntas que, no início, a gente fica muito sem ter condições de responder, mas que agora a gente já começa a ter um volume científico para começar a ter essa percepção.

No longo discurso de abertura, Mandetta enfrentou tópicos que já apareciam no noticiário. Comentaristas defendiam o fechamento das fronteiras, como fizera a China, para barrar a doença. O ministro sempre criticou essa visão.

– Há sempre uma dúvida sobre o que se faz com as fronteiras, o que se faz com os voos. O mundo é conectado, o mundo é globalizado. Esse paciente saiu da Itália, mas ele foi pra conexão em Paris, o voo era procedente da França, não era procedente da Itália, então isso é comunicado para a OMS, que vai fazer os contatos, há pessoas de outros países, enfim, é uma situação em que a gente fica tentando mapear, entender o deslocamento das pessoas e do vírus. Aumentam a nossa vigilância e os nossos preparativos para atendimento. São Paulo é a nossa cidade mais populosa, é uma cidade... se temos uma comunidade chinesa baixa, e um trânsito baixo da China para com o Brasil, já com a Itália e com os países europeus nós temos uma comunicação, temos comunidades muito extensas, então a gente percebe que esse trânsito de pessoas deve se intensificar porque as pessoas, com receio, antecipam a volta, antecipam voltas de férias, aqueles que estão fazendo intercâmbio, que estão fazendo longas permanências, decidem voltar pro Brasil, então a gente vai monitorar essa situação da melhor maneira, para que a gente possa ir mapeando e fazendo o controle das situações.

Ele nunca deixava passar a oportunidade de enaltecer o SUS e assim chamar aos brios os milhares de profissionais de saúde que atuam por todo o Brasil.

– É mais um tipo de gripe que a humanidade vai ter que atravessar. Das gripes históricas com letalidade maior, o coronavírus se comporta a menor e tem transmissibilidade similar a determinadas gripes que a humanidade já superou. Nosso sistema já passou por epidemias respiratórias graves. Iremos atravessar mais esta, analisando com os pesquisadores e epidemiologistas brasileiros qual é o comportamento desse vírus num país tropical.

A coletiva correu exatamente como queríamos.

No dia seguinte, Mandetta retribuiu a visita de Germann e foi a São Paulo. O governador Dória concedeu uma entrevista longa, tendo o ministro da Saúde a seu lado. Voltaram a explicar os protocolos sanitários, a situação, os planos, a tática de bloqueio.

Àquela altura, o coração do país estava no tema da saúde. A audiência das entrevistas coletivas crescia continuamente. Chegavam relatos pelas redes sociais de que famílias as acompanhavam com regularidade, como se fossem novela.

A imprensa abria muito espaço para os dados e posições do ministério. Mas se o coração era nosso, os olhos do país, esses eram capturados continuamente para outro lado, para uma tensão que não cessava.

Ora ativistas do bolsonarismo contavam mentiras, inclusive com insinuação sexual contra a jornalista Patrícia Campos Melo, repórter da *Folha de S.Paulo* na Comissão Parlamentar de Inquérito criada para investigar as notícias falsas durante a eleição de 2018 – o próprio Bolsonaro fez piada com inclinação sexual contra a jornalista em frente ao Palácio da Alvorada! –, ora uma matéria duvidosa da TV Globo insinuava o envolvimento do presidente da República com os acusados do assassinato da vereadora Marielle Franco, ora era o todo-poderoso ministro da Economia a chamar os funcionários públicos de parasitas, ora era o ex-PM fluminense Adriano da Nóbrega, personagem muito próximo da família Bolsonaro, morto a tiros pela Polícia Militar na Bahia...

O governo acontecia sob uma torrente interminável de crises, polêmicas e tensionamentos com tudo e com todos, inclusive e sobretudo com os poderes estabelecidos no Congresso e no Judiciário.

No mesmo dia que Mandetta participava da coletiva de João Dória, a jornalista Vera Magalhães, perseguida e odiada pelos bolsonaristas, publicava no serviço digital "BR Político", do jornal *O Estado de S. Paulo*, um artigo em que dizia:

O ministro LHM não é um campeão de popularidade. Nem junto ao presidente. Também não é usuário assaz das redes sociais, tão em voga no bolsonarismo militante.

Mas sua pasta soube se municiar de informações, dados e protocolos, e está sabendo comunicar de forma eficiente, de forma a não deixar que o pânico tome conta da população, todos os cuidados que devem ser tomados agora que existe um caso comprovado no Brasil.

A montagem da quarentena em Anápolis para os repatriados da China, as entrevistas coletivas diárias com técnicos pacientes e preparados, o envolvimento discreto, mas real, do próprio titular da pasta nas decisões e nas entrevistas a respeito da crise, e a importante decisão de incentivar as pessoas a fazerem isolamento doméstico, em vez de correrem para hospitais – o que aumentaria o risco de o vírus se alastrar, além de levar casos a um sistema já hipertrofiado –, são exemplos de como técnica, uso de dados e evidências e equipe gerencialmente capaz fazem a diferença na administração de políticas públicas.

No dia seguinte, a jornalista Miriam Leitão, uma das mais respeitadas e premiadas do país, igualmente odiada pelos bolsonaristas, escreveu um artigo em seu blog hospedado no site do jornal *O Globo*. Disse:

> É preciso que a comunicação do presidente flua de forma mais serena, como tem acontecido, por exemplo, nas entrevistas do ministro da Saúde, Luiz Henrique Mandetta.
>
> A crítica à comunicação do presidente não é por uma questão corporativa dos jornalistas. A sociedade precisa dialogar. O presidente ataca repórteres e veículos de forma obsessiva enquanto deveria se dedicar aos assuntos do cargo. Ele foi eleito para governar o Brasil. Um presidente deve sentar com os parlamentares para conversar sobre o orçamento, por exemplo, ao invés de achar que vai acuar o Congresso com uma manifestação de rua.
>
> O presidente enviou esta semana vídeos que convocam para manifestações contra o Congresso. A jornalista Vera Magalhães, do *Estado de S. Paulo*, revelou o fato e foi atacada por Bolsonaro na transmissão feita na noite de quinta-feira.
>
> A imprensa tem um papel importante no contraditório, e não consegue exercê-lo nesse governo. As *lives* no Facebook não permitem contestação. Numa entrevista, certamente um jornalista perguntaria a Bolsonaro se ele teria se enganado sobre a data do vídeo, que trazia imagens da facada sofrida em 2018. Ao ser lembrado disso, o presidente poderia se corrigir. Esse é só um exemplo de como o trabalho do jornalista ajuda a informar melhor o público. É o papel do meio entre a fonte e o público. Mas Bolsonaro prefere eliminar esse meio de todas as formas. Nas entrevistas na saída do Palácio da Alvorada, o presidente responde aos gritos diante da sua claque de apoiadores.

Durante a transmissão pelo Facebook, ontem à noite, ele disse que vai sugerir aos empresários da Fiesp que deixem de anunciar na revista Época e na *Folha de S. Paulo*. O presidente não pode usar do poder de seu cargo para inibir os empresários. A Federação das Indústrias recebe recursos públicos do Sistema S.

Não se pode considerar normal esse comportamento do presidente. O Brasil tem inúmeros problemas a enfrentar. É neles que Bolsonaro deveria concentrar sua atenção. Por isso a atuação do ministro da Saúde, Luiz Henrique Mandetta, é uma espécie de oásis nessa administração, como definiu o cientista político Sérgio Abranches. Mandetta explica sobre o coronavírus, alerta a população, esclarece os fatos e responde aos jornalistas sem gritos.

Um dia depois, o jornalista Fábio Pannunzio, veterano do Grupo Bandeirantes, usou o Twitter, rede social que, então, era a preferida dos bolsonaristas, para tecer a seguinte descrição:

Henrique Mandetta é uma flor no pântano do governo Bolsonaro. É incrível que desse ambiente possa sair alguém que preza a ciência, elogia o SUS e mobiliza o Estado em benefício do interesse do cidadão. Posso afirmar tranquilamente que, dado o contexto, Mandetta é uma aberração.

No mesmo dia, o cineasta Cacá Diegues, diretor dos celebrados *Xica da Silva* (1976) e *Bye Bye Brasil* (1979), publicou um artigo no jornal *O Globo* intitulado "Dois do mesmo time". Afirmou:

Para quem não acredita que um governo ruim possa contar com um bom servidor, recomendo acompanhar e avaliar, sem o peso desagradável do chefe, os serviços que vêm sendo prestados pelo ministro da Saúde, Luiz Henrique Mandetta. Desde que as maldades do coronavírus começaram a se manifestar, neste início de 2020, o ministro

Mandetta tem sido de uma total presteza e serenidade. Ele tem nos alertado diariamente sobre a expansão para o Brasil do vírus, anunciando inclusive que não são mais vinte ou trinta suspeitos de infecção, mas duzentos, trezentos ou mesmo uns quinhentos. Ao mesmo tempo, ensina à população os meios mais simples e eficientes de evitar a contaminação. O ministro acaba por nos ensinar até como lavar as mãos.

No ministério, recebíamos aqueles sinais todos na imprensa com inquietude. "Isso não é nada bom", vivia repetindo a dra. Cristina, quando me encontrava, arqueando as sobrancelhas sobre aqueles imensos olhos azuis. "Ciúme de homem é uma desgraça. Você não viu o que aconteceu com Bebianno?", argumentou, referindo-se à demissão do então ministro-chefe da Secretaria-Geral da Presidência no início do governo.

O advogado Gustavo Bebianno foi um dos primeiros apoiadores do presidenciável Jair Bolsonaro. Coordenou a campanha e era ministro poderoso quando acabou ejetado do cargo e abandonado pelo presidente no segundo mês de governo. A acusação que teve contra si para tanto teria sido a suprema traição de buscar articulação com a TV Globo, maior grupo de mídia do país, que já vivia às turras com o governo.

Bebianno sofreu um infarto fulminante em março de 2020 e morreu aos 56 anos de idade, quando articulava a própria candidatura à prefeitura do Rio de Janeiro pelo PSDB, seu novo partido.

O prestígio crescente de Mandetta junto à opinião pública e as flores jogadas sobre ele pela imprensa, sabíamos todos nós, acabariam por derrubá-lo do cargo.

O processo se desenrolaria nas semanas seguintes.

O segundo caso de Covid-19 no Brasil também veio da cidade de São Paulo: um homem de 32 anos. Como seu "antecessor", ele faz parte de uma família rica. Tinha ido à Itália a passeio, voltou infectado e procurou o Hospital Albert Einstein, onde foi diagnosticado no mesmo dia que Cacá Diegues tecia loas a Mandetta no jornal.

No caso do segundo brasileiro diagnosticado, o exame não precisou ser submetido à contraprova. O Ministério da Saúde considerou que, já tendo acertado no primeiro paciente, os processos laboratoriais do hospital privado podiam ser dados como compatíveis aos do Adolfo Lutz, que era a referência, o padrão-ouro.

Naqueles dias, vivíamos o auge do que podemos chamar de fase de vigilância. O trabalho era basicamente montar sentinela para encontrar qualquer pequeno sinal de infecção, dar o bote sobre ele, isolá-lo e fazer um bloqueio em torno para evitar a dispersão do vírus.

Era um trabalho impossível, dada a imensidão do Brasil, mas faz parte das fases requeridas do combate a uma epidemia. Precisávamos passar por ele.

Na manhã de 2 de março, Mandetta chegou à reunião do primeiro escalão com o olhar fixo. Não dormia bem. Estava acordando no meio da madrugada e punha-se a ler sobre a disseminação do vírus. Chegou a uma conclusão surpreendente.

– Estou convicto de que a OMS tá errada, a China tá errada, o mundo inteiro tá errado: esse vírus não é gotícula, ele é aerossol!

Aquela afirmação, se fosse verdade, mudava tudo o que se sabia sobre a doença e as ações pensadas para combatê-la. Pois o vírus que se espalha por gotícula é muito menos contagioso do que aquele que se espalha por aerossol. Enquanto um precisa do perdigoto, o outro viaja pelo ar de um hospedeiro a outro.

Durante a reunião propriamente dita, o ministro listou uma série de reparos encomendados a toda a equipe: na Atenção Primária, queria enfermagem com salas de isolamento respiratório e a elaboração de um termo de isolamento domiciliar a ser prescrito pelos médicos a doentes com sintomas leves; na Atenção Especializada, pediu que todas as ações referentes ao Rio de Janeiro fossem tomadas em separado, de forma especial ("o Rio é nossa Índia, tá tudo acabado lá", dizia); com a Secretaria-Executiva, discutiu o pedido de R$ 2 por habitante para ser mandado a cada estado, feito pelo Conass; com a Vigilância em Saúde, debateu detalhes técnicos da fábrica de testes da Fiocruz; do Dlog, cobrou a aquisição de máscaras e EPIs para os profissionais de saúde. Por fim, determinou que a Secretaria de Atenção Primária apresentasse um projeto para que todos os postos de saúde de cidades acima de 300 mil habitantes ficassem abertos até as 22 horas.

– Estamos em emergência sanitária nacional! – esbravejou.

Terminou a reunião e pediu a Thaisa Lima, da assessoria internacional, que ficasse na sala para ajudá-lo a redigir um artigo que pretendia publicar nas revistas médicas científicas.

– A conta de letalidade tá errada – introduziu. – Ela é baseada nos critérios da China. Se a transmissão é aerossol, significa que a transmissibilidade é muito maior. Portanto, a letalidade é muito menor. Os testes RT-PCR custam mil dólares, não dá para testar toda a população. Então esse cálculo é fundamental para a gente construir uma estratégia. Está errada a condução da OMS. Nesse artigo, eu quero analisar o equívoco. Vamos ver se a OMS muda. O comportamento do vírus no hemisfério norte é um. Agora vem a parte pobre do planeta, o hemisfério sul.

Thaisa saiu dali bem brifada pelo próprio Mandetta e incumbida de apresentar a minuta de um artigo em que ele pretendia abrir um imenso debate na comunidade científica mundial. O texto foi feito, mas permanece inédito até hoje.

No dia seguinte, 3 de março, o ministério aumentou formalmente a lista de países "suspeitos". Passaram a ser 27 os destinos dos quais um viajante seria monitorado: Alemanha, Austrália, Canadá, China, Coreia do Norte, Coreia do Sul, Croácia, Dinamarca, Emirados Árabes Unidos, Espanha, Estados Unidos, Finlândia, França, Grécia, Holanda, Indonésia, Irã, Itália, Japão, Malásia, Noruega, Reino Unido, San Marino, Cingapura, Suíça, Tailândia e Vietnã.

Em 4 de março, um colombiano de 46 anos, morador de São Paulo, voltara de uma viagem em que passou por Espanha, Itália, Áustria e Alemanha. Chegando ao Brasil, sentiu dores de cabeça e na garganta e uma tosse seca e chata. Foi ao Albert Einstein, fez os exames e testou positivo para o coronavírus. Tínhamos, portanto, apenas casos importados, ou seja, a infecção ocorrera no exterior e fora bloqueada a tempo.

Houve, então, o curioso caso da estudante paulistana.

A menina de treze anos havia viajado à Itália. Hospedou-se nas Montanhas Dolomitas, Alpes italianos, onde foi esquiar. Machucou o joelho e por isso precisou ser atendida num hospital. Quando voltou ao Brasil, tinha a saúde perfeita, nenhum sintoma de nada. Mas ao relatar a viagem, o colégio onde estudava a impediu de entrar. Pelo menos até que apresentasse o exame de Covid-19. Ela, então, procurou um laboratório particular e fez o teste. Que deu positivo!

Mandetta participou da coletiva em que esse caso foi relatado, em 4 de março. Houve uma tremenda confusão, pois a menina era assintomática e só fez o teste por uma exigência da escola. Ocorre que esse tipo de exigência era totalmente contrária às orientações do Ministério da Saúde, para quem um caso suspeito só se configurava diante de sintomas.

Não se sabia, por conta de tudo isso, se o caso dela seria somado aos dados oficiais da pandemia no Brasil ou simplesmente seria posto de lado, numa espécie de asterisco. E mais, um paciente assintomático fora detectado. Não estaria errado o protocolo do Ministério da Saúde?

Ao relatá-lo, o ministro deu tantos detalhes desse caso – excetuando o nome da paciente – que a menina acabou identificada pelos amigos e sofreu perseguição. Não queriam mais nenhum contato com ela.

Ali mesmo, num primeiro momento, antes mesmo de sabermos do *bullying*, o dr. Gabbardo cobrou do chefe.

– Ministro, a gente não pode identificar os pacientes, o senhor falou muitos detalhes do caso – reclamou, baixinho, na saída da coletiva.

No calor daquele momento, Mandetta tinha outro conceito em mente, além do sagrado anonimato do paciente:

– Foda-se! Questão de saúde pública. É mais importante a saúde coletiva do que a individual.

Mas esse rompante durou apenas a caminhada do auditório Emílio Ribas até o elevador, coisa de trinta metros. Ao chegar ao quinto andar, ele virou para Gabbardo e se desculpou.

– Porra, Gabbardo, eu não podia ter falado tanto no caso da menina mesmo. Vocês têm que me impedir de fazer besteira, pô! Me segurem, quando virem que eu vou passar o sinal, puxem o freio!

– Mas, ministro, como é que eu vou fazer? Só se eu cutucar o senhor por debaixo da mesa!

– Cutucar, não! Cutucar, não, ô, Gabbardo, que negócio é esse de cutucar. Chuta minha canela, pô!

Riram os dois.

No dia seguinte, o dr. Jurandir Frutuoso chamou lá na sede do Conass todos os chefes das assessorias de imprensa das secretarias de Saúde estaduais. Propunha uma conversa deles conosco, do ministério, para alinharmos a comunicação. Estavam numa rede de videoconferência. Só nós, de Brasília, estávamos presentes de fato na sala de reuniões. Fui com Juliana Vieira e Newton Palma, a tiracolo.

Soubemos que os servidores das secretarias estaduais de Saúde de todo o Brasil paravam tudo o que estavam fazendo todos os dias, às 16 horas, para acompanhar a nossa entrevista coletiva diária. Disseram inclusive que isso estava se tornando um transtorno, já que havia muito a fazer. E pediram que reduzíssemos a frequência das entrevistas para, quem sabe, três vezes por semana.

Ouvimos deles relatos estarrecedores do que acontecia nos estados.

Na Paraíba, um turista italiano passara mal e pedira auxílio médico. O próprio enfermeiro do Serviço Móvel de Urgência (Samu) avisou à imprensa que estava indo resgatar um possível doente de coronavírus. A ambulância chegou lá junto com os carros de reportagem.

O doente foi filmado deixando a pousada na maca. Moradores se aglomeraram e ensaiaram o empastelamento do lugar, exigindo que fosse fechado em nome da saúde pública. A dona arrumou as malas e expulsou o hóspede, que voltava depois de diagnosticado com infecção intestinal. Havia adoecido após se aventurar na pesada culinária nordestina.

Tínhamos, então, oito casos confirmados no Brasil – seis em São Paulo, um no Rio de Janeiro, outro no Espírito Santo.

Com o debate sobre a exposição da estudante de São Paulo bem vivo na mente, expliquei sobre a necessidade de resguardarmos a identidade dos pacientes. Conclamei as assessorias de imprensa estaduais a repassarem essa orientação à imprensa regional. Disse que dali em diante a pandemia iria ocupar os estados e municípios, que na organização do SUS são quem efetivamente presta assistência à população. Contei que não reduziríamos a frequência das coletivas, pois esse era um ponto que Mandetta não abria mão.

Por fim, ofereci a equipe de Comunicação Social do ministério para qualquer ação de que precisassem. Pedi que ligassem regularmente para Daniel Cruz, o Indiozinho, para manter contato conosco, passar informações e trocar impressões. Passei ali mesmo o número do celular dele, que teve sua vida transformada daquele dia em diante. Desconfio que ele nunca me perdoou por aquilo.

Os dias seguintes trouxeram mais informações técnicas sobre a Covid-19. Na reunião do dia 6 de março, o dr. Gabbardo relatou uma conversa que tivera com médicos do Einstein.

– Estamos tentando dissecar o colapso do sistema de saúde causado pelo vírus. Então me falaram que a doença, a gripe, é mais longa que o normal. Dura cerca de vinte dias. Tem três fases: a primeira entre os dias três e sete, a partir do início dos sintomas, daí dá uma melhorada, vem a segunda onda entre os dias dez e treze, que é bem forte, a doença volta pra arrasar, e a terceira onda geralmente no dia dezessete. Pelo que me falaram, é entre a segunda e terceira onda que o caso complica, se o paciente estiver fraco.

A informação era essencial. Se a doença é mais longa, ocupa leitos hospitalares por mais tempo. O que impactava o cálculo das necessidades de expansão do sistema.

No dia 9 de março, a Secretaria de Atenção Primária levou para a entrevista coletiva uma das encomendas feitas por Mandetta dias antes: o Saúde na Hora 2.0. Ele aumentava ainda mais o bônus pago pela União para cidades que mantivessem os postos de saúde abertos até as 22 horas. Esse dia marcou uma vitória da comunicação social sobre a área técnica, o que era raríssimo.

A reunião de briefing que acontecia às 15h30 na sala do dr. Gabbardo começou muito atrasada e se deu apressadamente. Nem passamos direito a vista sobre a apresentação a ser feita dali a pouco por Carol Martins, a substituta de Erno, que estava de licença-paternidade. Quando o Saúde na Hora 2.0 foi anunciado, ninguém entendeu nada.

A jornalista Christina Lemos, principal repórter da sucursal da TV Record em Brasília, questionou duramente.

– Mas vem cá, cês me desculpem, mas não deu pra entender nada. Vocês falam aí em unidades básicas. O que é isso? Seria posto de saúde?

Carol assentiu com a cabeça e disse:

– Sim, isso.

– Então eu posso dizer que o governo vai dar dinheiro para que as prefeituras mantenham os postos de saúde abertos? Tá certo isso?

– Tá sim – concordou novamente a secretária substituta de Atenção Primária.

– Mas por que vocês complicam, meu Deus? Por que não falam logo como o povo entende?

Carol comprimiu os lábios e balançou a cabeça, concordando. Eu quase explodi de alegria. Tentava simplificar a linguagem do ministério há meses. Naquele dia, finalmente vi meu argumento vitorioso. A partir de então, a balança pendeu para o lado da comunicação.

Também a partir daquele dia, o ministério passou a considerar suspeita toda e qualquer viagem ao exterior. Ou seja, não importava mais de onde chegava o viajante. Qualquer sintoma num doente vindo de outro país era suficiente para levá-lo à testagem e ao monitoramento.

Dois dias depois, 11 de março, a OMS declarou a pandemia de coronavírus.

Convocado dez dias antes, Mandetta compareceu à Câmara dos Deputados e depôs numa sessão chamada Comissão Geral. É um tipo especial de reunião em que todos os 513 deputados são chamados a ouvir a autoridade. Como gerente do esforço sanitário, ele passou mais de três horas falando sobre o vírus, a doença e os planos do governo a respeito.

Mas a nota importante dessa data não veio da Praça dos Três Poderes, e sim de outro palácio construído no lado oposto do Eixo Monumental de Brasília: o Buriti, onde despacha o governador do Distrito Federal.

Alarmado com a chegada do vírus a Brasília – uma mulher de 52 anos com várias comorbidades testara positivo e estava internada em estado grave no Hospital Regional da Asa Norte (HRAN), o hospital público indicado para receber todos os doentes de Covid-19 na capital do país –, Ibaneis Rocha editou um decreto em que suspendeu as aulas nas redes pública e privada. Além disso, proibiu a aglomeração de mais de cem pessoas em locais que exijam licença do poder público.

Era o início da pandemia propriamente dita, então as dúvidas em muito superavam as respostas. Nesse clima, o marido da primeira infectada causou alvoroço na capital da República. Invocou a profissão de advogado, disse conhecer seus direitos. Negou-se a fazer o teste para saber se também estava infectado. Circulou pela cidade, exercendo, segundo dizia, seu pleno e constitucional direito de ir e vir. O governo do Distrito Federal acabou impetrando uma medida judicial que o obrigou a recolher-se em casa, em isolamento.

Estava inaugurado o que ficou erradamente conhecido no Brasil como período da quarentena. "Quarentena" pressupõe o uso da força policial para evitar a circulação das pessoas e aqui, no Brasil, isso só ocorreu em algumas cidades. E começavam também dias especialmente conturbados.

Na tarde do dia seguinte, o gabinete do presidente da República avisou que Bolsonaro queria Mandetta a seu lado na transmissão ao vivo – a *live* das quintas-feiras, que vinha sendo feita desde o começo do governo –, marcada para dali a algumas horas. A *live* era um estratagema para que o presidente da República se comunicasse diretamente com a população, sem o filtro dos órgãos de imprensa.

A pandemia ganhava volume ao mesmo tempo que aliados do presidente da República usavam as redes sociais para organizar um grande ato de apoio ao governo, contra o Congresso e contra o Supremo Tribunal Federal, máxima instância da Justiça brasileira.

Óbvio que a convocação era noticiada com críticas duras. Afinal de contas, ao fim e ao cabo tratava-se de um poder, o Executivo, mobilizando a população contra os outros poderes, o Legislativo e o Judiciário. Em última instância, seria um ataque ao próprio regime republicano e à democracia representativa.

Bolsonaro encorajava o movimento sem qualquer reserva. Pelo WhatsApp, disparou mensagens em vídeo de seu celular pessoal, conclamando apoiadores a participar das manifestações.

O ato estava marcado para o domingo, 15 de março. E já se debatia sobre sua conveniência, na iminência da explosão da epidemia.

Às 19 horas, como sempre, a página pessoal de Bolsonaro no Facebook começou a transmitir uma espécie de conversa entre o presidente e o ministro da Saúde. Ambos estavam de máscara, porque o primeiro voltara havia pouco de uma agenda nos Estados Unidos. Nela, o secretário de Comunicação Social, Fábio Wajngarten, havia sido infectado, e, como era um auxiliar próximo, havia grande possibilidade de o presidente também carregar o coronavírus no organismo.

A pauta da *live*, anunciou o presidente da República, era a Covid-19.

– É o que todo mundo só tá falando disso, não é?

O ministro concordou.

O papo entre os dois durou exatos 16 minutos e 26 segundos. Houve algum problema com o sinal da internet do Palácio e a transmissão saiu do ar.

Não houve nenhum clima de animosidade. Pelo contrário. Bolsonaro fez uma explanação inicial sobre diversos temas, até que chegou ao ponto.

– Mandetta, vamos lá, Mandetta. Esse coronavírus aí, ele é pra assustar?

O ministro respondeu didaticamente e falando pelos cotovelos, como sempre.

– Se tomar as medidas corretas, a gente passa bem. Como é que o Japão tá fazendo? Distanciamento de pessoas, pedindo principalmente para as pessoas "vamos cuidar dos idosos" porque são eles os que complicam... Criança, a grande maioria, presidente, de trinta a quarenta por cento têm o vírus e não tem nem sintoma. Ela só serve para repassar. Mas são elas que vão trazer o bloqueio depois que todo mundo tiver o sistema imunológico competente, aí é que o vírus vai cair.

Em linguagem bastante simples e coloquial, o ministro defendeu o princípio básico da política de distanciamento social.

– Qual é o grande problema do vírus? Quando muita gente ao mesmo tempo pega o vírus, os idosos, que complicam, vão ao mesmo tempo pro hospital. Isso que nós tamos reforçando hoje, abrir leito de CTI etc.

Bolsonaro, então, em clima amistoso, pergunta, repetindo o cacoete verbal do início:

– Mandetta, vamos lá, Mandetta. Tá previsto aí um movimento pra domingo. Tem um pessoal... tá dividido aí, vai num vai... Eu até gravei um pronunciamento que vai ao ar daqui a pouco, às 20h30, eu não vou...

Nesse pronunciamento, que foi ao ar minutos depois, falou:

– Há recomendação das autoridades sanitárias para que evitemos grandes concentrações populares. Queremos um povo atuante e zeloso com a coisa pública, mas jamais podemos colocar em risco a saúde da nossa gente. Os movimentos espontâneos e legítimos marcados para o dia 15 de março atendem aos interesses da nação. Balizados pela lei e pela ordem, demonstram o amadurecimento da nossa democracia presidencialista e são expressões evidentes de nossa liberdade. Precisam, no entanto, diante dos fatos recentes, ser repensados. Nossa saúde e a de nossos familiares devem ser preservadas.

Na *live*, ele repetiu a defesa teórica do ato. Afirmou que político não pode querer estar junto do povo só durante as eleições. Mas admitiu que a aglomeração era um risco à saúde pública.

– O que devemos fazer agora é evitar que haja uma explosão das infecções, porque senão os hospitais não dão conta.

Mandetta concordou com entusiasmo.

– Exatamente!

O presidente da República, quem quer que ocupe o cargo, é em essência um animal político. No poder, sua função é distribuir bem-estar à população. Para isso, é preciso que ele se mantenha à frente do governo. Então, a ideia de que deve se dedicar a desconstruir os potenciais concorrentes é sempre aguçada.

Menos de 24 horas depois, a sintonia daquela *live* foi totalmente destruída por acontecimentos que aguçaram o instinto político de Bolsonaro.

Isso aconteceu porque os dados da epidemiologia começaram a engrossar. Apesar de o país contar somente 98 casos confirmados de coronavírus, os Cievs paulista e fluminense detectaram doentes em que o exame dera positivo, mas não era possível rastrear quem os infectou. A isso chamamos de "transmissão comunitária". E significa que o vírus circula sem controle entre a população.

A reunião do primeiro escalão da sexta-feira, 13, foi marcante. Nem tanto pela ausência do ministro, que estava no Palácio do Planalto, em reunião com o chefe da Casa Civil, mas pela presença da economista Solange Vieira, diretora da Superintendência de Seguros Privados (Susep).

Aos 51 anos, Solange é uma técnica requisitada em Brasília. Magra, pele parda, usa longos cabelos negros abaixo dos ombros. Tem nariz fino, lábios grossos, olhos pretos redondos e um sorriso encantador. A mente poderosa em matemática lhe põe em polêmicas desde que criou o fator previdenciário, ainda no governo Fernando Henrique.

O tal "fator" era uma regrinha que estimulava os trabalhadores a atrasarem o pedido de aposentadoria para não perderem renda. Críticos da época diziam que era uma ideia do demônio. Mas atrasou em alguns anos a quebra da Previdência Social brasileira.

Ela estava ali como convidada de Mandetta. Fora indicada por Paulo Guedes, cuja equipe compunha como chefona da Susep, para ajudar a montar os modelos matemáticos com que a turma da Vigilância em Saúde tentava estimar a demanda por insumos médicos ao longo da pandemia.

O modelo foi apresentado por Júlio Croda, o doce gigante, e pelo secretário Wanderson. Aquelas contas já nos eram familiares. Metade da população teria que ser infectada; desse grupo, cerca de 15% desenvolveriam a doença, dos quais 5% teriam complicações e precisariam de UTI. Desses agravados, metade morreria. "Se nada for feito para conter a doença!", repetia Júlio Croda a cada vez que mostrava os dados.

No caso do Brasil, a conta de mortos dava algo perto de 390 mil pessoas. Esse número variava a depender do número que se usasse para a população total do país.

Depois de apresentado o modelo, o secretário Wanderson pediu a opinião da especialista. Havia naquele cálculo conceitos de epidemiologia, de forma que Solange, com sua lógica de econometrista, declarou não se sentir à vontade para fazer uma crítica profunda.

Antes de dizer isso, porém, ela falou em tom de brincadeira:

– Bom, perguntar essas coisas pra economista é complicado, porque a gente vai dizer que a morte de idosos é bom pra diminuir o déficit da Previdência.

Não era uma opinião, era mais um gracejo. Mas ela esqueceu que falava a uma plateia de médicos, enfermeiros, biólogos, todos trabalhando havia semanas, dia, noite e madrugada, para impedir que pessoas morressem.

Aquilo chocou profundamente o alto-comando do Ministério da Saúde. Ainda mais no momento em que a pandemia rompia o cordão sanitário da vigilância e começava a se espalhar sem controle. Ela ganhou imediata e inexorável antipatia do time, que falou nisso por dias e dias.

Mandetta, por sua vez, vinha se preparando para esse momento da doença. Quando ele finalmente chegou, o ministro voltou ao palco onde o vírus estreara.

Tendo passado a manhã em reuniões no Planalto, à tarde, mais uma vez, voara para São Paulo e se punha ao lado do governador João Dória para uma entrevista coletiva. Sua ideia era ajudar a acalmar a população, que seria informada do novo estágio da epidemia no Brasil, cujo epicentro era justamente a capital paulista.

A entrevista foi transmitida ao vivo pelos canais fechados de notícias. No Palácio, Bolsonaro começou a assistir à transmissão. Ficou incomodado em ver seu ministro da Saúde ali, ao lado de um potencial e, para ele, desleal adversário na eleição de 2022, num momento nevrálgico da epidemia. Além de tudo, achava que o ministro não dera créditos suficientes ao presidente no esforço contra o vírus.

Passou a mão no celular e ligou para Mandetta.

A tevê mostrou-o pegando o aparelho no bolso do paletó, olhando para a tela e voltando a guardá-lo, sem atender a chamada.

O presidente da República explodiu em ódio.

Chamou o já rebaixado Onyx Lorenzoni, que havia quase um mês perdera a Casa Civil para o general Braga Netto e assumira o posto antes ocupado por Osmar Terra no Ministério da Cidadania. Contou o ocorrido.

Encarregou-o de, valendo-se da boa interlocução que tivera nos tempos palacianos, tirar Mandetta de lá, de qualquer maneira, e colocá-lo ao telefone.

Mas Lorenzoni tampouco conseguiu contato com o ministro da Saúde. Muitas horas depois, decidiu recorrer a João Gabbardo, o secretário-executivo, gaúcho como ele, com quem tratara tantas vezes nos últimos meses.

Telefonou para o celular pessoal do conterrâneo. A chamada não foi atendida. Ligou novamente. Mais uma vez não foi atendido. Tentou a terceira vez. Nada.

O dr. Gabbardo estava dentro do estúdio da GloboNews, dando uma entrevista. Por isso sequer via que o telefone tocava. Só retornou as chamadas mais de uma hora depois, já no carro, no caminho de volta para casa.

O ex-chefe da Casa Civil estava desconcertado. Contou que Bolsonaro tentara sem sucesso falar com Mandetta e que no meio da urgência sequer o secretário-executivo fora encontrado.

Depois soubemos que aquele fora um dia de terror no Palácio do Planalto. O presidente da República xingou muito o ministro da Saúde. Dizia que não conseguira falar nem mesmo com o número dois do ministério, o que era um absurdo.

O domingo se aproximava e os bolsonaristas não davam sinais de que obedeceriam ao tímido pedido do líder para que a manifestação não ocorresse. O presidente continuava sublinhando que se tratava de legítima e democrática manifestação popular.

Urdia-se um imenso jogo de cena. O que se estava ensaiando era justamente o contrário: um governo populista estimulava o povo a ir para as ruas pressionar instituições que vinham lhe servindo de contrapeso. Ou seja, a gestão de ruptura que se anunciou na eleição finalmente armava seus canhões na direção daqueles que impediam o governo de implantar a agenda ultraconservadora no Brasil, que vinha sendo contida pelos ritos parlamentares e jurídicos. Dentro das regras do jogo, portanto!

No dia marcado, os apoiadores do presidente saíram em marcha por Brasília e outras grandes cidades do país. Bolsonaro vestiu uma camisa branca da seleção brasileira de futebol. Ignorou por completo a questão sanitária. Saiu do Palácio do Planalto e participou do ato, cumprimentando manifestantes, afrontando junto com eles as instituições nacionais e opondo-se abertamente ao apostolado do ministro da Saúde em favor do distanciamento entre as pessoas, para evitar a disseminação do vírus. Apostolado que ele próprio havia defendido na *live* do Facebook 72 horas antes.

A manifestação não foi tão vivaz quanto se esperava, de modo que ficou claro não haver apoio popular suficiente para solapar a República ou a democracia.

Mesmo assim, estava dado o primeiro tiro do presidente da República no ministro da Saúde em plena pandemia.

CAPÍTULO 21
7 ABR. 2020
MINISTÉRIO DA SAÚDE

Com o frege entre ministro e presidente a povoar as mentes Brasil afora, as discussões internas do Ministério da Saúde sobre o enfrentamento ao coronavírus passaram a ter gosto de canja de galinha. Tinham substância, eram essenciais para continuar a salvar vidas. Mas não nos faziam salivar. O entusiasmo se fora, porque sabíamos que nossos dias estavam contados.

Discutia-se mais uma vez a compra de 11 mil respiradores de fabricação nacional, os planos de testagem em massa da população, portarias da Saes sobre pequenos hospitais e diárias maiores para leitos para Covid-19, a doação de trinta tomógrafos pelo consórcio dos bancos Bradesco, Itaú e Santander, o insolúvel problema do mapeamento de leitos.

A popularidade de Mandetta seguia alta.

Na noite do domingo 5 de abril, a cantora Marília Mendonça, estrela da música sertaneja, popularíssima no país, planejou contar com Mandetta na apresentação que faria ao vivo pelo YouTube dali a três dias. Telefonou então para um produtor musical chamado Filipe Figueiredo.

– Alô, Filipe, tudo bem? Cê não tem as *manha* de chamar o ministro da Saúde pra minha *live*, não? Ele entrou na dos meninos e foi ótimo! Eu mesma quero falar com ele.

Na segunda, Filipe telefonou para o ministério. Passou de um a outro até chegar a Juliana Vieira, a Jujuba, chefona da publicidade. Explicou a situação. Todo o mercado brasileiro do showbusiness dizia que a *live* ultrapassaria a dos goianos Jorge e Mateus e se tornaria a mais vista da história. Seria ótimo ter uma mensagem pelo distanciamento social, ainda mais dada pelo próprio ministro, o novo namoradinho do Brasil.

Tudo na parceria, o ministério não precisava pagar nada.

Jujuba falou comigo e levei o assunto a Mandetta. Ele já estava sob intensa pressão, dizia-se que seria demitido a qualquer momento. Expliquei que o show aconteceria na quarta, então teríamos que gravar a mensagem até terça, no máximo. Ele topou. Mas disse que gostaria de falar com Marília primeiro.

Na segunda à noite, trocamos os telefones. Mandamos o número de um para o outro e do outro para o um. Ambos, porém, estavam envergonhados. Não se ligaram imediatamente. Pedi, então, que a secretária do ministro fizesse a chamada, para quebrar o gelo. Mas a estrela estava amamentando o filho Léo, nascido havia poucos meses.

– Diz pra ele que eu tô morrendo de vergonha, mas ligo daqui a pouco.

Mais tarde, enfim, falaram-se.

A produção do show nos atormentou pelas horas seguintes. A agitação da agenda não permitia ao ministro parar para gravar a mensagem. Nós empurramos com a barriga por toda a terça-feira. "Mandamos daqui a pouco", "Só mais um pouquinho", "De noite, a gente manda".

Na quarta de manhã, com o prazo completamente estourado, quase entregamos os pontos. A produção já estava desesperada. E nós também. Jujuba pôs-se a me enlouquecer e eu, por tabela, pus-me a enlouquecer o ministro. Veio dele a solução.

– Eu vou falar lá na coletiva, daí cês cortam o pedacinho e mandam pra ela. Pode ser?

– Se pode? Claro que pode, melhor ainda!

Assim ele fez. Na coletiva de 8 de abril, depois de apresentar a atualização do boletim epidemiológico e de responder à imprensa por mais de uma hora, o popular ministro da Saúde lançou a bola para a estrela sertaneja, ao vivo, para todo o país:

– A *live* de hoje, quem vai cantar pra esse Brasil, pro pessoal que está em casa e sabe que está fazendo sacrifício e precisa espairecer um pouco, é a Marília Mendonça. Vai aqui nosso cumprimento e que você faça uma boa *live* e que as pessoas curtam em casa e a gente não se aglomere. Vi você falando que gosta do contato com a sua plateia. Você deve estar sentindo falta deles, mas saiba que nós, como fãs do seu trabalho, ficamos mais fãs por você estar fazendo [a *live*] e não estar aglomerando as pessoas. Uma boa *live* pra todo o Brasil e uma boa cobertura pra toda a imprensa.

Como o combinado, cortamos o pequeno pedaço do vídeo, menos de quinze segundos, e enviamos para a produção poucos minutos antes de o show começar.

Marília Mendonça cantou naquela noite para 3,3 milhões de acessos simultâneos no YouTube. Ultrapassou Jorge e Mateus. Tornou-se a apresentação mais vista da história da plataforma de vídeos do Google. E retribuiu a gentileza de seu novo amigo, agradecendo-lhe pelo "trabalho incrível" à frente da Saúde.

– Fiquem em casa, nós artistas estamos fazendo isso para vocês.

No dia seguinte, quinta-feira, 9 de abril, uma semana antes de ser demitido, Mandetta chegou à reunião matinal bem-humorado, fazendo piada.

– Hoje eu acordei com uma dor de cabeça, coriza e um leve arranhadinho na garganta – disse, matreiro.

O dr. Gabbardo, que sempre se sentava ao seu lado, olhou assustado, empurrou a cadeira com os pés e se afastou para longe, de supetão.

– Opa, ministro, com todo o respeito, mas sai pra lá.

Todos rimos.

E iniciou-se mais uma rodada da canja de galinha em que as nossas reuniões tinham se tornado.

Roberto do Dlog reportou conversas com os executivos da 3M, que já sofriam pressão: haviam recebido ordem do governo americano para não vender insumos médicos para nenhum país a não ser os EUA. A empresa tem uma fábrica no Brasil, instalada no estado de São Paulo. Deu-se o impasse. A planta poderia fabricar aqui e remeter a produção para a sede no Atlântico Norte?

– Liga lá pra ele – disse Mandetta a Roberto, referindo-se ao presidente da empresa no Brasil – e fala a verdade. Eu vou botar a Receita Federal pra achar nota fiscal, vou botar a Abin em cima dele, eu quero saber exatamente qual a capacidade de produção dele. Ele vai vender pra mim.

Veio mais um longo relato sobre compra de insumos, testes. Thaisa Santos Lima avisou que a Embaixada da China destacara um diplomata para cuidar especificamente do fornecimento de testes sorológicos para o Brasil. São os chamados testes rápidos, que identificam no sangue a presença de anticorpos do coronavírus, indicando que a pessoa já adquiriu imunidade à doença.

O personagem em questão é conselheiro, ou seja, nível intermediário na carreira diplomática, e se chama Qu Yuhui, ou conselheiro Qu. A pronúncia do nome em chinês tem uma entonação diferente. Mas, abrasileirado, pronuncia-se "Cu" mesmo. O grupo gastou alguns minutos se divertindo com aquilo. "Pronto, agora o Cu vai ajudar a gente a comprar os testes" ou coisas que o valham.

Erno Harzheim estava cuidando de um projeto sigiloso apelidado UTI Rangers. Apresentou a primeira versão logo depois das piadas com o conselheiro Qu. Basicamente, ele preparava um plano de contingência para leitos intensivos. Era uma espécie de tropa de elite recrutada e paga pela União, a ser enviada às cidades colapsadas. Sua missão era substituir os médicos locais que fatalmente adoeceriam de Covid-19 e precisariam se afastar da assistência aos doentes.

A estatística dos outros países indicava uma taxa de absenteísmo de 15% a 25%. No Brasil, com a estimativa de 25 mil leitos intensivos separados para a pandemia e considerando-se que cada dez leitos de UTI demandam quatro médicos, seis enfermeiros e doze técnicos de enfermagem, estava se falando de um universo de aproximadamente 55 mil profissionais de saúde, dos quais entre oito e 13 mil cairiam doentes.

O plano de Erno calculava um regime de plantão de doze horas de trabalho por 36 horas de folga e propunha um gasto de R$ 196.560,00 por equipe a cada quinze dias, sem contar as despesas com deslocamento, hospedagem e alimentação. Era dinheiro a dar com o pau, por baixo mais de R$ 130 milhões. Mandetta recusou o primeiro esboço.

– Falta o seguro de vida. Acrescenta aí, recalcula e traz de volta – ordenou.

O projeto UTI Rangers nunca mais foi visto no ministério.

A secretária-adjunta de Erno, Caroline Martins, anunciou a primeira versão do plano de manejo das favelas.

– Opa, tá pronto? – animou-se o ministro.

– Tá aqui, ministro – respondeu ela, levantando-se da cadeira e caminhando na direção da cabeceira da mesa com um pen drive à mão. A porta USB que levava o conteúdo até o telão ficava instalada sobre a mesa, em frente ao telefone disposto na cabeceira, onde se sentava o ministro.

Carol se acomodou numa cadeira próxima e inseriu o pen drive. Enquanto o processo se completava, com a mídia sendo reconhecida pelo computador, que abriria a pasta de arquivos, até que se clicasse sobre a apresentação e ela enfim surgisse aos olhos de todos, no telão, Mandetta se animou.

– Vocês não sabem, mas... quem aqui conhece bem o Rio? – Muitos levantaram a mão, inclusive eu, que morara lá no fim dos anos 1990, quando trabalhei no *Jornal do Brasil*. – Sabe ali, a Lagoa Rodrigo de Freitas? Hoje ela é linda, é um parque, desemboca no Jardim de Alá. Ali na Lagoa tinha uma favela de palafitas chamada Favela do Pinto. Favela de palafita é um horror humanitário, gente disputando comida com rato, uma desgraça. Carlos Lacerda tocou fogo na Lagoa Rodrigo de Freitas pra tirar as pessoas das palafitas da Favela do Pinto. O pessoal saiu de lá e ele mandou todo mundo pra bem longe, pra um descampado que o pessoal começou a chamar de Cidade de Deus, na Zona Oeste, lá depois da Barra.

Nesse dia desconfiei da memória prodigiosa do ministro. Pois, na verdade, o nome da favela de palafitas da Lagoa era Praia do Pinto. A história vem caindo no esquecimento, mas é famosa no Rio. O incêndio aconteceu na madrugada de 11 de maio de 1969 e desabrigou quase 10 mil pessoas. Parte delas foi para a Cidade de Deus, parte para um conjunto habitacional no chique bairro do Leblon chamado Cruzada de São Sebastião. Até hoje as circunstâncias do fogaréu não foram esclarecidas.

Lacerda, porém, certamente não tem nada com isso. Na época, já não ocupava nenhuma função pública, pois havia sido cassado pelo regime militar em dezembro de 1968, depois de lançar a Frente Ampla junto com João Goulart e Juscelino Kubitschek. A cidade, então, era administrada pelo governador do estado da Guanabara, Francisco de Assis Negrão de Lima.

A apresentação do plano de manejo das favelas, enfim, apareceu no telão. E a crônica do ministro foi interrompida.

Mandetta deixava claro nas reuniões que estudara nos últimos dias a organização social das comunidades do Rio de Janeiro. Vivia repetindo que a largura média de um beco de favela é de pouco mais de metro e meio de distância.

– O cara tosse em casa, o perdigoto cai na casa do vizinho. Não existe distanciamento em favela!

Ele repetiu isso dezenas de vezes para nós ao longo das semanas. Queria mesmo era saber o que fazer em relação ao coronavírus num cenário urbanístico de aglomeração absoluta, caótica e firme, como são as favelas.

O plano da Secretaria de Atenção Primária previa a transformação dos jovens moradores numa espécie de estagiários de agentes de saúde. Eles deveriam notificar as autoridades sanitárias sobre doentes, levar informação sobre terapia, protocolo de cuidados e isolamento familiar, facilitar a remoção de quem precisasse ir para o hospital, indicando o caminho aos socorristas das ambulâncias.

Erno e o time dele, porém, estavam reticentes.

– O cara vai acabar se tornando vetor, transitando dentro da favela.

– Que nada, Erno. O vetor é a própria favela! Não existe distanciamento. A largura média de um beco no Rio de Janeiro é de um metro e cinquenta e oito centímetros. Então se o vírus circular, não vai ser o vaivém dos meninos que vai acelerar ou desacelerar, isso é o de menos. Cês sabem que a menor favela do Brasil hoje é um lugar chamado Buraco da Merda? – disse Mandetta.

A favela a que ele se referiu não consta em nenhum registro oficial, foi-lhe descrita por um informante do Rio de Janeiro com quem conversara na véspera.

O secretário anteviu o desvio e puxou o cabresto de volta à estrada.

– Então tá, vamos admitir que eles têm papel neutro como vetor. A gente tá imaginando cadastrar um jovem para cada três agentes comunitários de saúde.

– Não, eu acho que tem que ser o contrário. Três agentes jovens para cada agente comunitário – respondeu Mandetta.

O agente comunitário é o átomo do SUS. Vinculado às prefeituras, atua em apoio às equipes de saúde da família. Visita casa a casa, conhece os moradores e seus problemas. Mantém os médicos informados sobre o que se passa. Aconselha e encaminha os brasileiros pobres ao SUS.

Eles surgiram no Nordeste na década de 1950, como forma de propiciar emprego às mulheres durante a grande seca que assolou o semiárido e fez com que a região amargasse altos índices de mortalidade infantil. O primeiro trabalho das agentes foi disseminar o uso do soro caseiro, aquela mistura de água, sal e açúcar, que reduziu drasticamente a mortalidade neonatal por desidratação causada por diarreia. Desde então, a atividade foi pouco a pouco se formalizando até se tornar uma profissão. Hoje, são mais de 350 mil agentes espalhados por todo o país.

O presidente do Conasems, Mauro Junqueira, entrou no debate. Avisou que os agentes comunitários de saúde estavam atuando, mas somente pelo telefone.

– Eles não querem visitar nem a pau. Estão com medo de pegar a doença.

– Ué – retrucou Erno –, então vamos tirar os agentes comunitários do jogo, senão eles vão tirar o ânimo da moçada. E outra, os nossos jovens, a gente não pode chamar de agente.

– Vamos chamar de "cuidadores das favelas" – sugeriu Mauro.

– "Assistência Jovem" – apostou Raquel.

Todos olharam para mim em busca de aprovação marqueteira àquelas ideias. Dei de ombros.

– Eu só trabalho aqui...

– Ele tem que ser morador da favela. Ele vai ter colete identificando – enumerou Mandetta.

– Eu acho que tem que ser um para cada cento e cinquenta famílias – palpitou o dr. Gabbardo.

– Erno, termina o plano, prevê tudo isso que a gente falou e vamos fazer o piloto em Mesquita – ordenou Mandetta.

– Ministro, é preciso fazer um corte, senão as cidades pequenas vão dizer que têm favelas e vão querer também – pediu Mauro Junqueira.

– Só vale para regiões metropolitanas então. Quero lançar domingo, hein?!

Como a UTI Rangers, nunca mais se ouviu falar no plano de manejo das favelas. Não deu tempo.

Passamos ao item seguinte, o já enjoado projeto de testagem em massa da população. Além de ser complicado do ponto de vista logístico, havia uma imensa assimetria de posicionamentos na equipe. A começar pelos kits.

O secretário Wanderson se fiava na bula do fabricante, que dizia garantir apenas 36% de confiabilidade nos resultados negativos. E 88% de confiabilidade nos positivos. Era um vexame.

Erno discordava frontalmente.

– Eu mandei testar no INCQS e deu cem por cento de acerto no positivo depois de sete dias de sintoma.

INCQS é a sigla de Instituto Nacional de Controle de Qualidade em Saúde, um laboratório público instalado no Rio de Janeiro, que testa todos os insumos e medicamentos usados no SUS antes de eles serem oferecidos à população.

Mandetta ficou inquieto.

– Ô, Wanderson, deixa eu te falar. Essa bula aí foi redigida por um advogado. Ô, raça medrosa essa de advogado, viu Ciro! O advogado escreveu de um jeito que se der qualquer problema o fabricante vai dizer: eu avisei na bula. Esquece, irmão!

O debate todo se dava porque o teste em questão era o sorológico. Ele ficou conhecido no Brasil como teste rápido, aquele que se faz com a coleta de uma gota de sangue tirada de um furo no dedo. A amostra é posta num kit equipado com um reagente. Se a reação química com o plasma detectar os anticorpos – ou seja, se der positivo –, significa que o cidadão já entrou em contato com o vírus. Em tese, está imune à Covid-19 e livre da pandemia.

Wanderson sempre foi descrente em relação ao teste rápido. Dizia e repetia sem pestanejar que o teste rápido só servia para se fazer inquérito epidemiológico, ou seja, uma investigação sanitária para se descobrir a taxa de circulação do vírus numa população.

Ele preferia centrar fogo numa estratégia que massificasse o RT-PCR, que é o exame molecular, o chamado "padrão-ouro" do diagnóstico. Diferentemente do outro, que busca o anticorpo, este reconhece a presença do vírus no organismo do hospedeiro.

No Brasil, porém, a chamada "sensibilidade" do RT-PCR sempre ficou longe do "padrão-ouro". Por vários motivos. Primeiro, a amostra é colhida com uma haste longa de madeira parecida com um cotonete comprido, chamada *swab*, que é enfiada nas narinas até as profundezas, causando um grande incômodo. Depois essa amostra tem que ser guardada dentro de um tubo e mantida refrigerada até a análise, que deve ser feita em não mais do que 72 horas.

Muitos RT-PCRs se perderam – ou seja, deram negativo, possivelmente falso negativo – porque o auxiliar de enfermagem que o colheu não inseriu o *swab* fundo o suficiente após os protestos do paciente. Ou porque depois de colhido não foi acondicionado corretamente. Ou porque se passaram sete, dez, quinze dias para chegarem à análise do muco.

Independentemente disso, o secretário Wanderson confiava que com PCRs em larga escala o SUS poderia mapear mais precisamente os caminhos do vírus e isolá-lo. Ele, porém, é epidemiologista. Raciocinava com a cabeça da Vigilância em Saúde.

Dentro da equipe, nesse assunto, nadava contra a maré. Pois todos entendiam a tática do teste rápido como uma boa forma de identificar a esmagadora maioria de infectados assintomáticos e, cumprido o período de isolamento, mandá-la de volta à vida.

250 Ugo Braga

Como disse Erno, o exame sorológico é eficaz a partir do oitavo dia contando do início dos sintomas para aqueles que adoecem. Não há certeza quanto a em que momento se conseguem detectar os anticorpos nos assintomáticos. Era incerteza e dúvida para todo lado.

A discussão, portanto, se dava quanto à imunidade de rebanho, que podia ser auscultada com os testes rápidos, na opinião da corrente liderada por Erno. Uma vez atingida, o Brasil poderia, enfim, se declarar livre da quarentena.

– Os velhinhos vão entrar em contato com o vírus agora ou depois – argumentou o dr. Gabbardo, defendendo os testes rápidos. – Se a curva for mais achatada, ela é mais longa...

– Não! – interrompeu Wanderson. – A curva achatada tem menos casos, não é a mesma coisa.

Mandetta interveio:

– A escolha é a velocidade com que a gente vai passar. Se eu tivesse um sistema de saúde forte, como o da Alemanha, eu convocava um carnaval fora de época, eu chamava um beijaço no país. Mas eu sou a Índia! Eu tô vendo como tá a favela do Buraco da Merda!

O debate durou mais de uma hora. Não chegou à parte alguma.

Ainda se tratou naquele dia sobre cloroquina, sobre um pedido de ajuda do governador do Amazonas, que na véspera demitira o secretário de Saúde, Rodrigo Tobias, por ele ter, numa entrevista, soado o alarme do colapso de Manaus, e sobre mais um repasse bilionário para estados e municípios que o ministério estava preparando.

Enquanto os técnicos do Ministério da Saúde mexiam vagarosamente a canjinha da vovó, uma reunião importante acontecia num outro ponto desconhecido de Brasília. Ela jamais deveria ter sido revelada ao público. E se não o tivesse, seria apenas uma fofoca entre dois senhores. Mas não. Deu-se o oposto.

Como um dos primeiros afazeres do dia, o jornalista Caio Junqueira, da CNN Brasil, telefonou para o deputado Osmar Terra às 8h33. Como já se sabe, a crise política era muito mais assunto do que a própria pandemia naqueles dias. A imprensa tratava de perseguir os principais personagens, atrás de informações de bastidor, de fofocas palacianas e de entrevistas, nessa ordem. Terra era uma escolha óbvia como fonte.

Ao receber a chamada, o deputado olhou para o celular, deslizou o dedo pela tela, ou seja, atendendo a ligação, mas se manteve calado. O repórter ficou confuso.

– Alô? Alô? O senhor está me ouvindo?

Caio estava gravando a ligação, o que é comum em reportagens para a tevê em que as sonoras são feitas por telefone.

Terra falava com alguém, embora não com ele, pois dava para perceber sua voz distante do microfone. Então o repórter pensou que seu entrevistado terminava alguma conversa rápida antes de atendê-lo. Por isso não desligou. Até que percebeu que sua fonte estava diante de um ministro de Estado, Onyx Lorenzoni, da Cidadania. E que ambos discutiam exatamente a pauta que buscava.

Na reportagem que levou ao ar na tevê a cabo e que publicou no site da emissora, o jornalista descreveu o que ouviu da seguinte forma:

No trecho inicial da conversa, Terra defende a mudança da política do governo. "Tem que ter uma política que substitua a política de quarentena. Ibaneis (Rocha, governador do Distrito Federal) é emblemático. Se Brasília começa a abrir... (Mas) ele está com um pouco de receio. Qualquer coisa que fala em aumentar...", disse, fazendo uma analogia de como as pessoas estão, mesmo com a restrição, saindo às ruas: "Supermercado virou shopping".

Para ele, a política do atual ministério da Saúde "não está protegendo o grupo de risco" e que uma ideia é estabelecer uma política especial para os municípios onde há asilos.

Ambos fazem ainda projeções sobre número de mortos no Brasil pela Covid-19. Onyx estima que deve chegar a 4 mil mortos. Terra acha que fica "entre 3 e 4 mil". "Vai morrer menos gente de coronavírus do que da gripe sazonal." Ele também cita São Paulo, Rio de Janeiro e Fortaleza como os locais onde deve estar concentrada a restrição de circulação de pessoas.

Ambos começam, então, a falar mais especificamente de Mandetta.

Onyx: Eu acho que esse contraponto que tu tá fazendo...

Terra: É complicado mexer no governo porque ele tá...

Onyx: Ele [Mandetta] não tem compromisso com nada que o Bolsonaro está fazendo.

Terra: E ele [Mandetta] se acha.

Onyx: Eu acho que [Bolsonaro] deveria ter arcado [com as consequências de uma demissão]...

Terra: O ideal era o Mandetta se adaptar ao discurso do Bolsonaro.

Onyx: Uma coisa como o discurso da quarentena permite tudo. Se eu estivesse na cadeira [de Bolsonaro]... O que aconteceu na reunião eu não teria segurado, eu teria cortado a cabeça dele...

Terra: Você viu a fala dele depois?

Onyx: Ali para mim foi a pá de cal. Eu já não falo com ele [Mandetta] há dois meses. Aí acho que é xadrez. Se ele sai vai acabar indo para a secretaria do Dória [João Dória, governador de São Paulo].

Terra: Eu ajudo, Onyx. E não precisa ser eu o ministro, tem mais gente que pode ser.

O diálogo incendiou o noticiário. Nele tem de tudo. A conversa mostra que o governador que inaugurara o distanciamento social, Ibaneis Rocha, estava negociando com Bolsonaro o afrouxamento daquela política. Por isso ele era chamado de "emblemático". Não se sabe, afinal, que acordo se trançava. Mas, dias depois, o presidente da República sancionou uma lei reajustando o salário dos policiais militares do Distrito Federal, o que é sempre um enorme bônus político para o governador.

Onyx é do mesmo partido de Mandetta. Por isso, soou muito mal para ele a "conspiração" que tramava contra o próprio companheiro. Além disso, deixava clara sua opinião de que Bolsonaro fora frouxo ao não demitir o ministro da Saúde depois do que ele falara na reunião ministerial, diante de todo o gabinete.

Terra, de certa forma, sai incólume do episódio.

Depois que a reportagem foi ao ar, a assessoria de imprensa do ministério foi bombardeada por perguntas para Mandetta. Se ele soubera da trama, se estava aborrecido, que resposta daria a um e a outro etc. Quando o nosso pessoal da imprensa ficava sobrecarregado, como naquela hora, era comum alguns jornalistas mais antigos, com os quais trabalhei ombro a ombro nos tempos de repórter, ligarem para mim atrás de informação.

Pouco depois das 16 horas, Vladimir Netto, repórter do *Jornal Nacional* da TV Globo, falou comigo. Buscava checar a informação de que Onyx telefonara para Mandetta. Alguns blogs da internet diziam que o ministro da Cidadania garantia ter falado com o colega da Saúde e que já estava tudo bem entre eles. Outros afirmavam que ele telefonou, mas sequer foi atendido.

– E aí? – perguntou Vladimir.

Só Mandetta poderia esclarecer. Então subi ao quinto andar.

– O ministro está aí? – perguntei a Elisene, secretária dele.

– Tá e tá sozinho no gabinete, o que é?

– *Jornal Nacional* querendo checar se ele falou com Onyx depois do negócio lá da CNN.

– Gustavo e a dra. Cristina não estão aí. Entra lá e pergunta.

Entrei na sala e encontrei Mandetta sentado na cadeira de ministro, atrás da enorme mesa de trabalho cheia de papéis. Aquilo era uma raridade. Não havia nenhum assessor, nenhum deputado, ninguém. Era ele e a imensidão do Planalto, que invadia a sala pela janela de vidro que tomava toda a parede lateral, a leste. Estava só de calça jeans e camisa branca com as mangas arregaçadas. O colete azul do COE vestia as costas da cadeira em frente.

– Oi, ministro, vim checar uma informação com o senhor.

Ele estava mexendo no celular. Sequer olhou para mim. Por educação, fiquei ali, de pé, metro e meio dentro da sala, à esquerda dele, esperando-o.

Ele tamborilou na tela e pôs o aparelho no viva-voz. Estava retornando alguma ligação.

– Alô – saudou a voz do outro lado.

– Oi, meu presidente, como vai o senhor? – devolveu Mandetta, simpático, sorrindo.

– Desculpe, eu não estou reconhecendo, quem está falando?

– Aqui é Mandetta, o ministro da Saúde.

– Oi, ministro, por favor, me desculpe, eu não tenho o seu número salvo.

– Imagina, não tem problema. Tudo bem? Como estão as coisas por aí?

– Ah, ministro, estamos no mesmo barco, não é? Uma crise tremenda...

– É verdade, é verdade... Eu tô ligando pra retornar a sua chamada, porque eu não pude atender mais cedo.

– Imagina, eu agradeço demais a sua atenção, sei que tem muito trabalho aí e me sinto muito honrado em ver a atenção que o senhor está me dispensando.

– Diga lá, presidente, em que eu posso ajudar?

– Ministro, eu estou ligando porque tá uma pressão danada pra gente voltar com o futebol. Aí eu queria saber se o senhor pode ajudar, saber qual é a ordem do Ministério da Saúde.

– Olha, Rogério...

Eu estava morrendo de curiosidade para identificar o interlocutor. Só naquele momento, somando "Rogério" + "futebol" + "presidente", cheguei à conclusão de que era Rogério Caboclo, presidente da CBF.

– Olha, Rogério, o ministério nesse caso não tem poder de dar uma ordem. Ele orienta. Quem dá a ordem são os governadores. A nossa orientação, por enquanto, é a de que não dá para fazer aglomeração, não dá para muitas pessoas dividirem espaços de forma que elas fiquem próximas umas das outras. Isso vai fazer o vírus circular, vai provocar o que a gente chama de *spinning*, vai acelerar a doença. Aí a alternativa seria fazer os jogos sem torcida. Mas, nesse caso, você vai expor os jogadores, que estarão ali dentro, próximos uns dos outros, não dá pra pedir que eles joguem futebol sem contato, né?...

Rogério Caboclo sorriu.

– É, ministro, tô entendendo. Quem quer voltar no início de maio é o Flamengo, tá fazendo uma pressão imensa.

– Ah, presidente, o Flamengo tá com um timaço, onde joga enche o estádio. Então deve estar perdendo muito dinheiro com o futebol parado. E tem que continuar pagando os salários. Eu até prefiro que fique parado porque desse jeito eles não ganham do meu Botafogo – brincou o ministro. – Mas, olha, sem brincadeira, eu acho que ainda não dá para voltar, não, viu? E não falo só pelos jogadores. Além deles, tem massagista, tem roupeiro, tem o pessoal da cozinha, do apoio, todos eles moram nas comunidades, então é expor gente demais.

– Eu tô entendendo, ministro.

– O que talvez vocês pudessem fazer é voltar sem público nos locais onde a epidemia ainda está muito lenta, como o Acre, Tocantins, acho que Mato Grosso do Sul. Mas também não sei se é uma boa ideia, porque daqui a pouco vai ter que parar tudo de novo, aí o campeonato fica todo cortado.

– É verdade, é verdade... E o senhor acha que volta ao normal quando?

– Ah, é difícil dizer. Eu não gosto de trabalhar com esse negócio de prazo, porque você fala em prazo e já vira uma meta, daí fica todo mundo cobrando. Aqui no Brasil, nós achatamos a curva de transmissão. Então o número de casos vai subir lentamente, chegar até um determinado nível, aí faz um platô, quer dizer, passa um período ali de um ou dois meses alto, mas estável, e depois começa a cair lentamente de novo. Nós estamos falando aí de agosto, setembro, mas não dá pra garantir. Agora o Bolsonaro certamente vai apoiar a volta do futebol, então eu acho que você devia ligar pra ele – sugeriu Mandetta.

– Ah, ele já ligou pra mim – revelou Caboclo. – Pediu para voltar imediatamente. Ele quer que a gente limite o público a dez por cento dos estádios. Falei que ia reunir os clubes, ver o que dá para fazer. Problema é que os jogadores não querem de jeito nenhum. E sem eles não tem como fazer futebol, não é, ministro?

– Não, sem jogador não dá.

– Então olha, eu lhe agradeço muito a ligação, ministro, muito obrigado, boa sorte e sucesso aí na luta contra o vírus.

– Obrigado, presidente, até mais.

No fim da ligação, Renato Strauss entrou na sala. Trazia as demandas todas da imprensa sobre a resenha de Onyx Lorenzoni. Como eu, queria saber de Mandetta o que responder.

– Responde somente que... Ah, sei lá, responde o que cês quiserem... – falou o ministro, impaciente.

Nós nos entreolhamos.

– Cara, vamos usar a eloquência do silêncio: o ministro não vai comentar – falei para Strauss.

– Sério, tem certeza?

– Tenho.

– Absoluta?

– Ué, eu tinha até me perguntares isso. Por quê?

– Tem muita gente atrás, o assunto é grande.

– Eu não responderia. Quem tá todo cagado não é o Onyx? Por que o ministro vai botar o dedo nesse balde de bosta? Só pra sujar a mão? Não, deixe. Ele lá que se explique.

Olhamos para Mandetta. Ele deu de ombros.

– Então tá bom – aceitou Strauss.

O dia não poderia terminar sem a alfinetada habitual do presidente da República. Sempre que Mandetta era incensado pela mídia, o chefe surgia para espinafrá-lo. O canal para tanto foi a *live* do início de noite no Facebook.

Bolsonaro botou o dedo na ferida inflamada do dia.

– Quem tá esperando eu falar do Mandetta, do Onyx e do Osmar pode pular pra outra live. Não vai ter esse assunto aqui – avisou. Estava engasgado mesmo era com o discurso do ministro da Saúde no Dia do Fico.

Ao lado do presidente da Caixa Econômica Federal, Pedro Guimarães, convidado do dia, levou uma caixa de cloroquina e a deixou sobre a mesa o tempo inteiro. Aquilo deixava Mandetta furioso. Depois de balançar o remédio em frente à câmera mais uma vez e de defender o uso terapêutico contra a Covid-19, Bolsonaro finalmente respondeu o que lhe entalava a garganta desde a segunda-feira, mas sem citar o "desafeto".

GUERRA À SAÚDE 257

– O médico não abandona paciente, mas o paciente pode trocar de médico sem problema nenhum.

Antes disso, à tarde, o presidente da República havia parado numa padaria da rede Pão Dourado, instalada na quadra 302 da Asa Norte, no Plano Piloto de Brasília. Cumprimentou os clientes, fez um lanche rápido e foi embora. Não tinha o menor sentido aquilo. A não ser pelo fato de que a padaria fica a poucos metros do apartamento de Mandetta. E o ministro frequentava o lugar para tomar café da manhã, vez por outra. Ao próprio, aquilo soou como "cuidado, porque eu sei por onde você anda". O ministro ficou fulo. Reclamou a várias pessoas sobre o episódio, que considerou tática de intimidação.

O processo de demissão entrara na reta final.

O clima de feriado da Sexta-Feira Santa já bafejava a nuca daquela quinta caótica.

Nós deveríamos anunciar, com tom de presente de Páscoa, um repasse de R$ 4 bilhões do Ministério da Saúde para estados e municípios. Era dinheiro extra, para reforçar o caixa dos governadores e prefeitos durante a pandemia. Normalmente, o "anúncio" seria levado para o Palácio do Planalto, para que o presidente faturasse politicamente.

Mas, quer saber, façamos por aqui mesmo. Chamei Aurélio, o mais experiente câmera do nosso departamento de comunicação digital. Armamos o tripé no gabinete, em frente à mesa de trabalho, e pusemos o ministro para gravar a mensagem de Páscoa.

Extremamente católico, ele proferiu um voto de fé à população, anunciou os recursos, reforçou o pedido para que as pessoas mantivessem o isolamento social. Não se aguentou. No meio da bela mensagem, frisou que a Sexta-Feira Santa foi marcada pela traição a Jesus – referindo-se a Onyx, sem citá-lo –, mas que todo pecado deveria ser perdoado.

– Aí eu vou falar isso na imprensa, Sexta Santa é dia de os traidores se revelarem – especulava, depois da gravação. Estávamos na sala eu, Aleluia, Lupion, Gustavo Pires e Robson Santos da Silva.

– Eu acho que você não deve fazer isso – opinou Aleluia.

– Eu também – reforçou Robson.

– Bom, ministro, o senhor gravou, mas quem vai editar sou eu. Então eu vou logo avisando que eu vou cortar a provocação, tá? – brinquei.

Eu e Aurélio nos trancamos na mesa de edição e trinta minutos depois o vídeo estava no portal web e nas redes sociais do ministério. Só com o belo voto de fé, a boa notícia dos bilhões e sem a história da traição. Afinal, não tinha por que botar o dedo naquele balde.

Capítulo 22
Março de 2020

Aquilo que se chama de opinião pública é comumente descrito como o conjunto de ideias, opiniões e valores de uma sociedade em relação a um assunto. O processo como ela se forma, depois do surgimento das redes sociais, sofreu uma mudança drástica. Pulverizou-se. Passou do atacado ao varejo. De forma que amigos e conhecidos passaram a ter mais influência sobre o que uns e outros creem a respeito da realidade do que grandes corporações e conglomerados.

Ainda assim, a chamada mídia, ou imprensa formal, mantém imensa capacidade de aglutinar ideias e organizar determinado ponto de vista em relação aos assuntos. Sobretudo quando fala em uníssono, como se houvesse um imenso consenso entre os seres pensantes.

Foi mais ou menos assim que amanheceu aquela segunda-feira, 16 de março.

A foto de Bolsonaro com a camisa branca da seleção brasileira em frente ao Palácio no meio da manifestação estampou a capa de todos os principais jornais do país.

A *Folha de S.Paulo* trazia em manchete: "Bolsonaro ignora vírus e vai a ato contra Congresso e STF".

O Globo deixou a neutralidade de lado e atirou: "Não faça o que eu faço. Maus exemplos ameaçam combate ao coronavírus".

O Estado de S. Paulo pôs-se entre um e outro: "Infectologistas criticam Bolsonaro por dar mau exemplo à nação".

Enquanto o presidente e seus seguidores iam para um lado, parte considerável do país seguia por outro.

Naquele mesmo dia, a Confederação Brasileira de Futebol anunciou a suspensão das competições nacionais. A Copa do Brasil estava em disputa e o Campeonato Brasileiro começaria em menos de um mês. Uma das maiores paixões nacionais foi paralisada em respeito às orientações do Ministério da Saúde.

O movimento iniciado pelo Distrito Federal dias antes foi ampliado pelo governo do Ceará, que decretou o fechamento do comércio, a suspensão das aulas e proibiu aglomerações.

Em Brasília, o grupo dirigente do Ministério da Saúde se reunia em clima de azedume. Todos ali, em geral, e o ministro, em particular, se sentiam agredidos pelo ato de Bolsonaro na véspera.

Apesar disso, era preciso seguir com os planos de combate à pandemia.

Mandetta abriu a reunião do primeiro escalão com uma ordem: a Secretaria de Atendimento Especializado à Saúde deveria adotar um mecanismo rápido (ele falou *fast track*) para habilitar leitos de UTI pedidos pelos estados.

Já que se estava falando em UTIs, o dr. Gabbardo sugeriu que se aumentasse o valor da diária para cada leito destinado aos doentes de Covid-19. Era uma forma de estimular o SUS a abrir vagas para os infectados.

O ministro comprimiu os lábios, ergueu o nariz e balançou a cabeça negativamente.

– Não, não, eu acho que não. Isso não funciona.

A pauta seguiu com os relatos da Atenção Primária. Carol Martins informou que a portaria do Saúde na Hora 2.0, apresentado à nação na semana anterior, seria publicada naquele mesmo dia no *Diário Oficial da União*.

Mandetta fez reparos.

– Carol, inclua aí no texto a obrigatoriedade de ter uma equipe respiratória de plantão. Eu quero isso na coletiva de hoje.

Ele pediu também que a substituta de Erno trabalhasse para regularizar a telemedicina. Não era uma demanda qualquer.

A possibilidade de um médico atender o paciente pelo telefone, ou mesmo numa chamada de vídeo, sempre gerou debates entre os doutores. Havia organizações médicas que consideravam uma ferramenta inescapável trazida pelo atual estágio tecnológico da humanidade. Outras diziam que o diagnóstico e a terapia só seriam eficazes se antecedidos de um contato direto, pessoal, presencial, com o paciente.

Mas aquilo era uma pandemia, afinal de contas. O Brasil estava em emergência de saúde pública de importância nacional! Além de tudo, a saúde coletiva era motivo suficiente para ultrapassar certas barreiras sobre as crenças médicas.

Mandetta deixara claro ao longo dos meses que atropelaria muitos dos debates estabelecidos por seus próprios pares. A telemedicina foi um deles.

– O Einstein já atende a região Norte. Se ele não conseguir [expandir o atendimento por telemedicina às demais regiões], que transfira a tecnologia para os outros hospitais de referência do Proadi.

O Proadi é o Programa de Apoio ao Desenvolvimento Institucional do Sistema Único de Saúde. Tem uma série de regulamentos e trâmites bem complicados, mas em resumo é o seguinte: há cinco grandes hospitais privados de reconhecida excelência médica que não pagam impostos no Brasil, desde que usem a quantia que seria recolhida ao fisco para financiar projetos de melhoria do SUS.

Além do Albert Einstein (SP), fazem parte desse grupo o Sírio-Libanês (SP), o Moinhos de Vento (RS), o Hospital do Coração (SP) e o Hospital Alemão Oswaldo Cruz (SP).

O orçamento do Proadi é na casa dos bilhões de reais. No começo do governo, correu a notícia de que Paulo Guedes queria acabar com o programa e forçar os hospitais a recolherem os impostos. Mas essa ideia nunca prosperou.

Agora, Mandetta queria o time dos super-hospitais ajudando a implantar a telemedicina no SUS.

Passou-se ao próximo item da pauta: como enterrar os mortos da Covid-19.

As notícias que chegavam a esse respeito eram duras de escutar. Havia covas coletivas na China, proibição de velório na Itália. Na Espanha, houve comoção com uma história segundo a qual um único doente infectou sem querer sessenta pessoas, ao chorarem juntos por um ente querido.

– Aqui no Brasil – apontou o ministro da Saúde – temos que baixar uma portaria instituindo o rito sumário de sepultamento. Vamos proibir o velório. Morreu, enterrou. É duro? É duro, claro que é. Mas não tem jeito, nós temos que organizar isso. Cuidem aí, façam a portaria. Quem faz isso? Wanderson? Erno?

O secretário de Vigilância não tinha certeza. Mas tomou para si a missão.

– Pode deixar, ministro. Nós vamos ver de quem é a atribuição e fazemos juntos.

– Francisco?! – chamou Mandetta, procurando o secretário de Atenção Especializada, que levantou a mão, mostrando onde estava. – Vai pro Rio de Janeiro e maneja de lá. O Rio de Janeiro é nosso pesadelo. Eu morro de medo só de pensar. Quando o vírus chegar lá vai encontrar a atenção primária destruída, os hospitais sucateados, a equipe desmotivada, vai ser um horror. Também temos que desde já mandar suspender tudo quanto é cirurgia eletiva. Não é hora de fazer cirurgia que não seja de extrema urgência. Porque a gente não quer ocupar leito, muito menos de CTI, com paciente que não precisava estar lá.

Depois de mais uma rodada de providências a serem tomadas e de uma série de encomendas à equipe, o ministro encerrou a reunião e foi tratar de algo que vinha lhe torrando o juízo: o futuro.

Após sair da secretaria municipal de Saúde de Campo Grande respondendo a processos com acusações graves contra si, o ministro tornara-se um gestor desconfiado. Queria, por isso, construir uma forma de se proteger.

Ainda mais porque a demanda por insumos de saúde já crescia exponencialmente a reboque da pandemia. Os preços, por consequência, entraram numa louca espiral de alta.

Com isso em mente, ele montou uma agenda para encontrar os presidentes das duas casas do Congresso e o presidente do Supremo Tribunal Federal, José Antônio Dias Toffoli. A reunião aconteceu e nela havia também representantes do Tribunal de Contas da União (TCU) e da Advocacia-Geral da União (AGU).

O TCU é um órgão do Poder Legislativo que fiscaliza os gastos públicos. Tem um corpo técnico muitíssimo bem pago. Audita constantemente todas as grandes contratações e a execução orçamentária regular.

A AGU é uma espécie de gigantesca banca de advogados que estão ali para defender os gestores públicos. Todos os ministérios têm uma consultoria jurídica com gente da AGU, dizendo o que pode e o que não pode ser feito.

Mas só tomaríamos conhecimento do que trataram naquele encontro dois dias depois.

Naquele momento, vinte dias depois do primeiro caso, o número de brasileiros infectados já era de 234. O que era um avanço significativo, mas tímido se comparado, por exemplo, ao que aconteceu na Itália.

Em 17 de março, iniciamos o novo formato da entrevista coletiva diária. A partir dali, nenhum repórter seria autorizado a entrar no auditório Emílio Ribas. Somente cinegrafistas e fotógrafos em alternância, não todos de uma vez.

A emissora do governo, TV Brasil, teria vaga cativa e a ela estava reservado o melhor lugar à frente da mesa de autoridades. Pois transmitiria ao vivo em sinal aberto e disponibilizaria as imagens para todos os demais canais.

Aqueles que quisessem mandar perguntas deveriam fazê-lo num grupo de WhatsApp criado especialmente para esse fim. Esse grupo era administrado por Newton Palma, Neyfla Garcia e Amanda Costa, os três coordenadores da assessoria de imprensa.

Não houve polêmica. Os jornalistas entenderam nosso argumento. Seria péssimo para o combate à pandemia que houvesse um contágio dentro do prédio do ministério, justamente no evento em que se prestava contas à população. Sendo assim, melhor que não se permitisse aglomeração.

O ministro foi pessoalmente à coletiva nesse dia, porque foi também o dia da primeira morte por Covid-19 no Brasil. Um homem de 62 anos, que estava internado num hospital do grupo Prevent Senior, em São Paulo, sucumbira à doença.

O Prevent Senior é um plano de saúde voltado especificamente para pessoas acima de sessenta anos. Ele não só custeia consultas médicas e exames, mas tem uma rede de hospitais espalhada pelo estado de São Paulo, que concentra a assistência a sua clientela.

O que era uma boa ideia de negócios transformou-se de repente num gigantesco problema. Pois bastou o vírus entrar num hospital cheio de idosos para se alastrar e causar mortes em sequência.

O Brasil contava, então, quatrocentas pessoas infectadas. O retrato daquele instante punha o país numa condição singular no que tange à Covid-19. Pois só depois de quatro centenas de doentes, perdia seu primeiro paciente. Para efeito de comparação, a Itália contara dez mortes quando atingiu os mesmos quatrocentos casos confirmados.

Havia muitas variáveis em jogo para se entender o que estava acontecendo. A população brasileira é mais jovem que a italiana. Logo, a mortalidade do vírus poderia ser menor aqui que lá. Além disso, a fase de vigilância discorreu a ferro e fogo no Brasil, mas praticamente não existiu na Itália. Cá, diferentemente de lá, os governos locais tomaram medidas para tirar a população das ruas. O que significa que a transmissibilidade pode ter sido esmagada à força no início da epidemia.

O debate sobre isso transcorria em todos os momentos no Ministério da Saúde.

A má notícia do dia foi a confirmação de mais uma transmissão comunitária: um homem de 34 anos, morador de Belo Horizonte. O vírus circulava sem controle também em Minas Gerais.

Estava completo o temido círculo de ferro, formado pelos estados do Rio de Janeiro, São Paulo e Minas Gerais. Nessa região vivem mais de 80 milhões de pessoas, quase 40% da população brasileira. E era justo que aí o coronavírus escapasse do bloqueio sanitário.

O governador fluminense, Wilson Witzel, decretou nesse dia a suspensão das atividades em todo o estado do Rio de Janeiro.

Nas nossas reuniões internas, Júlio Croda fazia contas.

Com base no histórico da doença na China e nas premissas básicas da epidemiologia, ele dizia que metade daquele grupo populacional seria infectado. Ou seja, 40 milhões de paulistas, fluminenses e mineiros contrairiam o vírus inevitavelmente. Desses, 15%, ou 6 milhões de pessoas, adoeceriam de fato, desenvolveriam os sintomas. Teriam febre, dores, tosse, dificuldade de respirar, perderiam olfato e paladar, teriam disenteria em alguns casos e lesões de pele em outros. E 5% dos sintomáticos, ou 300 mil pessoas, iriam parar numa UTI com complicações e risco de morte.

Era muito mais do que o SUS poderia aguentar. Em todo o país, havia 55 mil leitos de UTI, o que não era um número pequeno. Ainda assim, não dava sequer para cobrir a demanda esperada para três das 27 unidades da Federação.

Croda sempre, sempre repetia uma ressalva depois de apresentar esses cálculos:

– Isso se nada for feito para combater a doença! Não é o nosso caso!

A reunião do primeiro escalão de 18 de março contou com a presença do ministro-chefe da Controladoria-Geral da União (CGU), Wagner Rosário.

A CGU é um órgão de controle interno do Governo Federal. Sua equipe é formada majoritariamente por auditores, cuja missão é vigiar os gestores e impedir que roubem dinheiro público.

Sim, o sistema de controle brasileiro é gigantesco, pleonástico – vários órgãos e instâncias fiscalizam as mesmas coisas – e fiel aliado do velho inimigo nacional: a burocracia. Mas esse debate ainda seria travado mais adiante.

Naquele dia, Rosário estava presente a convite de Mandetta. E isso explicava as andanças do ministro da Saúde pelos gabinetes do Judiciário nos dias anteriores.

Escaldado pela história de Campo Grande, Mandetta articulara a criação de um sistema emergencial de controle para as compras do Ministério da Saúde durante a pandemia. Quem a explicou para nós foi o próprio controlador-geral da União.

– O Ministério Público vai criar um comitê excepcional para acompanhar as compras mais complicadas. De forma que o gabinete do Aras [o procurador-geral da República, chefe do Ministério Público Federal] centralize o controle a respeito da pandemia. Nós da CGU faremos o mesmo, trabalharemos direto com o Ministério da Saúde, atestando os processos, assinando junto. Todos os casos serão levados para o Supremo Tribunal Federal. O ministro Toffoli julgará como ato transitado em julgado. Dessa forma, a gestão não poderá mais ser questionada nas instâncias inferiores.

O som daquelas palavras era agradável a todos os secretários, que vinham pagando faturas milionárias nas ações de combate. Mas eram especialmente reconfortantes para Roberto Dias, do Dlog. Ele assinaria a compra de bilhões de reais em suprimentos médicos. Os preços do mercado internacional haviam enlouquecido e não faziam sentido. Pule de dez que haveria questionamentos e denúncias. Portanto, a proteção era muitíssimo bem-vinda.

Quando saímos dali, a advogada Juliana Freitas foi profética.

– Sabe quando aquilo tudo vai acontecer? Nunca!

De fato, nada do que Rosário falou foi posto em prática nos dias e semanas seguintes.

À tarde, não fizemos a nossa tradicional coletiva porque Bolsonaro convocou Mandetta para uma entrevista que ele próprio daria no Palácio do Planalto. Reuniram-se, então, todas as joias da coroa bolsonarista.

Além do próprio presidente e do ministro da Saúde, estavam na entrevista Paulo Guedes, Sergio Moro, Tarcísio de Freitas, Rogério Marinho, os três generais Braga Netto, Ramos e Fernando e mais o presidente da Anvisa, Antônio Barra Torres. Todos usavam máscaras.

Do ponto de vista formal, a entrevista foi convocada para que o presidente da República anunciasse o decreto de estado de calamidade pública decorrente da pandemia de coronavírus. E, a reboque dele, uma série de medidas que iam de repasses para o Bolsa Família até ajuda para empresas em dificuldades pela redução da atividade econômica desde os decretos de restrição social baixados pelos governadores.

Na prática, porém, eu interpretei aquilo como uma pequena encenação.

Em seu discurso inicial, Bolsonaro mencionou Mandetta e disse que não tinha nenhum problema com seu ministro da Saúde, apesar de os jornais estarem há dias falando o contrário.

– Um breve histórico: tudo começou em outubro, novembro do ano passado, na China. Num primeiro momento, ninguém ficou preocupado com isso. Nem no Brasil, nem no mundo. Mas, quando adentramos janeiro, esse vírus começou a se propagar em vários locais do mundo. E o Brasil teve efetivamente uma notícia vultosa sobre o mesmo, quando poucas dezenas de brasileiros que estavam na China buscaram o governo brasileiro de modo que eles fossem resgatados. Essa missão foi muito cumprida por parte do governo, bem cumprida, foram resgatados com sucesso, submetidos à quarentena e devolvidos aos lares. A luz amarela do governo surgiu naquele momento. Todos os ministros, foi determinado que começasse a se preocupar. O que fazer quando o vírus chegasse ao Brasil? Todos nós sabíamos que ele chegaria. Obviamente, é como conter uma expansão do mesmo de forma abrupta. Não tem vacina para o mesmo. Assim sendo, o que nós deveríamos a começar a nos preparar, mesmo sem ter recurso, mesmo sem ter um apelo para que todos os poderes agissem numa mesma direção, começamos a nos preparar. Até que os primeiros casos começaram a aparecer no Brasil. Alguns achavam que a gente deveria suspender o Carnaval. Tivemos uns exemplos, esses dias um governador quis impedir os brasileiros de irem à praia. Não só foi um fracasso, bem como aumentou o número de pessoas que foram à praia. Vários eventos aconteceram nos últimos dias, pré dia 15, inclusive, onde houve grande concentração de pessoas, das mais altas autoridades do Brasil se fizeram presentes. Como no lançamento dessa nova tevê, a CNN. Outros eventos ocorreram também. O dia 15 eu fui convencido, de forma bastante tranquila, a fazer um pronunciamento na quinta-feira que antecedeu esse dia. Foi o que eu fiz. O povo em grande parte resolveu por livre e espontânea vontade comparecer às ruas. Toda essa concentração de pessoas no Brasil foi abaixo de 1 milhão. Ou próximo de um 1 milhão. Isso equivale a menos de 20% das concentrações que existem diariamente, por exemplo, no município de São Paulo por ocasião dos transportes coletivos. Por volta de meio-dia do dia 15, vim aqui a esse prédio e cumprimentei os brasileiros que estavam aqui fora, em grande parte meus eleitores. Estive do lado do povo, sabendo dos riscos que eu corria. Mas nunca abandonarei o povo brasileiro. Esse ao qual eu devo lealdade absoluta. Pós isso, grande parte da mídia potencializou em cima desse evento. Como se fosse o único e tivesse sido programado por mim. Não convoquei ninguém, não existe nenhum áudio, nenhuma imagem minha, convocando pro dia 15 de março de 2020. Existe, sim, um vídeo meu convocando para o dia 15 de março de 2015, numa manifestação contra a presidente naquele momento. Vídeo esse que foi largamente explorado por parte de uma jornalista inconsequente como se fosse 15 de março de 2020, coincidente também em sendo um domingo. Mas o momento agora com a realidade posta, com os riscos que parcela da população pode vir a sofrer, nós externamos toda a nossa preocupação, bem como estamos tendo um apoio incondicional por parte da Câmara e do Senado em todas as medidas que porventura se façam necessárias para que esse problema seja atenuado. Repito: como diz o nosso ministro da Saúde, não tenho nenhum problema com ele, diferentemente do que parte da mídia ainda prega, o que nós buscamos é estender, alongar o prazo daqueles que porventura contrairão o vírus, já que não existe vacina para tal.

Eu sabia, porque conversava com os jornalistas, que o próprio Bolsonaro vinha aqui e ali fazendo vazar a informação de que, quando queria tratar de assuntos de saúde, procurava Barra Torres, o presidente da Anvisa, não Mandetta.

Inclusive Barra Torres o acompanhara no ato do domingo, andando sempre dois passos atrás do presidente, nem tão próximo que pudesse ser taxado de papagaio de pirata, mas o suficiente para ser notado nas fotos e imagens de tevê.

A imprensa publicava, então, que Barra Torres seria o médico por trás da decisão de Bolsonaro de ir ao encontro dos manifestantes, contrariando as orientações de seu próprio governo. Escrevia-se também que o presidente estava preparando a substituição de Mandetta por ele, que, assim, assumiria a coordenação do combate à pandemia.

Ali, à mesa da coletiva, estavam apenas ministros de Estado. Não fazia o menor sentido a presença do presidente da Anvisa, a não ser o de fazer sombra a Mandetta. Eu me perdi nesses devaneios ao assistir à entrevista presidencial naquela quarta-feira.

Além disso, a realidade sofria deturpações claras naquele discurso. A começar pelo resgate dos brasileiros em Wuhan, que o presidente da República hesitou o quanto pôde em fazê-lo.

Ele nega que tenha convocado a população para a manifestação de 15 de março e chama de inconsequente a jornalista Vera Magalhães, do *Estado de S. Paulo*, que havia publicado o vídeo em que fazia a convocação.

Os perfis bolsonaristas passaram a perseguir Vera nas redes sociais e a disseminar, como contraprova, um vídeo de convocação que ele tinha feito para 15 de março de 2015.

Ocorre que no vídeo que subsidia a reportagem do *Estadão*, Bolsonaro conclama a população às ruas e menciona o atentado sofrido na campanha de 2018. Como ele poderia, em 2015, falar desse assunto? Óbvio que o vídeo de Vera era autêntico. As afirmações de Bolsonaro naquela coletiva, não.

Na quinta, o governador do DF, Ibaneis Rocha, aumentou a amplitude do primeiro decreto. A partir de então, na capital da República, estava proibido o funcionamento de todo o comércio e demais atividades econômicas. Só serviços de alimentação, saúde e segurança poderiam funcionar.

Inimigo juramentado do bolsonarismo, o governador Flávio Dino, do PCdoB, também decretou estado de calamidade pública no Maranhão.

Os estados brasileiros iam fechando um a um, um após outro.

Diante dos rumores do noticiário a respeito dos planos presidenciais de demitir o ministro, os nervos de todos começaram a esquentar. Aquilo custaria caro à equipe.

Estávamos, já nesses tempos, reunindo-nos no auditório Emílio Ribas. E todas as nossas reuniões eram gravadas pelo sistema de câmeras do prédio.

Na reunião do primeiro escalão da quinta-feira, 19 de março, a mudança de humor ficou patente.

O próprio ministro descreveu em detalhes como se dava o agravamento da Covid-19 no organismo de um ser humano. Explicou como a infecção dos pulmões comprometia a capacidade de o paciente respirar e, mais angustiante, como se dava clinicamente o quadro de insuficiência respiratória. Depois de fazê-lo, ele esmurrou a mesa e soltou um grito que assustou a todos:

– Não quero deixar meu povo morrer sem ter uma chance!

Discutiu-se que a epidemia deixaria seu rastro de forma marcante nos meses de maio, junho e julho. O medo de todos era que pessoas morressem em casa, sem assistência. Alguém lembrou que, no momento em que o sistema de saúde entrou em colapso, médicos italianos passaram a fazer escolhas diárias sobre quem ia para o respirador, ou seja, iria viver, e quem não iria para o respirador, ou seja, iria morrer.

No fim das contas, o governo baixara uma norma proibindo a intubação de pacientes maiores de oitenta anos. O que significava que se o idoso fosse infectado e precisasse de respirador, seria abandonado à própria morte.

Mandetta ouvia os relatos e mostrava aflição pela possibilidade de algo parecido acontecer no Brasil.

– Vamos fazer uso pornográfico de Tamiflu! – sugeriu.

Tamiflu é o nome comercial do osetalmivir, antiviral descoberto na época da epidemia de H1N1, em 2009, eficaz contra a doença chamada de gripe suína. No raciocínio do ministro, administrá-lo em massa, sobretudo aos idosos, garantiria que não seriam enfraquecidos por outros vírus respiratórios.

Era uma ideia ao vento. Ninguém quis debater e ela ficou ali mesmo, pairando, sem um gerente que a tirasse da abstração.

Júlio Croda foi chamado para apresentar as simulações epidemiológicas. Apresentou a que fizera para o estado de São Paulo. As contas dele seguiam o padrão de sempre. Dada a população e na falta de uma vacina, necessariamente 2.940.688 paulistas adoeceriam de Covid-19 – um contingente dez vezes maior seria infectado, mas permaneceria assintomático. Dos doentes, 147.034 deles iriam parar na UTI. E, se nada fosse feito, 147.034 morreriam.

Antônio Tomasi, o diretor cê-dê-efe do Departamento de Monitoramento do SUS e assessor de Gabbardo, criticou o modelo.

– Não pode estar certo. Na China, morrem ao todo quatro mil pessoas! Como é que só em São Paulo vão morrer quase cento e cinquenta mil?!

Croda havia apresentado suas contas de pé, em frente à mesa principal, onde estavam Mandetta e Gabbardo. Tomasi estava sentado na primeira cadeira à esquerda, na terceira fila do auditório.

O doce gigante, em princípio, tentou explicar.

– Veja bem, eu tô dizendo como a doença vai se comportar se não houver nenhuma medida de contenção.

Da mesa, Gabbardo apoiou seu pupilo. Caprichou no sotaque gaúcho e pronunciou como tônica a última vogal do nome do diretor.

– Ô, Juliô, não pode ser! Como é que a gente vai trabalhar com uma conta em que o Brasil vai ter mais mortes do que todo o resto do mundo somado?

Tomasi acelerou.

– Tá errado, cara!

O médico explodiu.

– Ué, então mostre as suas contas! – E andou nervoso na direção do desafiante. Gesticulava com as mãos. Apontava o dedo na direção do crítico.

– Eu tô aqui explicando o conceito. Fiz um modelo. Ficar aí falando que tá errado é fácil. Então vai fazer, apresente aí seu modelo e a gente discute.

Falava alto, quase gritava. Estava indignado.

Mandetta resolveu intervir.

– Olha só, isso também faz parte da doença. Esse embate, o estresse, a impaciência, tudo isso faz parte. Então vamos encarar com naturalidade, vamos voltar à calma, vamos tentar pensar juntos. Croda, faça o seguinte: forme um comitê, um grupo pequeno, e concentre aí tudo o que for de cálculo e simulação. Você fica à frente disso e se reporta direto a mim. Vamos em frente.

José Carlos Aleluia, que sempre tinha uma palavra de moderação e reflexão nos momentos tensos, pegou o atalho e redirecionou a tensão para outro tema. Falou sobre as dificuldades da população com o fechamento das cidades.

– Alguém tem que falar que banco tem que abrir, ora! Por que banco não tá funcionando?

Sugeriram que se procurasse a Federação Brasileira dos Bancos (Febraban) para tratar do assunto.

Na sexta-feira, o Ministério da Saúde declarou formalmente haver transmissão comunitária de coronavírus em todo o país. Embora aquilo não fosse necessariamente verdade, pois só em cinco estados havia de fato infecção irrastreável, o secretário Wanderson pediu que fosse feito daquela forma.

Na prática, a declaração era um comando para que prefeitos e governadores adotassem medidas de distanciamento social e evitassem aglomerações. Muitos já tinham feito isso. O ministério estimulava que outros os seguissem.

A nossa reunião matinal transcorreu no mesmo clima tenso da véspera. Discutia-se o esgotamento do orçamento da Secretaria de Vigilância quando Erno explodiu, irritadíssimo, depois de receber uma mensagem no celular.

– Ministro, desculpe, mas mandei o Conasems tomar no cu aqui agora. Eles tão aqui dizendo no COE que a atenção primária tem que ficar em segundo plano.

Erno se referia à reunião do COE, que acontecia naquele mesmo momento longe dali, no PO 700, sede da Secretaria de Vigilância em Saúde. Seus assessores lhe relatavam em tempo real o que estava sendo discutido. E que a área que comandava, a atenção primária, estava sob ataque dos representantes dos municípios, que pediam que a atenção especializada, ou seja, os hospitais, recebessem prioridade.

– Porra! – bradou Mandetta. – Mas se eu fui na tevê ontem à noite dizer que a atenção primária é a linha de frente!

Dava-se essa discussão acalorada quando Onyx Lorenzoni, ministro da Cidadania, entrou no auditório. Mandetta o recebeu com cortesia, mas sem entusiasmo. A polêmica da atenção primária foi varrida para debaixo do tapete.

– O ministro Onyx veio hoje aqui falar conosco porque ele tem um projeto pra fazer junto com a gente, não é isso, Onyx?

– Sim, ministro, é isso mesmo. Em primeiro lugar, quero dar os parabéns pelo trabalho que vocês estão fazendo pelo país.

Nós nos pusemos a ouvi-lo.

O projeto dizia respeito a idosos atendidos pelo programa Bolsa Família, 700 mil pessoas, segundo ele. Esse público iria receber um kit com leite em pó e uma lata de sardinha. Era um reforço nutricional para melhorar as condições do organismo antes de enfrentar a doença.

Mandetta fez reparos.

– Essas latas de sardinha contêm basicamente óleo e sal. Então tem que ter cuidado com a hipertensão, que é muito comum nesse público que você quer atingir. Talvez seja melhor providenciar aquela barra de cereal superproteica, sem açúcar. Bota também sabonete. Eu queria mesmo era Qboa. Pegue a indústria fabril, mande fazer máscara de pano e põe no kit também. Daí o cara usa e lava com Qboa.

Ao fim da reunião, chamei o ministro e comuniquei algo que já havia combinado com o dr. Gabbardo e com o secretário Wanderson. A partir dali, estava declarada a moratória de entrevistas. Ninguém do ministério falaria mais nada, a não ser na entrevista coletiva diária. As exclusivas, as idas ao estúdio das tevês, os telefonemas nas rádios, estava tudo suspenso.

Expliquei que havia um número enorme de pedidos de entrevista. Não tinha como atender a todos. Além do mais, os dirigentes do ministério não fariam mais nada além de falar com a imprensa o dia inteiro. Sendo assim, para ser justo com todos e para organizar melhor o trabalho interno, falaríamos somente na coletiva.

Ele riu e não gastou nem meio segundo com aquilo.

– Strauss já tinha falado comigo. Tudo bem.

No sábado de manhã, o ministro decidiu fazer algo que nunca havia experimentado antes, mesmo morando em Brasília havia oito anos: pegou o carro e decidiu dirigir até o trabalho.

Nós chegamos cedo no auditório. Estranhamos aquela demora. Passaram-se mais de quarenta minutos da hora marcada e o chefe não tinha dado as caras. Ninguém tinha notícia dele.

Descobrimos depois que ele saiu de casa precisamente às 8h55. O caminho da Asa Norte, onde morava, até a Esplanada dos Ministérios não consome mais do que cinco minutos de carro. Mas o Plano Piloto tem peculiaridades. Foi construído de forma que o tráfego se dê com o mínimo de intervenções, sinais de trânsito, essas coisas. Geralmente, se você precisa ir por um caminho à sua esquerda, deve entrar à direita. É fácil depois que se entende a ideia.

Mas Mandetta dava voltas e voltas e não conseguia sequer sair do bairro onde morava. Passou duas vezes pelo mesmo posto de gasolina e pediu informação à mesma pessoa.

– Mas o senhor não é o ministro da Saúde? – perguntou-lhe o frentista, na primeira vez.

– Sou, sim.

Na segunda, o homem não se segurou.

– Tá perdido mesmo, hein?, seu Mandetta.

O ministro chegou ao ministério às 9h40. Rodou perdido pela cidade por quase uma hora.

– Pô, meu, que cidade é essa? Difícil demais de andar aqui – reclamou, sorrindo, ao chegar.

A pauta começou com a informação de que o governo preparara a edição de uma medida provisória regulamentando a circulação de pessoas. O chefe de gabinete, Gustavo Pires, avisou que cada ministério deveria listar o que era essencial a seu funcionamento e avisar à Casa Civil.

– Quem tem o mapa dos leitos de UTI? – perguntou Mandetta, batendo com a palma da mão na mesa. – O ACM me disse que abriu cento e cinquenta leitos em Salvador.

– A gente tá tendo muita dificuldade em levantar as informações – respondeu o secretário Francisco de Assis, dono da área.

– Francisco, eu já fui secretário municipal. Sabe o que a gente pensa de vocês? "Aqueles filhos da puta do ministério que não fazem porra nenhuma ficam aqui enchendo o saco perguntando besteira." Então, vocês estão pedindo muita informação e de forma descoordenada. Mas tem que preparar o mapeamento de leitos. É fundamental.

Durante a reunião, o secretário de Saúde de São Paulo, José Henrique Germann, telefonou para o celular de Mandetta, que atendeu no viva-voz.

– Zé, cê tá falando para sessenta pessoas aqui do Ministério da Saúde, viu? Tá no alto-falante do auditório.

– Ministro, tô ligando por questão de cortesia, pra avisar que nós vamos fechar tudo daqui a pouco. O governador resolveu decretar quarentena em todo o estado de São Paulo.

– Faça o seguinte, escreva um arrazoado e mande pra mim. Vocês estavam indo superbem, o problema foi lá a Prevent. Cuidado para ele não fechar o plano de saúde e entregar o hospital para você administrar. Mas faz isso, mande um texto pequeno pro Wanderson, que ele bota no COE. Não vai fazer igual ao governador do Rio, que fechou as estradas, segurou minhas vacinas, meus kits de teste.

Assim ficou combinado. Ao desligar, ele se virou para o secretário de Vigilância e comentou:

– Acho bom São Paulo fechar, viu, Wanderson. Me mande os dados epidemiológicos do estado todo para eu poder justificar.

O ministro, então, passou cerca de meia hora contando que acordara de madrugada, após ter um pesadelo com a favela da Rocinha. No sonho, todos os moradores haviam sido infectados. Ele acordou suado e mandou uma mensagem de WhatsApp para a secretária de Saúde do Rio, Beatriz Busch. *Quando puder, me liga*, dizia. Ela estava acordada e ligou no mesmo minuto. Ficaram conversando até 4h40.

Ele falou de como pensava num grande hospital de campanha no Rio-Centro. Na aglomeração das famílias nas favelas, nos 89 hospitais públicos da cidade, "tudo véio", sem gente. Em como a administração Crivella desmontara a atenção primária para economizar.

– Aquilo lá vai ser a nossa Índia – repetia.

Enquanto ele destrinchava os detalhes do papo com a secretária, recebemos pelo celular o alerta do monitoramento de mídia. Dória decretara a quarentena em todo o estado de São Paulo.

O texto pedido há pouco ao secretário estadual nunca chegou. Mas ele, de fato, não era necessário.

Pouco depois, o Espírito Santo também decretou o fechamento do comércio, das escolas, dos eventos, e proibiu aglomerações.

As regras de isolamento haviam fechado todas as atividades econômicas do DF havia vários dias. Isso vinha causando problemas cotidianos a quem continuava trabalhando. O secretário Wanderson, por exemplo, já não conseguia colocar seus ternos para lavar.

No domingo, 22 de março, ele teve uma conversa séria com Mandetta. Avisou que não conseguia mais levar a roupa de trabalho à lavanderia. Sendo assim, passaria a aparecer sempre de calça jeans, camisa arregaçada e colete do COE. Como, aliás, estava naquele exato momento.

– O senhor devia adotar também, viu?

Mandetta gostou do visual e da sugestão. Wanderson providenciou os coletes e os três, o ministro, o secretário-executivo e o secretário de Vigilância inauguraram naquele dia o que passaria a ser o uniforme da crise.

Do ponto de vista da imagem, todos ganharam o ar de estarem literalmente de mangas arregaçadas, trabalhando, a todo vapor. Diferente da frieza e do distanciamento que o terno propiciava.

Muitas vezes me perguntaram se havia sido uma sacada de marketing. Eu sempre confirmei, é claro.

Assim, de colete, Mandetta compareceu na segunda, 23 de março, ao Planalto para mais uma entrevista coletiva ao lado de Bolsonaro. Lá estavam ambos e mais o vice-presidente, Hamilton Mourão, e o ministro da Defesa, general Fernando Azevedo. Depois chegaram Braga Netto, Onyx Lorenzoni e Marcos Pontes.

Bolsonaro estava incomodado. Anunciou uma série de repasses de recursos para o combate à pandemia, somando R$ 85 bilhões, valor que deixara os governadores satisfeitos. Eles haviam elaborado uma carta pedindo apoio da União para a luta contra o vírus.

Nos bastidores, porém, a ferida aberta pela discussão de Júlio Croda com Alberto Tomasi, dias antes, inflamara.

Instado por Mandetta, o chefe do Departamento de Imunização e Doenças Transmissíveis havia formado o comitê de técnicos encarregado dos cálculos e simulações. Como dissera o ministro, o grupo responderia diretamente a ele.

Havia, porém, o detalhe que o chefe esqueceu: Croda era subordinado de Wanderson. E, assim, jamais poderia estar à frente de uma instância que não prestasse contas ao secretário de Vigilância.

Quando os dois conversaram a respeito, não houve acordo. Ou as simulações seriam submetidas, ou ele pediria demissão do cargo.

O conflito chegou ao ministro. Só então ele se deu conta da besteira que fizera. Mas não tinha como desfazer, senão reafirmando a autoridade do secretário sobre o diretor do departamento.

Júlio Croda, que enfrentara o questionamento a seu trabalho na frente de todos os dirigentes do ministério, sentiu-se desconfortável com a situação toda. E avisou que sairia.

A partida dele gerou reportagens nos jornais, que noticiavam, sem detalhes, desentendimentos na equipe de Mandetta. O secretário Wanderson formulou uma nota, pondo panos quentes no assunto. Nós a divulgamos.

Mas o doce gigante já não estava mais entre nós.

CAPÍTULO 23
11 ABR. 2020
MINISTÉRIO DA SAÚDE

EM MEIO A TANTA TENSÃO, brigas internas, pressão externa, desconfiança, sabotagem, algumas das ideias começaram a se transformar em ação.

Para nós, o sábado de Aleluia foi marcado por uma reunião, à tarde, na sala de gestão da Saes, no nono andar do prédio. Nela, o modelo de mapeamento de leitos, enfim, foi apresentado em sua versão final. O banco de dados ganhara confiabilidade. Os leitos estavam georreferenciados. O Ministério da Saúde agora sabia exatamente quem tinha cama equipada para receber os doentes, em qual montante, com que paramentação, em cada um dos municípios brasileiros.

Só faltava a última peça do quebra-cabeça, a informação dinâmica. Ou seja, como a pandemia consumia aquela capacidade instalada a cada minuto, a cada hora, a cada dia.

O dr. Gabbardo avisou que Mandetta providenciara a solução. Pedira a Sergio Moro que pusesse a Polícia Federal para fiscalizar dentro dos hospitais a notificação dos leitos no sistema – o que nunca chegou a acontecer, pois ambos cairiam dali a alguns dias.

Já deslocado da chefia de gabinete para a Secretaria Especial de Saúde Indígena, Robson Santos da Silva relatou a morte dos dois primeiros indígenas brasileiros por Covid-19. Acontecera em Manaus. Já estavam internados por outros motivos. Foram infectados dentro do hospital.

O secretário, porém, não queria divulgar esses detalhes. Dizia "os caras lá já estão com problemas demais", referindo-se aos dirigentes do Amazonas, que seriam cobrados a explicar como o vírus estava vetorizado dentro das unidades de saúde. Então, propunha apenas comunicar os óbitos, sem as circunstâncias que os causaram.

Foi a primeira e única vez em todo o tempo de enfrentamento à epidemia em que presenciei alguém do Ministério da Saúde propondo esconder informação. O que acabou não acontecendo. Pois ali mesmo ele me enviou, em mensagens pelo WhatsApp, uma nota oficial em que a história era contada por completo. Assim ela foi divulgada.

O ministro da Saúde não estava presente. Pois sua missão naquele dia era acompanhar Bolsonaro na visita à obra de construção do primeiro hospital de campanha federal, em Águas Lindas, Goiás. Para isso, saiu cedo de casa e foi até a Estação de Autoridades da Base Aérea de Brasília. Lá, encontrou o chefe, com quem trocou poucas palavras.

O ministro contou ao presidente que aceitara o convite do governador goiano, Ronaldo Caiado, para passar o feriado de Páscoa na companhia dele e da primeira-dama, no Palácio das Esmeraldas, sede do governo estadual. Levaria a esposa, dona Terezinha. O subordinado implicitamente pedia autorização, pois havia uma implicação política naquilo, dado que Caiado rompera havia alguns dias com Bolsonaro, por causa dos ataques do presidente à política de isolamento. O chefe não se queixou. Então, o ministro entendeu não haver problema.

Embarcaram num helicóptero da FAB junto com uma comitiva de mais quatorze pessoas. Sentou-se próximo a Bolsonaro, mas não trocou palavra com ele durante o voo. O presidente manteve-se o caminho inteiro circunspecto. Olhava fixamente para a paisagem do cerrado pela janelinha da aeronave. No silêncio, havia frieza e conflito.

O helicóptero modelo VH-36 pousou próximo à obra do hospital de campanha. O lugar parecia um imenso buraco de barro vermelho, com mais de duzentos metros de diâmetro. O Serviço Secreto da Presidência cercara todo o perímetro desde a véspera. Dentro da área reservada, somente Caiado, o anfitrião, e alguns assessores estavam autorizados a circular.

Dois barrancos com altura de não mais do que 2,50 metros, separados entre si por um vão de cerca de trinta metros, se erguiam na borda norte da obra, com o sol marcando-lhe a sombra grossa do meio da manhã. Acima deles, dezenas de moradores de Águas Lindas se amontoavam, curiosos, fora do perímetro, impedidos de se aproximarem.

O presidente da República desembarcou e seguiu direto, rumo ao primeiro barranco. Cercado de seguranças e assessores que filmavam tudo em celulares, subiu o morrinho com dificuldade, quase que escalando. Lá em cima, sem máscara, apertou a mão dos curiosos. Havia ali muitos apoiadores. Gente simples, vestindo bermuda e camiseta surradas e protegendo os pés com chinelos gastos e rotos. Alguns deles seguravam cartazes onde estava escrito "o remédio do Bolsonaro", junto com a imagem de uma caixa de hidroxicloroquina. Outros xingavam Caiado e a imprensa. E havia ainda os que gritavam palavras de ordem pelo fim da quarentena.

Após cumprida a saudação à claque, Bolsonaro partiu na direção do governador de Goiás. Mandetta, que não se aventurara barranco acima, manteve-se dez metros atrás, caminhando devagar, longe do amontoado de seguranças em volta do presidente da República.

Ao encontrar Caiado, que o esperava com um pote de álcool em gel na mão, Bolsonaro ignorou por completo a saudação à distância que ele lhe dirigiu. Aproximou-se, abraçou-o e disse, sorrindo:

– Vamos infectar todo mundo logo de uma vez!

Diante de um Caiado atônito, continuou andando. Foi na direção do segundo barranco, escalou-o como fizera antes e repetiu a saudação aos apoiadores, aglomerando-se com eles, sem máscara nem qualquer outra medida de "etiqueta sanitária". Entrou numa rua próxima, caminhou até uma casa, no meio da pequena multidão contida por soldados do Exército.

O ministro da Saúde observava aquilo com fúria inflamada. Pois o presidente da República esfregava na cara dele o mais explícito ataque a tudo o que vinha sendo dito pelo ministério desde fevereiro.

Os repórteres não estavam autorizados a entrar no perímetro demarcado pela segurança. Mas do lado de fora do cerco eram livres. Filmaram e fotografaram abundantemente.

Não houve propriamente visita à obra. As autoridades ali não devem ter trocado mais do que cinquenta palavras sobre o hospital de campanha. O evento aconteceu muito rápido. O presidente chegou, fez o que queria, embarcou novamente com os seguranças e assessores e voou de volta à Base Aérea.

O ministro da Saúde não acompanhou o chefe ao helicóptero. Afinal, seguiria viagem até Goiânia com Caiado. Estava visivelmente contrariado. Os repórteres insistiam em questioná-lo sobre o que achara do sucedido havia pouco. Ele não se aguentou:

– Posso recomendar, não posso viver a vida das pessoas. Pessoas que fazem uma atitude dessas hoje daqui a pouco vão ser as mesmas que vão estar lamentando... Eu procuro seguir a lógica da não aglomeração.

O troco de Bolsonaro sobre Mandetta foi relatado pelos grandes portais na internet no próprio sábado à tarde. Tomávamos conhecimento do acontecido pelo monitoramento de mídia que nos chegava em mensagens de WhatsApp enquanto a reunião se desenrolava na Saes. A assessora mais próxima de Mandetta, a dra. Cristina, comentava que, conhecendo-o bem, sabia que não ficaria sem resposta. O ministro daria o troco.

A visita ocupou grande espaço no noticiário da noite. E as manchetes, todas ricamente cobertas com imagens de Bolsonaro no meio do povo que o apoiava, ainda alardeavam o fato de ele ter descumprido as orientações do Ministério da Saúde. Havia um paradoxo. Os âncoras falavam como oposição. Mas as imagens mostravam um governante apoiado pelo povo. Pelo menos o povo que estava ali.

Como último tema do dia, o dr. Gabbardo pediu à secretária Mayra que falasse do programa O Brasil Conta Comigo – um chamamento aos estudantes do sexto ano de medicina para se incorporarem ao front contra o coronavírus, projeto que deixava Mandetta especialmente animado. Em vez disso, Mayra falou de outra coisa, o cadastro dos médicos pelo Brasil para serem despachados aos locais em colapso. Não era a Força Nacional do SUS, com remuneração gorda, como queria o ministro, mas era alguma coisa.

– Segunda-feira mandaremos dez intensivistas para Manaus. Com isso, a Simone, que é a nova secretária de Saúde do Amazonas, disse que abre mais leitos de UTI – falou ela.

Já no meio da tarde do domingo de Páscoa, o dr. Gabbardo me ligou. Queria saber que horas o ministro falaria com o *Fantástico*.

– Ué, nem tô sabendo que ele vai falar com o *Fantástico*! – respondi. – Quer que eu cheque com Strauss?

Ele disse que não precisava.

– Pode deixar, eu me viro aqui. Tchau.

Ok, se ele ia se virar, tudo bem. Mas entrevista para o *Fantástico*? Que novidade é essa? Minha curiosidade animou-se mais que coceira. Liguei para o Strauss.

– E aí, velho, tudo bem? Feliz Páscoa!

– Opa, tudo bem, feliz Páscoa. E aí, só alegria? – respondeu ele.

– Bicho, foste tu que marcaste uma entrevista de Luizinho com o *Fantástico*?

Entre nós, em tom de galhofa, eu me referia ao ministro como Luizinho. Só minha equipe sabia a quem eu estava me referindo.

– Ué, não! Nem tô sabendo. Parece que a produção ligou lá no nosso plantão querendo falar com ele, mas depois ligou de novo dizendo que não precisava. Sei não, cara.

– Então tá, deixa pra lá. Vou ligar pra ele.

– Beleza, então. Tchau.

– Tchau.

Eu liguei, mas o ministro não atendeu. Eu deixei pra lá. Dali a um tempo, chamadas do *Fantástico* começaram a aparecer nos intervalos da programação da TV Globo. Em tom de gravidade, a emissora anunciava uma entrevista exclusiva com o ministro da Saúde. "Caralho…", pensei, assim mesmo, reticente. "Se eles tão chamando, é porque já gravaram. Agora fodeu. Só resta assistir."

Àquela altura do campeonato, não era surpresa nenhuma ver o ministro tomar uma decisão importante sobre comunicação sem sequer avisar aos assessores da área. Como disse antes, só há dois brasileiros a quem ele consulta com verdadeira humildade. Um deles era o anfitrião daquele fim de semana. Não tenho a menor dúvida de que Caiado teve voz ativa sobre aquela entrevista. A assessoria do governador ajudou a produzi-la.

O *Fantástico* é o que a TV Globo chama de "revista eletrônica". Na minha infância, trazia reportagens com histórias de assombração narradas por Cid Moreira. Só de ouvir a famosa música da vinheta de abertura, eu já morria de medo. Chegou a dominar o dia preferido de descanso dos brasileiros com audiências astronômicas na década de 1980, quando sucedia na programação outro campeão de popularidade, *Os Trapalhões*. Perdeu muito do poderio com o passar dos anos, mas se estabeleceu num patamar respeitável com a atual dupla de apresentadores, Tadeu Schmidt e Polyanna Abritta, ambos oriundos da sucursal da TV Globo em Brasília.

A entrevista, enfim, foi ao ar. Depois soube que gravaram mais de uma hora e meia de conversa. Mas pouco mais de quatorze minutos sobreviveram aos cortes da edição – o que é muitíssimo para os padrões da tevê aberta, mesmo para o *Fantástico*, que tem um formato mais flexível.

A frase pinçada para construir a manchete foi: "Brasileiro não sabe se escuta o ministro ou o presidente, diz Mandetta". Na realidade, o que se seguiu foi o que na época em que eu trabalhava em jornais impressos os editores mais experientes chamavam de "cozidão". Era um texto consolidado com tudo o que se sabia sobre o assunto, devidamente contextualizado. Sem grandes novidades, servia apenas para manter o leitor criticamente ciente da realidade.

A entrevista de Mandetta ao *Fantástico* era um grande cozidão. Só que feito na tevê. Com trilha sonora intimista. Luz medida em 360 graus, edição ritmada, pausas de silêncio dramático, locução grave. Pareceu ser muito mais do que realmente foi. E, por fim, eivada de dois pecados capitais: 1) fora gravada numa das salas do Palácio das Esmeraldas, cujo anfitrião rompera com Bolsonaro dias antes; e 2) fora concedida com exclusividade à TV Globo, emissora contra a qual o bolsonarismo se bate com virulência sólida e crescente desde a campanha eleitoral.

Se, no fundo, aquela entrevista não continha nada de realmente extraordinário, ela assim o parecia. E foi interpretada dentro do Palácio do Planalto como ato de traição. Os generais, que vinham defendendo a permanência de Mandetta contra a vontade de Bolsonaro, avisaram ao chefe que já não o estimavam. Boa parte dos apoiadores do presidente que também apoiavam o ministro da Saúde retirou o apoio. Avisaram isso por meio dos blogs e redes sociais bolsonaristas.

Todas as vezes em que penso naquela entrevista e nos efeitos que causou, eu me lembro de um episódio famoso da frondosa série de lendas da política mineira. Diz-se que, na década de 1960, quando eram adversários encardidos, Magalhães Pinto e Tancredo Neves se encontraram na estrada.

"Bão, Tancredo, não esperava encontrar ocê aqui, sô. Tá indo pra onde, Barbacena ou Lafaiete?

"Oi, Magalhães, também não esperava ver ocê. Tô indo pra Barbacena.

"Então tá, té logo, viu.

"E, virando-se para o assessor que o acompanhava, Magalhães Pinto resumiu sua impressão:

"Ele disse que vai pra Barbacena pra eu pensar que ele vai pra Conselheiro Lafaiete, mas ele vai é pra Barbacena mesmo, sô."

Na política, nem tudo o que parece é. E, às vezes, o que não é parece muito. No feriado de Páscoa, Jair Bolsonaro provocou Mandetta e conseguiu dele algo do mesmo tipo. Bem medido e bem pesado, a entrevista ao *Fantástico* não era nada de mais. Mas parecia muito com algo grave.

O truco do presidente surtira efeito. Ele, enfim, se livrara das amarras que o impediam de demitir o teimoso subordinado. Sangrara em público, perdera popularidade, elevara com isso seu ministro da Saúde ao olimpo político brasileiro. Mas agora deixara de ser refém. Podia usar a caneta sem meter o governo em apuros.

E daí se, para isso, precisou atacar a política de isolamento social? E daí se, para isso, conclamou a população às ruas, ao vírus? E daí se, para isso, a cadeia de transmissão da doença seria acelerada? E daí, se para isso, ao fim e ao cabo, brasileiros morreriam? Havia um problema político a resolver. Ele foi lá e resolveu.

Mandetta chegou para trabalhar na segunda de manhã irritado. Abriu a reunião do primeiro escalão contando da visita do sábado, em Águas Lindas.

– Não dá mais, eu não entendo mais, sério!

Todos ouvimos o relato com gravidade. Alguém tentou desanuviar o ambiente, perguntando se o ministro lera um perfil esportivo dele publicado num blog do *Correio Braziliense*. Nele, o jornalista Marcos Paulo Lima contava da época em que o ministro trabalhara como gandula. E também dos tempos de médico do Comercial, maior time do Mato Grosso do Sul.

Ele gostou da isca e a mordeu. Sem vestígio da irritação com que entrara na sala, tergiversou.

– Rapaz, eu lembro do último jogo, do dia em que me demiti. O centroavante era o Tainha. Goleador, bom jogador. O time tava bem, ele tava contundido, mas tava comendo a bola. A gente ia jogar contra o São Paulo, no Morumbi. Eu apliquei uma infiltração no adutor da coxa direita e o bicho foi pro jogo. Mais ou menos aos dez do primeiro tempo, o juiz arrumou um pênalti lá pro São Paulo e expulsou o cara do nosso time. Aí eu não aguentei, invadi o campo pra bater no juiz, aquela desgraceira toda... – dizia, sorrindo.

Quando jovem, ainda estudante de medicina no Rio de Janeiro, Mandetta tentou a sorte no futebol. Fez teste para os juniores no Fluminense. Era ponta-direita, mas foi escalado como lateral. Levou um baile tão grande do ponta-esquerda adversário que sequer chegou ao fim do treino. Foi substituído e dispensado ali mesmo. No jogo político, estava prestes a ser dispensado também, embora estivesse batendo um bolão no meio de campo.

A reunião retomou a pauta ordinária, com questionamentos à Saes sobre o relatório a respeito da situação de Manaus, encomendado dias antes. O secretário Francisco de Assis explicou que a pessoa enviada como avaliadora havia voltado doente de Covid-19 e não tivera chance de escrever o relatório.

O dr. Gabbardo se adiantou e relatou ele mesmo.

– O problema lá é de RH, ministro. Não tem pessoal suficiente pra dar conta.

– Mas, e aí?, a gente recruta lá os médicos que estão fora do SUS, manda gente de fora? – perguntou Mandetta, respondendo a Gabbardo.

– Nós estamos mobilizando gente de fora. Tem uma equipe de intensivistas sendo preparada para chegar lá. São dez, então eles cobrem uns vinte e cinco a trinta leitos, já é um alívio.

– Pelos números que tão chegando, eu acho que lá tem duas epidemias circulando juntas, influenza e corona. E acho que tá muito bagunçado.

O ministro se mantinha crítico à demissão de Rodrigo Tobias da Secretaria de Saúde e sua troca por Simone Papaiz. Ela é biomédica com atuação no interior de São Paulo. Ele achava que a pouca familiaridade dela com o sistema de saúde amazonense e o fato de estarmos em meio à pandemia enfraqueciam a gestão local.

– Sim, sim, eu concordo. Na minha opinião, a gente precisa ter uma pessoa nossa lá – opinou o dr. Gabbardo.

Discutiram então o fato de estar acontecendo contaminação dentro dos hospitais amazonenses. O ministro mais uma vez encerrou a controvérsia.

– É assim mesmo, faz parte da doença. O médico, o enfermeiro, ele trabalha em dois, três hospitais. Ele sai de um, entra no outro, e leva o vírus de lá pra cá. O pior é que, quando acontece de ele cair doente, desarruma o plantão de todos os três hospitais. O pessoal de São Paulo tá me relatando perda de quinze por cento de pessoal.

Em seguida, passaram pela pauta o encalacrado projeto de testagem em massa, a compra de respiradores nacionais, o sistema de mapeamento de leitos e, finalmente, a solução para a habilitação de leitos do SUS.

Depois da reunião, o ministro subiu para o quinto andar. Sentou-se na saleta reservada do gabinete, onde costumava almoçar. Conversava com a dra. Cristina, Gabbardo e Aleluia. Fui lá para checar alguma informação. Pela primeira vez, o vi pronunciar a frase que resumia um pouco o espírito com que todos ali encaravam o dia a dia.

– Eu tenho vergonha de fazer parte deste governo.

Gustavo Pires, o chefe de gabinete, me avisou, como fazia sempre, que Mandetta fora escalado pela Casa Civil para participar da entrevista coletiva, dali a algumas horas. A mim cabia coordenar a preparação do briefing e da apresentação a serem feitos por "Luizinho".

O ministro, porém, tinha outros planos. Avisou às secretárias que iria sair. Não disse para onde. E não soubemos dele a tarde inteira. Não foi ao Planalto, nem ligou avisando, nem nomeou substituto, nada. Simplesmente sumiu.

No fim da tarde, o chefe da Casa Civil começou a vazar para os repórteres que cobrem o Palácio do Planalto a informação de que Mandetta recebera ordem para não ir para lá. Seria, segundo ele, uma reprimenda pela entrevista ao *Fantástico*. A imprensa nos procurava querendo checar se o ministro da Saúde recebera tal reprimenda. Respondíamos o óbvio: não temos nenhuma informação a respeito. Mas de fato não era nada daquilo.

À noite, já depois das 21 horas, eu estava na minha sala, sentado, sozinho, esfriando os miolos. Oitenta por cento da equipe trabalhava de casa. Os demais tinham saído. Só eu dava sopa por ali. O telefone tocou. Sem secretárias por perto, atendi. Caprichei na simpatia.

– Ministério da Saúde, boa noite.

– Alô! Quem é que tá falando, hein?

– Aqui é Ugo Braga, Assessoria de Comunicação Social. Gostaria de falar com quem?

– Com o senhor mesmo. Olha aqui, diga a esse ministro seu que libere o povo pra trabalhar, viu? O Bolsonaro é que tá certo.

– Quem fala?

– Aqui é Ana.

– Dona Ana, eu vi que a senhora está ligando de São Paulo, não é? – Vi que o prefixo da chamada era 13, região da Baixada Santista, litoral paulista. – Olha só, o ministro não proibiu ninguém de trabalhar...

E ela, me interrompendo:

288 Ugo Braga

– Proibiu sim! Agora tá todo mundo aí, passando dificuldade. Eu tenho 67 anos, não tenho medo de doença. Meu pai me ensinou a trabalhar duro na vida. E você? Você é um esquerdopata, você é um petralha!

Disse isso e *bum!*, explodiu o telefone na minha cara.

Tirei o aparelho do ouvido e o encarei, perplexo. "Oxente, agora foi que fodeu...", pensei. O número de dona Ana estava gravado no bina do telefone. "Será que eu ligo pra ela?", provoquei a mim mesmo, e eu mesmo, de pronto, respondi: "Claro que não, sua besta, deixa pra lá".

No dia seguinte, o governador do Espírito Santo, Renato Casagrande (PSB), telefonou para Mandetta no meio da reunião do primeiro escalão. Ele só atendia usando o viva-voz, então todos nós testemunhamos o diálogo.

Trocaram impressões sobre a pandemia. O ministro começava a escrever seu epitáfio.

– Eu já dei minha cota de sacrifício pela nação. Esse negócio de "quem é jovem passa sem problema, quem é velho morre"... Acho que assim não dá, né?...

O governador capixaba encerrou a frase.

– Não, aí é desumano.

Referiam-se, claro, à tese de Bolsonaro, segundo a qual a sociedade deveria se expor ao vírus para criar a barreira natural ao se atingir a imunidade de rebanho. Não haveria tanto problema para os jovens.

Desligaram e o ministro cobrou da Secretaria de Vigilância em Saúde a criação de uma espécie de fator de isolamento.

– Já está pronto, ministro, eu vou apresentar agora – respondeu o secretário Wanderson.

De pronto, pediu o teclado que fica sobre a mesa, digitou uma URL do Google Drive e chegou a uma apresentação que estava on-line. Surgiu no telão o modelo que a mim pareceu a medida mais promissora de todas aquelas discussões que presenciei.

Apareceu uma planilha com cinco linhas e cinco colunas, 25 retângulos dispostos lado a lado, portanto, formando um grande retângulo que tomava toda a tela. Os cinco retângulos mais à esquerda formavam uma coluna verde. Dentro deles, estava escrito "risco baixo". As três colunas do meio mesclavam retângulos verdes, amarelos (risco moderado), laranja (risco alto) e vermelhos (risco muito alto). A coluna mais à direita continha retângulos vermelhos e laranja.

Abaixo, no eixo X, o secretário mostrava uma escala crescente com cinco categorias, cada uma delas numa coluna. Começavam com "até 20%" e terminavam em "95% ou mais". Ali se enquadraria o percentual de leitos de UTI ocupados por SRAG. Quanto maior a proporção, maior o risco de colapso do sistema de assistência à saúde.

À esquerda, no eixo Y, outra escala começava com "até 20%" e crescia, também em cinco categorias, cada uma delas numa linha, até "+ de 80%". Ali se enquadrariam os dados da epidemiologia, a incidência da Covid-19 por 100 mil habitantes. Quanto maior a proporção, maior o risco.

De forma que estava finalmente criado o modelo de saída da quarentena. Seria abastecido com o mapeamento de leitos por um lado e pelos dados epidemiológicos de outro. Quando uma cidade ou região cruzasse seus números e eles apontassem num quadrado laranja ou vermelho, era hora de fechar. Amarelo ou verde, podiam-se diminuir as regras de isolamento.

Não se chegou a falar nisso, mas a verdade é que naquele momento o eixo X estava resolvido, pois o mapeamento de leitos finalmente ficara pronto, embora ainda sem os dados dinâmicos dos hospitais. Já o eixo Y dependia basicamente de testagem. E o Brasil patinava nesse quesito. Testava pouco e mal. Os dados ralos e ruins alimentariam o modelo. Mas era o que se tinha...

Pedi a palavra.

– Eu conversei com o senhor ontem, secretário – disse a Wanderson –, e o sistema era bem mais simples. Esse aí está com muitos parâmetros, vai ser difícil de explicar à população. Não podemos reduzir, não, hein?...

O dr. Gabbardo nem deixou que eu terminasse. Irritado, bateu a mão na mesa.

– Engenheiro de obra pronta é foda, por que não falou ontem? Agora chegar aqui e criticar é fácil, na hora de fazer não diz nada, fica calado.

Tomei um susto. A dra. Cristina acompanhou-o no esporro.

– A ciência não deve se dobrar. Vocês da comunicação é que têm que solucionar, traduzir isso pra sociedade.

Veio outra saraivada de temas da pauta e, finda a reunião, Gustavo me avisou que Mandetta estava escalado para a coletiva.

– Ai, Jesus, já avisaste a ele? Será que hoje ele vai? – perguntei.

– Avisei. Ele disse que vai.

Na coletiva daquele dia, o ministro da Saúde não foi o protagonista. Quem roubou a cena foi Onyx Lorenzoni, da Cidadania. Ele não estava na lista, mandada pela Casa Civil, dos convocados para a entrevista. Até hoje não se sabe se apareceu lá de moto próprio ou o quê.

Desde a revelação da conversa com Osmar Terra pela CNN Brasil, Lorenzoni ficara mal com o chefe. Praticamente chamara-o de frouxo. Na coletiva daquele dia, em que estava ao lado de Mandetta, Braga Netto, Tarcísio de Freitas e Marcos Pontes, ministro da Ciência e Tecnologia, Lorenzoni prestou uma das maiores adulações públicas desde a redemocratização.

– O presidente Bolsonaro, de maneira corajosa, como comandante da nossa nação, faz um posicionamento de equilibrar os cuidados e as prevenções na área da saúde com as questões de sobrevivência econômica. Todos nós sabemos o Brasil que nós herdamos. Todo o Brasil sabe quem era o Brasil em janeiro de 2019. Era um país sem confiança interna, para onde o mundo todo olhava com desconfiança.

E também:

– Nesse momento em que somos afetados por essa epidemia, é muito importante o posicionamento do presidente Bolsonaro, que, com sensibilidade, mas com olhar para todos, não apenas no presente, mas no futuro, equilibra os cuidados, os investimentos, as condições financeiras para que a saúde brasileira possa responder através do exército de enfermeiros, médicos, atendentes, possa enfrentar o desafio da Covid-19.

E, como se não bastasse, cobrou dos governadores e prefeitos medidas de relaxamento da política de isolamento social.

O ministro da Saúde ouvia aquilo tudo com semblante de absoluto desprezo. Tenho certeza de que pensou "já não me bastava um...".

Nos bastidores da coletiva, porém, a inação de Mandetta diante de Onyx era observada com inquietação pelo dr. Gabbardo e pelo secretário Wanderson. Eles estavam sentados em cadeiras dispostas à esquerda da mesa onde estavam os ministros. Esperavam a saída deles para fazerem a atualização do boletim epidemiológico, como era habitual.

A entrevista acabou já bem depois das 20 horas. Wanderson estava contrariado. Voltou à sede do MS junto com Gabbardo e Mandetta. O trio seguiu para o gabinete do ministro e lá foi engordado por Gustavo Pires, a dra. Cristina, Juliana, Gabi, Aleluia, Lupion e Carlos Andrekowisk. Depois chegaram Erno e Denizar.

Todos estavam exaustos. Mandetta avisou a eles que o fim, por fim, chegara.

– Eu vou ser demitido. Acho que não passa de sexta-feira. A gente pode esperar tudo. Pode ser um telefonema, pode ser um tuíte, pode não ser nada disso, só o anúncio do sucessor lá no Palácio – avisou, melancólico.

Ao se despedir, Wanderson abraçou o chefe, pôs a mão direita sobre seu ombro, olhou-o e deu um recado que passou inodoro naquele momento:

– Ministro, eu vou sair. Se passar da sexta e ele não demitir o senhor, eu não continuo, não estou mais aguentando.

Recebeu um sorriso rápido e silencioso como resposta. E se foi.

O cara que começara tudo aquilo, ao soar o alarme no já distante janeiro, o secretário de Vigilância em Saúde dirigiu para casa com espírito pesado. Chegou depois das 23 horas. Estava extenuado. Sentou-se com a esposa, Carol. Abraçou-a, choraram juntos. Disse a ela não suportar mais aquela situação. Tinha os brios feridos pelo que considerava um acinte por parte do ministro da Cidadania, que, além de tudo, não tinha nenhuma autoridade para falar de saúde pública. Ouviu o apelo brando e sensato da companheira:

– Se está afetando tanto você, então saia. Saia logo.

Ele levantou a cabeça, enxugou o rosto. Sentou-se à mesa da sala, abriu o laptop e, pesaroso, escreveu uma longa mensagem de despedida. Iria distribuí-la por WhatsApp ao grupo de colaboradores que o assessorava no enfrentamento à pandemia – 47 pessoas, todas lotadas na Secretaria de Vigilância em Saúde. Nela, avisava que estava saindo, agradecia o empenho, a dedicação e decretava: a gestão Mandetta acabou.

Sim, era verdade. O dia seguinte seria o último dele à frente da pasta.

Capítulo 24
Março de 2020

Pontualmente às 20h30 da terça-feira, 24, formava-se no Brasil uma cadeia nacional de rádio e tevê, convocada pelo presidente da República para um pronunciamento à nação.

Quando esse tipo de convocação é feito, todas as tevês e rádios do país são obrigadas a interromperem sua programação normal e levarem ao ar, juntas, no mesmo horário, o discurso filmado e distribuído pela Secretaria Especial de Comunicação Social da Presidência.

Envergando o mesmo terno, gravata e camisa do dia em que tomou posse, Bolsonaro saudou o país.

– Boa noite. Desde quando resgatamos nossos irmãos em Wuhan, na China, numa operação coordenada pelos ministérios da Defesa e Relações Exteriores, surgiu para nós o sinal amarelo. Começamos a nos preparar para enfrentar o coronavírus, pois sabíamos que, mais cedo ou mais tarde, ele chegaria ao Brasil. Nosso ministro da Saúde reuniu-se com quase todos os secretários de Saúde dos estados para que o planejamento estratégico de enfrentamento ao vírus fosse construído. E, desde então, o dr. Henrique Mandetta vem desempenhando um excelente trabalho de esclarecimento e preparação do SUS para atendimento de possíveis vítimas.

Sem muito traquejo com o teleprompter, o presidente lia a peça num ritmo estranho, com pausas robóticas entre as palavras. Estreitava as pálpebras, como se quisesse enxergar melhor. Causava certa aflição em quem estava do lado de cá da tela.

– Mas o que tínhamos que conter, naquele momento, era o pânico, a histeria e, ao mesmo tempo, traçar a estratégia para salvar vidas e evitar o desemprego em massa. Assim fizemos, quase contra tudo e contra todos. Grande parte dos meios de comunicação foram na contramão. Espalharam exatamente a sensação de pavor, tendo como carro-chefe o anúncio do grande número de vítimas na Itália. Um país com grande número de idosos e com um clima totalmente diferente do nosso. O cenário perfeito, potencializado pela mídia, para que uma verdadeira histeria se espalhasse pelo nosso país. Contudo, percebe-se que de ontem para hoje parte da imprensa mudou seu editorial: pede calma e tranquilidade. Isso é muito bom. Parabéns, imprensa brasileira!

Aquelas palavras nos deixavam atônitos. Tanto pelo que estava sendo dito, que descrevia uma espécie de realidade paralela, quanto pela forma. Não era o discurso de um presidente da República. No máximo, era o discurso de um candidato ruim. Entrecortado por um ou outro óbvio ululante.

– É essencial que o equilíbrio e a verdade prevaleçam entre nós. O vírus chegou, está sendo enfrentado por nós e brevemente passará. Nossa vida tem que continuar. Os empregos devem ser mantidos. O sustento das famílias deve ser preservado. Devemos, sim, voltar à normalidade. Algumas poucas autoridades estaduais e municipais devem abandonar o conceito de terra arrasada, a proibição de transportes, o fechamento do comércio e o confinamento em massa. O que se passa no mundo tem mostrado que o grupo de risco é o das pessoas acima dos sessenta anos. Então, por que fechar escolas? Raros são os casos fatais de pessoas sãs com menos de quarenta anos. Noventa por cento de nós não teremos qualquer manifestação, caso se contamine. Devemos, sim, é ter extrema preocupação em não transmitir o vírus para os outros, em especial aos nossos queridos pais e avós, respeitando as orientações do Ministério da Saúde. No meu caso particular, pelo meu histórico de atleta, caso fosse contaminado pelo vírus, não precisaria me preocupar, nada sentiria ou seria, quando muito, acometido de uma gripezinha ou resfriadinho, como bem disse aquele conhecido médico daquela conhecida televisão.

Nesse ponto, Bolsonaro fez uma referência indireta ao médico Dráuzio Varella, por muitos anos voluntário no presídio do Carandiru, em São Paulo, onde pesquisava a epidemia de Aids entre os detentos, e que se tornara protagonista de um quadro no *Fantástico*. Nele, disseca em linguagem de fácil entendimento temas atuais de saúde. Por isso, tornou-se muito popular no Brasil.

Em janeiro, como comentei anteriormente, Varella abordara a epidemia de coronavírus. E a minimizara, descrevendo a doença como um resfriadinho. O médico depois veio a público dizer que estava enganado e apagou aquela primeira análise do canal que mantém no YouTube.

Mesmo assim, esse vídeo que Dráuzio Varella deletara foi republicado naqueles dias nos pelotões de perfis bolsonaristas nas redes sociais. Foi uma tática para disseminar a mensagem de que a doença não era aquilo tudo. Uma estrela da própria TV Globo admitia isso!

Era uma fraude, uma manipulação. E a assessoria do médico chegou a procurar o Ministério da Saúde pedindo ajuda para desmontá-la. Não pudemos ajudar.

– Enquanto estou falando, o mundo busca um tratamento para a doença – continuou o presidente. – O FDA americano e o Hospital Albert Einstein, em São Paulo, buscam a comprovação da eficácia da cloroquina no tratamento da Covid-19. Nosso governo tem recebido notícias positivas sobre esse remédio fabricado no Brasil, largamente utilizado no combate à malária, ao lúpus e à artrite. Acredito em Deus, que capacitará cientistas e pesquisadores do Brasil e do mundo na cura dessa doença. Aproveito para render minha homenagem a todos os profissionais de saúde: médicos, enfermeiros, técnicos e colaboradores, que na linha de frente nos recebem nos hospitais, nos tratam e nos confortam. Sem pânico ou histeria, como venho falando desde o princípio, venceremos o vírus e nos orgulharemos de estar vivendo nesse novo

Brasil, que tem tudo, sim, tudo para ser uma grande nação. Estamos juntos, cada vez mais unidos. Deus abençoe nossa pátria querida.

Mal se desfez a cadeia nacional de rádio e tevê, repórteres de todos os grandes veículos de imprensa do Brasil nos procuraram, querendo saber se o pronunciamento de Bolsonaro fora combinado com Mandetta.

Sim, o que o presidente da República acabara de dizer era exatamente o contrário de tudo o que vinha sendo falado e repetido nas últimas semanas tanto por Mandetta quanto por Gabbardo e Wanderson.

Não podíamos confirmar que o ministro da Saúde soubera do discurso junto com o restante da população, assistindo a ele pela tevê. Nosso papel agora era sair daquela sinuca. Seguiríamos com a toada pró-isolamento? Rebateríamos o presidente da República?

Na quinta-feira anterior, portanto, apenas cinco dias antes, com Mandetta a seu lado em perfeita harmonia, ele havia apoiado a política de isolamento na transmissão ao vivo em sua página no Facebook. Mas esqueceu tudo no domingo, ao estimular a aglomeração de manifestantes e, mais que isso, ao juntar-se a ales.

Na terça, ele chutou o pau da barraca.

No início da semana, o Instituto Datafolha, pertencente ao jornal *Folha de S.Paulo*, havia feito uma pesquisa de opinião e o resultado não havia sido bom para o presidente. Sua atuação na epidemia era aprovada por apenas 35% das pessoas, enquanto os governadores tinham apoio de 54% e o ministro da Saúde, 55%. Pior, 68% reprovavam a ida de Bolsonaro ao ato do domingo.

Acuado, o presidente partiu para o ataque.

As reuniões do primeiro escalão naquela semana continham uma mistura de tensão, incerteza, impaciência e raiva. A maior preocupação de Mandetta era conseguir tirar os planos do papel. Seus capitães tinham medo de tocar os projetos, de assinar aqueles processos milionários e apressados.

– Eu quero a telemedicina pré-clínica hoje de pé, eu disse hoje, quero nem saber! – exclamou ele, batendo na mesa.

O secretário Wanderson vinha havia dias negociando com a Dasa, laboratório multinacional, um projeto piloto para espalhar pelo país uma rede de postos de teste volante. Com ele, o Ministério da Saúde iria fazer a testagem em massa da população. Mas a coisa a cada hora esbarrava num empecilho diferente.

Num dia, Mandetta explodiu.

– Tem kit, tem. Não tem, não tem. Eu vou dizer hoje à nação brasileira: não tem. Então cês vão atrás nem que seja na puta que pariu!

A secretária Mayra estava encarregada de pôr os estudantes do quinto e sexto anos do curso de medicina para atuarem na linha de frente do atendimento nos hospitais – projeto chamado O Brasil Conta Comigo. Mas ela relatou dificuldades, porque as faculdades estavam obedecendo aos decretos de suspensão das aulas, baixados pelos governadores.

O ministro mais uma vez se irritou. Falou duro, impaciente.

– Mayra, todos os cursos de medicina estão proibidos de interromper as aulas. Nós estamos no meio de uma emergência de saúde pública. Todos os sextanistas são obrigados a se apresentarem nos ambientes de clínica médica, eu não quero nem saber!

Roberto Dias relatou as tratativas com as empresas MagnaMed e Positivo para que juntas fabricassem respiradores, a serem comprados pelo Ministério da Saúde. Mas era uma produção pequena, de seiscentas máquinas no primeiro mês.

– Olha, Roberto, eu tô avisando: os caras vão ter que cagar respirador. Olha bem, porque eu vou falar com o presidente para liberar os respiradores retidos pela Receita que a Itália tinha comprado. Eles tão precisando lá e é uma questão humanitária. Eu vou pular aqui igual trapezista, sem rede de proteção embaixo, confiando que cês vão pegar na minha mão do outro lado.

Ao receber o relato do mapeamento de leitos, pelo secretário de Atenção Especializada, deu bronca.

– Eu tô vendo muita gente na rua, então você não imagina como eu tô agoniado com esse negócio de leito. Daqui a quatro semanas, *acabou* os leitos. Trata de abrir mais.

Reclamaram que os hospitais não estavam notificando doentes de Covid-19. Ele rosnou:

– Alguém aqui já notificou? Já identificou um doente com tudo o que o Wanderson aqui pede? Alguém já mexeu no Cnes? Rapaz, morrem setecentos caras e o médico tá no cabeçalho preenchendo aquelas mil coisas lá que cês pedem.

Como a telemedicina não saiu no dia em que ele exigiu, voltou à carga. Explicaram-lhe que havia um problema. O contrato previa o pagamento de uma quantia por chamada. Mas os auditores da CGU e o pessoal da Diretoria de Integridade queriam que fosse mudado para quantia por atendimento. Ou seja, se o sistema telefonasse e a pessoa não atendesse, aquela ligação não seria paga. O ministro enlouqueceu.

– Como é que é? Quer dizer que vocês tão discutindo isso desde aquele dia e até hoje não assinaram a porra do contrato? Cês não tão entendendo... Entre vocês terem abandonado o doente ontem e este momento aqui e agora, morreram dez mil pessoas! Eu vou falar uma coisa para vocês: eu não tenho medo nenhum de ser preso. Traz o papel que eu assino. Cês tão achando o quê? Hoje a gente não tá na espiral! Em maio, vai ter caminhão jogando cadáver na vala. A Itália é o quarto país mais rico do mundo e tá de joelhos, me pedindo respirador e máscara, e cês tão discutindo se é chamada ou atendimento? Cês tão loucos! O medo é o quê? Vão ser acusados assim: o cara da empresa roubou e você roubou junto com ele. Eu vou falar, beleza, me põe na cela. Eu vou pilotar o controle dessa epidemia da cela. Junto com Fernandinho Beira-Mar. Aliás, eu acho que o cara que eu preciso é ele, o maior bandido do Brasil. Porque ele tem cadeia de comando. Aqui cês ficam discutindo essa porra de burocracia. Me traz o papel hoje que eu vou assinar. Foda-se!

De fato, trouxeram o contrato. Mandetta o assinou.

Como a burocracia e o medo dos gestores estavam atravancando os processos todos, o ministro respondeu atravessado a um repórter do jornal *O Globo* que, numa das coletivas, questionou sobre os preços dos insumos comprados pelo ministério durante a pandemia.

– Esse tipo de pergunta não ajuda em nada. Vem aqui assinar!

Horas depois, já acabada a entrevista, ele recebeu telefonemas de dois dos espectadores da nossa transmissão.

O presidente do Tribunal de Contas da União, José Múcio Monteiro, parabenizou-o e disse que seria advogado de defesa do ministro, se precisasse. Em seguida, o presidente do Supremo, Dias Toffoli, também telefonou para dar os parabéns pelo posicionamento. Mandetta contou de Zé Múcio. Toffoli brincou: quem vai julgar sou eu! Riram juntos.

Com a explosão da doença a bafejar a nuca do país, ensaiou-se a velha tática do "farinha pouca, meu pirão primeiro".

O Ministério da Justiça pediu 4 milhões de máscaras, que já estavam faltando até para os profissionais de saúde.

A Associação dos Procuradores da República enviou um ofício que chocou a todos. Mui respeitosamente solicitava o aporte de R$ 1 bilhão do orçamento do ministério no plano de saúde dos procuradores, a fim de custear as despesas que decerto viriam com a escalada epidêmica.

Os pedidos, obviamente, não foram atendidos.

O diretor-geral do DataSUS, Jacson Barros, informou que o portal do ministério havia recebido no dia anterior 35 milhões de visitantes únicos, ou seja, de fato, 35 milhões de pessoas diferentes haviam procurado informações nele. É um número tão extraordinariamente grande que perguntamos se o sistema tinha aguentado.

– Aguentou sim, deu uma rateada, ficou lento, mas aguentou.

Colhíamos os frutos de dois movimentos: 1) a estratégia das coletivas diárias havia criado na população confiança técnica no ministério; e 2) Brentano e Ana Miguel haviam costurado acordos com Google, Twitter e Facebook, de forma que toda vez que um usuário digitasse "Covid" ou "coronavírus" ou "gripe", imediatamente era exibido o link para o nosso portal.

Além disso, tínhamos o ministro no auge da popularidade.

Naquela semana, Mandetta apresentou a nova integrante da equipe, Raquel Melo. Servidora da Câmara, chegava indicada por Aleluia e pelo chefe de gabinete, Gustavo Pires. Especialista em gestão pública, sua função era gerenciar todas as muitas demandas que surgiam na reunião do primeiro escalão, organizá-las numa planilha, transformá-las na pauta a ser discutida e cuidar para que não ficassem só no papel.

A chegada dela prometia organizar os processos decisórios do ministério, que eram caóticos, sempre foram, desde o início. Mas não havia tempo para isso.

A semana fora exaustiva. Os muitos problemas do combate à pandemia invadiram as discussões do grupo dirigente, mas a cunha posta por Bolsonaro no pronunciamento da terça-feira ainda pairava ameaçadora sobre o Ministério da Saúde.

Como sair daquela sinuca? O que fazer?

Na quinta-feira, 27, à noite, Mandetta foi para casa e convidou a turma da política para debulhar a situação. Estavam com ele Aleluia e Abelardo Lupion, os dois ex-colegas de parlamento e correligionários no DEM, mais o chefe de gabinete, Gustavo Pires.

Quando políticos se juntam para discutir a conjuntura, eles o fazem em torno de garrafas de uísque. Naquele dia não foi diferente.

Entre uma e outra dose, Mandetta explicava que, do ponto de vista técnico de saúde pública, a posição defendida por Bolsonaro iria acelerar a epidemia. Iria fazer com que o vírus circulasse mais rapidamente e, como consequência, ocuparia toda a capacidade instalada do sistema de saúde.

Em bom português, pessoas iriam morrer. Dezenas, centenas, milhares de mortes perfeitamente evitáveis se houvesse uma orientação clara do governo federal. Ele, como médico, não podia endossar uma loucura daquelas. Era melhor sair.

O grupo discutiu horas sobre a conveniência de um pedido de demissão. Seria bom? Seria ruim? Quem assumiria o ministério? As mortes seriam evitadas? Afinal, tudo abriria, como queria Bolsonaro, ou permaneceria fechado, como queriam os sanitaristas, epidemiologistas, infectologistas e boa parte da comunidade médica e científica?

O ministro se encheu de brios e planejou:

– Vou para Goiás! Assumo a Secretaria de Saúde e de lá formo uma espécie de bunker nacional contra a pandemia. Atuamos todos juntos, os estados, e deixamos a União falando sozinha.

A ideia morreu rapidamente, minutos depois.

Dos conselheiros, surgiu uma ideia que pareceu genial. Ao amanhecer, Lupion procuraria o presidente do Senado, Davi Alcolumbre.

Alcolumbre fora deputado junto com os três. E todos formavam um grupo dentro do DEM que orbitava em torno da liderança do atual governador de Goiás, Ronaldo Caiado. Pouca gente sabe, mas foi Mandetta quem estimulou Alcolumbre a candidatar-se ao Senado em 2018, enfrentando no Amapá o poderoso ex-presidente José Sarney. Não só isso, deu dicas da estratégia de campanha e das respostas às ofensivas que recebeu. Sarney perdeu a eleição e aposentou-se da vida pública.

Alcolumbre não só se elegeu senador como, mais uma vez com ajuda do já ministro Mandetta, desbancou o cacique Renan Calheiros e chegou à presidência da Casa. Ou seja, era alguém muito, muito próximo.

Lupion se propunha a procurar Alcolumbre e combinar com ele um blefe, um truco, sobre Bolsonaro. Depois de explicar tecnicamente por que as medidas de restrição não deveriam ser abandonadas, como discursara, era melhor o presidente apoiar o Ministério da Saúde. Afinal, havia muitos pedidos de impeachment no Congresso Nacional... E a demissão do ministro poderia inflamar o DEM, já que se tratava de um ilustre membro do partido... E o DEM presidia tanto a Câmara quanto o Senado...

Pela manhã, a ideia já não parecia tão boa assim. Lupion nunca procurou Alcolumbre e o truco se perdeu na escuridão da madrugada.

Mas o Palácio do Planalto adiantou suas fileiras. Inundou as redes sociais com peças de uma campanha de publicidade chamada "O Brasil não pode parar", em que conclamava a população a retomar a vida, sair de casa, voltar ao trabalho.

O governador paulista, João Dória, usava a imprensa para torpedear o presidente.

– Quem será o fiador das mortes no Brasil? – atirava, reproduzido por todos os jornais e agências de notícias.

À noite, a sala de despachos de Mandetta se transformou.

Um foi puxando o outro por telefone. "Vem pra cá que tem um negócio importante." Todos os assessores mais próximos atenderam ao chamado. O dr. Gabbardo e Wanderson vestiam o colete azul-escuro do COE, assim como Mandetta. Por lá também estavam Aleluia, Lupion, Gustavo Pires, a dra. Cristina, Juliana Freitas, Gabi, Thaisa Lima, Carlos Andrekowisk, Antônio Jorge e eu.

– Pessoal, eu quero aproveitar que tá todo mundo aqui pra agradecer o trabalho dos últimos meses. Amanhã, eu vou ser demitido. Pedi ao presidente para me receber e vou dizer a ele um monte de coisa que ninguém jamais deveria dizer a um chefe. Vou pedir pra ele se desculpar publicamente pelo pronunciamento de terça-feira, para dizer que quem manda no combate à epidemia é o ministro da Saúde, que os governadores e prefeitos estão certos em decretar o isolamento e que daqui por diante só quem tá autorizado a falar no assunto é o ministro da Saúde. E mais, vou dizer que se ele não fizer isso, vou passar a desmenti-lo em público toda vez que ele falar alguma coisa que esteja errada do ponto de vista da ciência e da medicina.

Só quem não estava nem um pouco feliz era Gustavo Pires. Ele chegara havia pouco, estava se ambientando e o SUS é apaixonante. Estava feliz como membro do esforço anti-Covid, não queria interromper a experiência.

– Ministro, não tem outro jeito? Precisa mesmo ser assim?

– Cara, não tem jeito. Eu conversei muito com meu pai. Médico não abandona paciente. Então eu não posso, eu não devo pedir demissão. Porque isso seria muito ruim para o SUS, vai parecer que eu abandonei a luta. Então só tem um jeito: eu vou dar uma de louco. E dando uma de louco, vou ser demitido. É a única resposta que eu posso dar ao movimento do presidente.

Alguém falou que Bolsonaro deveria ser grato a Mandetta, por ele ter agido para achatar a curva da epidemia e dar tempo para que o país se preparasse.

– Nós somos exemplo para o mundo e o cara tá estragando – comentou o secretário Wanderson.

Mandetta olhou pra ele, abriu um sorriso e declamou "Versos íntimos", do poeta paraibano Augusto dos Anjos (1884-1914).

– "Vês! Ninguém assistiu ao formidável/ Enterro de tua última quimera./ Somente a Ingratidão – esta pantera – / Foi tua companheira inseparável!/ Acostuma-te à lama que te espera!/ O Homem, que, nesta terra miserável,/ Mora, entre feras, sente inevitável/ Necessidade de também ser fera./ Toma um fósforo. Acende teu cigarro!/ O beijo, amigo, é a véspera do escarro,/ A mão que afaga é a mesma que apedreja./ Se a alguém causa inda pena a tua chaga,/ Apedreja essa mão vil que te afaga,/ Escarra nessa boca que te beija!"

Outra salva de palmas.

E mais uma vez, o ministro repetiu um dos sermões de Antônio Vieira, que fora obrigado a decorar quando estudante no Mato Grosso do Sul: "Se servistes à pátria, que vos foi ingrata, vós fizestes o que devíeis, ela o que costuma".

Cada um de nós tirou uma foto de recordação com o ministro. O grupo também tirou fotos, entre sorrisos e abraços.

– Vamos sair pra beber? – gritou alguém.

– Não, não pode. Tá tudo fechado. Além disso, a gente não pode estimular aglomeração. Vamos todos pra casa – ordenou a dra. Cristina.

– Mas, ministro, como é que a gente faz? – perguntou Gustavo Pires.

– Pessoal, é o seguinte: amanhã a reunião tá marcada para as 9 horas. Eu quero todo mundo aqui, porque vou voltar e dar uma coletiva aqui no ministério e quero todo mundo ao meu lado. Ugo cuida disso. Gabi vai comigo pra reunião e vocês dois ficam se comunicando pra você chamar a imprensa quando eu estiver voltando do Palácio. Combinado?

Eram quase 23 horas. Estávamos exaustos. Felizes. E aliviados. A agonia estava prestes a acabar.

CAPÍTULO 25
15 ABR. 2020
MINISTÉRIO DA SAÚDE

— Rapaz, eu ouvi uma ontem que me doeu na alma: o Brasil é o país que menos testou no mundo. Menos do que Chile, menos do que Paraguai – disse Mandetta a Robson Santos da Silva, Raquel, o dr. Gabbardo e a dra. Cristina, que chegaram antes de todo mundo na reunião do primeiro escalão.

À exceção de Robson, todos os demais estavam enfrentando insônias tremendas. Por isso, mal viam o rosado alvorecer tomar o céu do Planalto, faziam o desjejum e corriam para o ministério. Enquanto os demais integrantes do grupo dirigente iam chegando aos poucos para a reunião, eles ficavam ali falando de miudezas e perfumarias.

O secretário especial de Saúde Indígena relatou uma conversa com o governador de Roraima. Este lhe dissera conseguir construir um hospital de campanha exclusivo para indígenas por R$ 6,7 milhões.

— Quantos leitos? – perguntou Mandetta.

— Não sei os detalhes – respondeu Robson.

— Então manda dez milhões pra ele.

Os assuntos daquele bate-papo eram fugazes. De modo que, de bate-pronto e não me lembro exatamente por que atalho, se chegou à cloroquina.

Aquilo era, no ministério, uma chateação. O remédio em algum momento foi noticiado como terapia eficaz contra a Covid-19. O presidente dos

EUA, Donald Trump, que, num primeiro momento, também se pusera contra o isolamento social, viu a deixa e o apontou como a solução dos problemas do mundo. Tão rápido quanto, num momento seguinte, a comunidade científica já não tinha certeza se fazia mesmo algum efeito. E logo em seguida descobriu-se que, se bem não fazia, ainda por cima causava arritmia cardíaca como efeito colateral.

Logo, era um remédio a ser usado de forma compassiva, ou seja, quando o médico receita por compaixão, quando as esperanças de cura são poucas e os efeitos colaterais menos graves do que a própria moléstia. O dr. Denizar chegou a assinar um protocolo de uso. Recomendava-o somente para casos graves, em que o paciente corresse risco de vida. Mas jamais nos primeiros dias de sintoma e muito menos como prevenção à infecção.

Havia médicos respeitáveis no Brasil defendendo o uso da cloroquina na terapia anti-Covid nos primeiros cinco dias de sintomas. Mas esse não é um debate que se dê no nível singular, do paciente. O ministério trata de proteção em massa dos brasileiros. Maciçamente, o que se tinha era o fato de que infarto e outras complicações da hipertensão são as principais causas de mortes e internações no SUS. Como então prescrever o uso massivo e preventivo de um remédio que causa arritmia cardíaca?

Do ponto de vista da política, porém, faz todo o sentido.

Ocorre que a ideia de existência de um medicamento capaz de atenuar ou até revertê-la é um bálsamo poderoso contra o medo da doença. Fora esse medo o catalisador da política de isolamento social. Sem ele, as pessoas voltariam às ruas. Por isso Bolsonaro tanto falava no remédio. Para que os brasileiros, sem medo da Covid-19, abandonassem a "quarentena".

– Se cloroquina não fosse cardiotóxica, eu tinha concordado em gênero, número e grau com o presidente – comentou Mandetta no bate-papo daquela quarta-feira. – Na epidemia de H1N1, eu distribuí homeopatia em Campo Grande!

Wanderson foi o último secretário a chegar. Tinha o semblante compenetrado. A doçura que lhe era tão característica fora substituída por uma espécie de estafa profissionalizante, pois ele tinha uma parte grande da pauta sob sua responsabilidade.

Começou respondendo a uma pergunta do ministro sobre a realização de testes rápidos em farmácias. Ele nunca confiou naqueles testes.

– Ministro, a SVS não tem responsabilidade sobre isso. Quem se opõe é o Conselho Federal de Farmácia, eles não querem de jeito nenhum.

– Vai atrás do conselho! – respondeu Mandetta, convicto.

– Sou contra. O teste não tem qualidade.

Estava para ser reaberto o grande debate sobre a curva epidêmica e a política de testes, até que alguém comentou que alguns blogs e colunas de jornais estavam noticiando a possibilidade de o dr. Gabbardo assumir o ministério em substituição a Mandetta, ao menos interinamente.

O secretário-executivo riu.

– Me chamam de ladrão, de bicha, maconheiro, mas me querem de ministro? – perguntou, parodiando a letra de "O tempo não para", sucesso de Cazuza nos anos 1980.

Erno recebeu ordem para preparar duas notas técnicas – uma sobre o uso dos testes rápidos, outra sobre a oferta deles nas farmácias. Roberto Dias comentou sobre máscaras para o Poder Judiciário. O secretário Francisco de Assis relatou avanços na habilitação de leitos do SUS. A pauta seguia seu ritmo normal.

Meu celular vibrou dentro do blazer e, entediado com aquele *déjà-vu* gerencial, resolvi dar uma espiadinha. Era um alerta do monitoramento de mídia. Lembro que se tratava da coluna da jornalista Mônica Bergamo na versão on-line da *Folha de S.Paulo*. A manchete dizia algo como *"Gestão Mandetta acabou, diz Wanderson"*. E o texto seguia *"Em mensagem mandada por WhatsApp aos colaboradores…"*.

Eu pensei vagarosamente e separando as sílabas: "Pu-ta que o pa-riu!". As coisas já estavam tumultuadas. Tudo de que não precisávamos naquele momento era lidar com um vazamento daquele de um dos caras mais importantes da história.

Não deu cinco minutos Renato Strauss começou a me ligar. Eu nunca atendia quando estava em reunião. Ele mandou uma mensagem de texto. *Viu a história do Wanderson?* Sim, eu tinha visto. *Já tem outros veículos atrás. O que eu respondo?* Pedi a ele para enrolar até o fim da reunião.

Sentado ao meu lado, Erno me cutucou.

– Cara, preciso de um favor.

– Na hora. O que é?

– A gente precisa comunicar aos municípios para usarem o e-SUS VE em vez do Sivep-Gripe. Dá um jeito nisso?

– Claro, dou sim.

O pedido era simples, mas tinha implicações monumentais. O e-SUS é um sistema de gerenciamento de banco de dados. Assim como o Sivep-Gripe, sigla de Sistema de Informação da Vigilância Epidemiológica da Gripe. Neles, os hospitais públicos notificam os casos de síndromes gripais que lhes chegam, seja um resfriado ou uma pneumonia. O e-SUS é mais novo, portanto processa os dados com maior velocidade e menos complicação, daí o pedido. Mas... a Vigilância passaria a ter duas bases de dados para a mesma informação, o que é sempre um risco e um complicador.

Enquanto eu anotava o pedido, Wanderson tomava a palavra, abria mais um PowerPoint e apresentava no telão um ensaio com o modelo mostrado na véspera, o tal fator de isolamento. Ou projeto de saída da quarentena. Ele rodara os dados disponíveis e chegara a uma planilha indicando como estava a doença pelo país.

Segundo a planilha, após cruzados os dados da epidemiologia com os da assistência naquele momento, Manaus, Recife, Fortaleza, São Paulo e Rio de Janeiro haviam ficado nos retângulos vermelhos com risco "muito alto" de colapso. Já Goiânia, Palmas, Belo Horizonte, Porto Alegre, São Luís, Brasília e Curitiba eram laranja, "risco alto". Natal e Belém, em amarelo, eram "risco moderado". Maceió, verde, "risco baixo".

– E aí, como vamos usar isso? – perguntei, mas ninguém respondeu.

Já não havia propriamente uma reunião. Só tumulto. Tarcísio de Freitas, ministro da Infraestrutura, e Wagner Rosário, da Controladoria-Geral da União, estavam na sala. Assistiam aos últimos itens da pauta e, em seguida, tratariam do hospital de campanha com Mandetta.

Na sala de espera do gabinete, cinco deputados federais já estavam acomodados aguardando o horário seguinte, em que o ministro receberia os integrantes da Frente Parlamentar da Saúde. De forma que tanto o modelo de saída da quarentena quanto o ensaio de sua aplicação ainda dependiam de alguma ordem. Sem ela, eu não ousaria divulgá-los.

Com uma reunião acabando e outra começando no mesmo instante, quem não tinha a ver com hospital de campanha saiu da sala. Eu deveria ficar, mas fui atrás de Renato Strauss. Encontrei-o aflito, no corredor do quinto andar.

– Cara, tá a imprensa inteira atrás disso, da mensagem do Wanderson.

Nisso, o secretário, que nada tinha a ver com hospital de campanha, saía do gabinete do ministro e, junto com sua fiel escudeira, Eunice de Lima, passava por trás de nós. Eu o chamei.

– Secretário, por favor!

Ele parou. Virou-se para nós.

– E aí, o que foi?

– O senhor mandou uma mensagem de WhatsApp dizendo que a gestão Mandetta acabou?

– Uai, mandei uma mensagem de despedida, só pro pessoal que trabalha comigo.

– É, mas vazou. Tá na *Folha*, secretário – protestou Strauss.

– Uai, e daí? Foda-se! – devolveu Wanderson.

– Não, secretário, não é assim. Assim fica feio. Feio pro senhor, feio pro ministro – argumentava Strauss, chateado. – O senhor demitiu Mandetta antes do Bolsonaro!

– Eu? Eu não!

O dr. Gabbardo saía naquele momento do gabinete do ministro e passava por nós. Ele me cutucou.

– Ugo, aquele esporro de ontem não era pra você, viu? Era pra outra pessoa, ela entendeu muito bem.

Não me disse quem era o destinatário oculto do esporro que eu levei. Sorri e voltei à roda. Havia uma tensão entre a assessoria de imprensa e o nosso porta-voz.

Fiz uma intervenção.

– Secretário, o jornal publicou entre aspas. O senhor escreveu exatamente "a gestão Mandetta acabou"?

– Acho que sim, não lembro, foi uma mensagem grande.

Strauss perdeu a paciência.

– Os jornais publicaram na íntegra!

– Então não dá pra desmentir? – arrisquei.

– Só se o secretário disser que a mensagem é falsa, que o texto é diferente do que ele mandou. – E, catando o celular, começou a ler a íntegra da mensagem.

– Não, não, eu mandei essa mensagem mesmo, não é pra desmentir.

– Cacete! E então o que a gente diz? Não diz nada? – perguntei a Wanderson.

– Diz pra esse pessoal ir chupar um canavial de rola!

Todas as vezes que ele dizia aquilo eu explodia numa gargalhada. Pelo paradoxo entre sua figura doce e tão agreste sentença. Ele riu junto comigo e, mais calmo, completou:

– Diz que eu pedi demissão. Pronto! Eu pedi demissão, e eu pedi mesmo, então é isso. Eu disse ao ministro que só fico até sexta. Até já indiquei o Gerson [Pereira, diretor do Departamento de Doenças em Condições Crônicas e Infecções Sexualmente Transmissíveis] pra ficar de interino no meu lugar.

Olhei para Strauss, que olhava pra mim.

– Velho, solta uma nota oficial, dizendo que o secretário Wanderson pediu demissão. E mais nada. Uma linha. Sem detalhe, sem nem uma vírgula a mais.

– Digo que ele pediu demissão ao ministro hoje de manhã em caráter irrevogável por razões pessoais e que será substituído interinamente pelo Gerson?

– Não, não, caralho, uma frase simples e direta, sem nenhum detalhe. Ele pediu demissão e nada mais. A imprensa vai ter a manchete, vai esquecer a mensagem de zapzap e pronto.

Virei para o secretário e me certifiquei.

310   UGO BRAGA

– Só que depois que a gente soltar a nota o senhor não vai poder ir mais na coletiva de hoje atualizar o boletim.

Ele deu de ombros.

– Claro, claro, eu não vou, não. Nem quero, cara, eu não aguento mais não, tô esgotado, fiquei até tarde ontem conversando com minha esposa, a gente já decidiu, foi um pedido dela. Eu tô fora.

Strauss saiu apressado corredor adentro para providenciar a nota. O secretário e Eunice seguiram na mesma direção, rumo ao hall dos elevadores. Eu precisava voltar ao gabinete do ministro, para dar ciência de tudo aquilo, já que a demissão de um dos capitães da equipe seria anunciada formalmente dali a pouco. Mas não consegui.

A reunião com os ministros já se misturara à dos deputados. O tumulto crescera. A dra. Cristina e Gustavo Pires estavam esmerados em organizar a balbúrdia. Não havia como avisá-los nem a Mandetta. Desci para a minha sala e esperei o fim do encontro com os parlamentares.

De novo não teve almoço naquele dia.

No caminho, encontrei mais uma vez Renato Strauss aflito. A nota com a demissão de Wanderson já fora distribuída e era noticiada pelas edições on-line dos jornais. A imprensa fervilhava.

– Velho, a Secom tá aqui, perguntando se hoje vai ter atualização do boletim e quem vai. O que eu digo?

A situação era de batida de trem. Wanderson, demitido sem conhecimento do ministro. A presidência querendo saber o que aconteceria à tarde, enquanto a mídia tratava de debulhar o derretimento da equipe que enfrentara a pandemia desde o começo.

– Diz que o dr. Gabbardo vai, levando um técnico da SVS – orientei.

Horas depois, recebi a informação de que a reunião com os deputados acabara. Corri para o gabinete. Na sala de despachos do ministro, encontrei-o saindo da sala de reuniões, junto a pelo menos dez deputados federais, inclusive o ex-ministro petista da Saúde, Alexandre Padilha, que lhe fazia oposição praticamente sozinho na Câmara.

A dra. Cristina veio ter comigo.

GUERRA À SAÚDE   311

– A gente devia ter filmado. Foi lindo. Todos os deputados aplaudiram o Henrique de pé. Até o Padilha, até o PSOL!

Mandetta era tietado pelos deputados remanescentes, que o puxavam para tirar fotos e gravar vídeos para as redes sociais.

Gabi estava sorridente. Como chefe da assessoria parlamentar, a reunião lhe conferia sucesso na missão de intermediar as relações com o Congresso. Caminhou até nós e parou à minha frente. Strauss entrou na sala, apressado, agoniado.

– A Secom tá perguntando se é só mesmo o Gabbardo que vai na atualização do boletim – falou, andando na minha direção.

Olhei para a dra. Cristina e para Gabi.

– Eu acho que sim, não é?

Gabi respondeu:

– Não, senhor, o ministro vai.

– O quê? – me assustei. – Hoje? Na coletiva?

– Vai, sim. Pelo menos, ele disse que vai.

Virei para Strauss.

– Cara, responde que só Gabbardo mesmo. Se a gente disser que Luizinho vai, eles cancelam a coletiva.

– Tem certeza?

– Tenho, porra! – falei, sorrindo.

– Cara, os caras vão ficar loucos quando virem o Mandetta chegando.

Eu sorri ainda mais.

– Pois é…

Os deputados foram saindo um a um. Eu disse a Gabi que precisava falar com o ministro. Pedi que ela desse um jeito de tirar os últimos parlamentares dali. Enérgica, porém sutil, ela foi puxando um e outro para fora do gabinete. Até que sobrou apenas o deputado Pedro Lupion, filho de Abelardo Lupion, o assessor e velho amigo de Mandetta.

Depois dos últimos tapinhas nas costas, o ministro andou na direção da sala reservada. É um lugar apertado, que fica contíguo ao fundo da ampla sala de despachos. Tem lá uma pequena mesa redonda com quatro cadeiras em redor, uma estação de trabalho, ocupada por Carlos Andrekowisk, e o banheiro privativo.

Mandetta foi para lá porque queria fazer xixi. Os Lupion, pai e filho, caminharam atrás dele. Abelardo se sentou na cadeira em frente à pequena mesa redonda e o filho se postou de pé do outro lado da mesa, à esquerda do pai, enquanto o esperavam sair do banheiro. Carlos estava sentado ao computador.

Entrei lá para falar da mensagem de WhatsApp do Wanderson, da nota da demissão, da Secom, da coletiva. Mas não toquei em nenhum desses assuntos.

Eu estava de pé, de frente para os Lupion. Ao sair do banheiro, Mandetta começou a falar enquanto caminhava para se sentar na cadeira, de frente para Abelardo. Eu me mantinha de pé, atrás e à esquerda dele. Analisavam a demissão iminente e como aquilo era grave em meio a uma pandemia. Minimizou a responsabilidade de Bolsonaro na crise.

– O presidente é bom, é bem-intencionado. O problema é aqueles filhos dele, que ficam o dia inteiro xingando nas redes sociais. Sorte que eu não mexo com essas coisas...

Mandetta disse isso e franziu a testa. Bateu a mão no peito como se estivesse passando mal e falou devagar, com pesar.

– Minha vontade é pegar um trezoitão e cravar neles. Pelo menos passava a minha raiva...

Era tal a gravidade do diálogo que não ousei me meter. Nem mesmo para falar da história do Wanderson. Deixei-os lá e voltei à minha sala no quarto andar.

Perto das 17 horas, fui chamado pela dra. Cristina. O ministro ia sair para o Palácio do Planalto. Queria saber que história era aquela de que uma nota oficial do ministério confirmava a demissão do Wanderson. Quando cheguei lá, Mandetta estava acompanhado do dr. Gabbardo e do próprio secretário de Vigilância. Já caminhavam a passos rápidos pelo corredor na direção do elevador.

– Ué, o secretário vai pra coletiva? – perguntei.

Ele mesmo me respondeu:

– O ministro quer que eu vá, então eu vou, uai.

Mandetta completou:

– Ele pediu demissão, mas eu não aceitei. Pronto, tá resolvido. Vamos todos. – E continuaram andando apressadamente.

No Planalto, não havia convocação de outros ministros, como nos outros dias. Era uma ocasião tão tresloucada que só se faria a atualização do boletim epidemiológico pelos técnicos do ministério, com o dr. Gabbardo à frente. Pelo menos era o que esperava a Secom.

Quando a comitiva da Saúde chegou, porém, quem estava à frente era Mandetta. Deu-se um curto-circuito no cerimonial. Não sabiam o que fazer. O ministro nem esperou. Sentou-se ao meio da mesa, com Wanderson à sua direita e Gabbardo à esquerda. Falaram por mais de uma hora e vinte minutos, tudo transmitido ao vivo pela TV Brasil em canal aberto e pelas duas emissoras a cabo de notícias, GloboNews e CNN Brasil – além dos canais proprietários do Ministério da Saúde na internet.

Bem-humorado, Mandetta fez uma defesa veemente do conhecimento científico. Repetiu o bordão "ciência, disciplina, planejamento, foco". Sorrindo, disse que "tinham soltado" uma nota com a demissão do Wanderson, mas que ele não a aceitara.

– Chegamos juntos, vamos sair juntos – e, em tom de gozação, disse que ia demitir era o pessoal da comunicação.

Caprichou na suavidade da voz, no tom carinhoso, na didática, na moderação. Falou sobre todos os grandes e pequenos pormenores da epidemia no Brasil e no mundo. Em franco tom de despedida, explicou os planos que fizera e o que estava pronto até aquele momento. Foi a melhor performance dele em todos os eventos que fizemos durante sua gestão.

Eu acompanhei a coletiva da minha sala, no quarto andar do prédio da Saúde. Meia hora depois de terminada, recebi a ligação do executivo de um estúdio de Londres. Em inglês, ele informava representar dois diretores de cinema que estavam produzindo um documentário sobre o combate à pandemia do coronavírus ao redor do planeta.

Escolheram Mandetta como um dos protagonistas. Pediam autorização para filmá-lo aonde quer que fosse pelos dias seguintes. Expliquei que o personagem em questão estava em vias de ser demitido do cargo. Responderam que não tinha importância, pois o interesse era na pessoa física, no médico, no apologista do conhecimento científico. "Então tá, boa notícia", pensei.

– Eu vou mandar um e-mail com todos os detalhes, ok?

– Ok. Vou levar a proposta pra ele e ligo pra você de volta.

Depois de três minutos, chegou o e-mail. Imprimi-o e me pus na direção do quinto andar. Subi a escada acompanhado de Juliana Vieira. Ela queria entregar a Mandetta uma carta do pai, psiquiatra renomado em Brasília. Caminhamos até o gabinete.

A assembleia se formava na sala de Juliana Freitas, a assessora especial para assuntos jurídicos. Além dela própria, lá estavam Gabi, Gustavo, a dra. Cristina, Thaisa, da assessoria internacional, o ministro, Ciro Miranda, da consultoria jurídica, e Carlos Andrekowisk.

O clima era leve e descontraído. As pessoas sorriam da situação toda. Quando me viu, Mandetta, bem-humorado, espetou:

– Olha aí, ó, que negócio foi esse de soltar uma nota oficial demitindo o Wanderson?

– Ministro, o bicho tava pegando de manhã...

Ele não me deixou terminar.

– Quando for assim, fale comigo antes.

Como sorria relaxado, eu nem tentei explicar mais nada.

– O senhor já me demitiu ao vivo em rede nacional mesmo. Só que eu vou invocar isonomia: também não aceito a demissão! – falei.

O grupo explodiu numa gargalhada.

Renato Strauss havia chegado à sala pouco depois de mim. Mas o lugar era pequeno, estava abarrotado. De modo que ele ficou na porta, quase totalmente escondido. Como na coletiva o ministro falou em demitir "o pessoal da comunicação", ele se sentiu atingido. E quis se explicar.

– Ministro, a nota foi um santo remédio, foi genial. A imprensa parou de falar na mensagem de WhatsApp do Wanderson. Depois o senhor reapareceu com ele, ninguém nem lembrava mais dela.

– Eu tenho uma boa notícia! – anunciei.

– Opa, pera aí, pessoal, silêncio!, que boa notícia é coisa que a gente tem tido pouco por aqui – pediu a dra. Cristina.

Todos obedeceram instantaneamente.

– Acabou de ligar lá para baixo um cara de uma produtora de cinema de Londres. Falava em nome de dois cineastas – e, puxando do bolso o e-mail do cara do estúdio, li os nomes para eles, ambos indicados ao Oscar no passado.

– Vão fazer um documentário sobre a luta do mundo contra o vírus. Querem que o ministro seja um dos protagonistas.

O grupo explodiu num pequeno ato de felicidade genuína. Demos vivas e louros a Mandetta, que estranhamente não compartilhava do nosso entusiasmo.

– Cê tem que falar pra ele que eu tô sendo demitido, não duro mais uma semana no cargo. Aí eles vão escolher outro protagonista.

– Não, ministro! Eu já falei isso. Eles não têm interesse no ministro. Eles querem o médico, o senhor, pessoa física. Já tá escolhido. Se o senhor topar, eles começam a filmar amanhã.

– Mas vão me pagar alguma coisa, tem dinheiro nisso?

– Não, não tem. Documentário geralmente é feito sem cachê, é linguagem jornalística, documento do fato. Só tem dinheiro pra custear as despesas de produção.

– Então, tá. Mande eles ligarem pra Marina, minha filha, que ela é quem vai resolver essas coisas pra mim.

Saí dali, liguei para Marina, expliquei a proposta. Ela falou com o cara de Londres e acertaram tudo. No dia seguinte, era chegar, ligar para o cinegrafista e começar o documentário. Mas não o fiz logo cedo. Pois passei direto para o primeiro escalão, como em todos os dias.

A reunião começou com o pedido para que se construísse um sistema de gestão para organizar todas aquelas iniciativas no enfrentamento à pandemia.

O diretor do DataSUS, a empresa de tecnologia do Ministério da Saúde, Jacson Barros, recebeu a encomenda. Avisou que trabalharia naquilo. Aproveitou o ensejo para dizer que, naquele dia, estava integrando os dados do TeleSUS, o sistema de telemedicina montado poucos dias antes, com o projeto de testagem em massa da população.

Discutia-se esse assunto quando, exatamente às 9h35, o dr. Denizar interrompeu e pediu a palavra.

– Ministro, o presidente está nesse momento reunido com o Nelson Teich lá no Planalto. Ele fez o convite, Teich aceitou. A nomeação sai ainda hoje.

Teich é oncologista e amigo pessoal de Denizar, que, por isso, sabia de tudo o que estava acontecendo no Palácio. Bolsonaro, que havia feito algumas sondagens no dia anterior, todas sem sucesso, enfim conseguira um substituto para Mandetta.

– O senhor deve se lembrar dele, esteve conosco em Londres no ano passado – falou Denizar, referindo-se a uma viagem em que foram conhecer o programa de terapia genética da Inglaterra, em 2019. Teich integrara a comitiva como médico convidado.

A reunião seguiu, mas ninguém estava prestando atenção. Erno avisou que, naquele dia, publicaria a portaria com o plano de manejo das favelas. O clima era de fim de feira.

Disperso o primeiro escalão pela última vez, melancolicamente, Mandetta subiu para o quinto andar. Foi para o gabinete. Conversou rapidamente com a dra. Cristina e com Gustavo. Lupion estava na sala de despachos, porque intermediaria uma teleconferência com executivos e clientes da XP Investimentos. Além desta, a agenda marcava outra teleconferência, com o pessoal da Iniciativa FIS, ONG de gestores e pesquisadores de saúde – esta antes daquela.

Telefonei ao cinegrafista e mandei que viesse para o ministério.

– Vamos começar a filmar o documentário hoje – disse a ele.

Sabe-se lá com que ânimo, Mandetta participou de ambas as teleconferências. Ele ainda estava na tela com o pessoal da XP às 15h25 – só Gustavo, Lupion e Gabi o acompanhavam na sala de reuniões –, quando entrei lá para perguntar se poderia trazer o cinegrafista do documentário para filmar. Gabi escreveu um bilhete. Entregou ao ministro, que o leu, olhou para nós e não disse nada. Gustavo olhou para o celular e avisou:

– Ministro, o senhor foi chamado pelo presidente às 16 horas. Temos que acabar aqui.

Depois de se despedir da audiência, desligadas as câmeras da sala de reuniões, Mandetta chamou a mim e Gabi para acompanhá-lo à sala de despachos. Levantou e nos liderou até lá. Mas cruzou o vão inteiro e se dirigiu à sala reservada. Lá, deu as instruções.

– Chama aí o cara do documentário. Vamos começar. Eu vou pro Palácio, vocês já preparem uma mensagem pra publicar no meu Twitter. Eu quero que publiquem assim que eu sair de lá, quero eu dar a notícia, antes do presidente.

Mandei uma mensagem de WhatsApp para o cinegrafista, que estava a postos no quarto andar fazia mais de duas horas. Ele chegou em questão de segundos, já com a câmera ligada.

Como na última vez em que pensávamos que Mandetta seria demitido, havia um plantão de repórteres na portaria do ministério. Para evitá-los, novamente o ministro percorreu a pé os andares do prédio, para acessar a garagem. Só eu, Gabi e Marylene o acompanhamos – com o documentarista atrás, câmera ligada o tempo todo.

Ao passar pelos corredores, os servidores levantavam de suas estações de trabalho e vinham na direção de Mandetta. Pediam para tirar fotos, filmavam. Ele atendeu os pedidos pacientemente.

– Deus abençoe você, ministro – disse uma mulher.

Ele repetia a ladainha de antes.

– Não deixem o próximo ministro fazer besteira, tomem conta do SUS.
– E completava: – Obrigado, obrigado pelo apoio, pelo trabalho nesses meses todos, muito obrigado.

Eram servidores com os quais ele jamais despachara diretamente. Não sabia seus nomes, sequer conhecia seus rostos, pois estavam todos de máscara. Eram máscaras de pano artesanais.

Chegamos à garagem e alguns repórteres tinham dado a volta no prédio. Câmeras da CNN e da GloboNews se postaram na calçada do lado de fora e filmaram Mandetta e Gabi embarcando no carro oficial antes de partirem rumo ao Planalto. O cinegrafista do documentário filmou tudo de dentro e correu para o outro lado, para pegar o próprio carro. Tentaria de alguma forma entrar no Palácio. Obviamente, não conseguiria. E voltaria para o ministério.

Como antes, caminhei até a saída principal, do lado oposto da garagem. Encontrei os repórteres e repeti a informação:

– O ministro já foi para o Planalto.

Eles queriam mais detalhes. Como ele está? Com quem falou? Qual a última ordem dele? Eu só queria saber de subir correndo para a minha sala no quarto andar. Tinha que escrever o texto do anúncio da demissão para o Twitter de Mandetta.

Subi de escada. A cada degrau, ia mentalmente construindo o texto. Havia de ter agradecimento, inclusive a Bolsonaro, desejo de sucesso ao sucessor ("Nossa, ficou horrível, tem que consertar isso", pensei), menção à Nossa Senhora Aparecida, que é a santa dele. Beleza, tá na mão.

Escrevi exatamente como ele encomendara. Mandei por WhatsApp para Gabi. Tinha esperança de que o ministro ainda não tivesse entrado na sala e desse o retoque final. Era uma mensagem curta, respeitosa e otimista, mas tinha mais do que os 280 caracteres permitidos. Seria preciso fazer uma *thread* – uma sequência de postagens em ordem cronológica. Avisei-a do inconveniente. Poucos segundos depois, porém, ela me ligou.

– Ugo, ele já entrou. Eu tô com o Twitter dele logado aqui. Mas não sei fazer esse negócio de *thread*.

– Eita, porra, Gabi, eu também não sei. Pera aí.

Corri lá no Departamento de Comunicação Digital, que fica no quarto andar, a uns quinze metros da minha sala. O subcoordenador, Carlos Américo, estava lá.

– Carlinho, como é que se faz *thread* no Twitter?

Ele sacou rápido o celular.

– Assim ó…

Eu filmei as instruções com meu celular. Mandei para Gabi por WhatsApp.

Não sei se foi exatamente assim tão rápido, mas a mim pareceu que a reunião com Bolsonaro não durou mais do que dez minutos. Pois não demorou muito, Gabi me mandou mensagem, informando que Mandetta saíra da sala do presidente e que já publicara a *thread* com a notícia da demissão no Twitter dele.

Tudo estava consumado.

O quinto andar fervilhava de gente àquela altura. Funcionários de todas as secretarias estavam lá para tentar dar um abraço de despedida em Luizinho. As secretárias, os assessores diretos, os dirigentes, todos mostravam no semblante um misto de tristeza e melancolia, mas sobretudo de alívio.

O ministro chegou e subiu. Veio pela garagem, então pegou o elevador de serviço, caminhou por todo o extenso corredor, até chegar ao gabinete pela porta de vidro que dá acesso à sala das secretárias. Ou seja, pela entrada das visitas. Havia uma pequena aglomeração. No gabinete da maior autoridade sanitária do país, as regras do isolamento social foram tacitamente suspensas no meio da pandemia. Até as máscaras sumiram.

Mandetta foi saudado com uma longa salva de palmas. Há uma servidora do Ministério lotada na Saes, chamada Teresa Lopes, que é cantora e compositora de samba. Ela estava lá. Sempre está. Em todas as ocasiões importantes do Ministério da Saúde, Teresa é chamada para cantar.

Tão logo a emoção começou a fazer brotar lágrimas por ali, Teresa levantou os braços na direção do ministro e entoou versos de "O que é o que é?", a famosa música de Gonzaguinha.

– "Viver / E não ter a vergonha de ser feliz / Cantar e cantar e cantar / A beleza de ser um eterno aprendiz."

Todos a seguiram, inclusive Mandetta:

– "Ah, meu Deus! / Eu sei, eu sei / Que a vida devia ser bem melhor e será / Mas isso não impede que eu repita / É bonita, é bonita e é bonita."

Mal acabou essa cantoria, o próprio Mandetta puxou outra, "Argumento", de Paulinho da Viola.

– "Faça como um velho marinheiro / Que durante o nevoeiro / Leva o barco devagar."

Ele levantava os braços e se balançava, em ritmo de samba. Fernanda completou:

– "Tá legal / Tá legal / Eu aceito o argumento / Mas não me altere o samba tanto assim / Olha que a rapaziada está sentindo a falta / De um cavaco, de um pandeiro / Ou de um tamborim."

A música era emblemática. O ministro a citara dezenas de vezes nas coletivas dos últimos dias. Sempre que era perguntado sobre planos para sair da quarentena, dizia que era preciso cautela, que o ministério não tinha todas as informações de que precisava, havia muitas dúvidas sobre praticamente todos os aspectos do enfrentamento. Era como se navegássemos em meio ao nevoeiro. Daí a canção.

O ministro pediu a palavra. Fez um discurso breve. Agradeceu a todos. Disse sair não com a sensação do dever cumprido, pois ainda muito havia por fazer, mas sabendo que fizera tudo o que estava ao seu alcance para proteger a população do vírus. Avisou que daria uma entrevista coletiva em seguida. E passou uma última instrução a Marylene.

– Eu quero citar nominalmente cada um da equipe que esteja no auditório. Então avise a todo mundo, porque não quero criar problema pra ninguém. Quem não quiser vínculo comigo, não precisa ir.

– Pode deixar, ministro, eu cuido disso – respondeu a chefe do cerimonial, ela mesma muito emocionada.

Poucos minutos depois, Luizinho entrava no auditório acompanhado do dr. Gabbardo, Robson Santos da Silva, Denizar Viana e Francisco de Assis Figueiredo. Três dezenas de repórteres, cinegrafistas e fotógrafos disputavam espaço com servidores do ministério, que ficaram de pé e saudaram Mandetta com uma longa e emocionada salva de palmas. A distância de mais de metro e meio entre um e outro foi total e completamente ignorada. Os jornalistas, mas só eles, usavam máscaras, todas artesanais, feitas de pano.

Como no Dia do Fico, exatos dez dias antes, não houve perguntas. Luiz Henrique Mandetta fez uma explanação de 29 minutos. Argumentou haver uma discordância dele com o presidente da República e, em havendo, era natural que se buscasse um comando mais alinhado. Agradeceu nominalmente a um a um dos assessores presentes.

O secretário Wanderson chegou treze minutos depois de iniciado o discurso. Ganhou um abraço carinhoso do chefe e palmas agradecidas da parte da equipe que estava sentada na plateia. Erno embarcara rumo a Porto Alegre. Mayra não apareceu.

A demissão fora publicada minutos antes, numa edição extra do *Diário Oficial*. E, poucos minutos depois de iniciada a de Mandetta, no Ministério da Saúde, Bolsonaro convocou uma entrevista coletiva no Palácio do Planalto, para apresentar o novo ministro, Nelson Teich.

Após a coletiva, o primeiro escalão subiu novamente ao quinto andar. Os servidores esvaziaram o auditório aos poucos e alguns jornalistas ficaram sentados onde estavam, escrevendo os textos ali mesmo.

No gabinete, os pertences de Mandetta já haviam sido levados. Restavam somente a imagem de Nossa Senhora Aparecida e, junto dela, um panfleto de Santa Dulce dos Pobres, que recebera no Vaticano, durante cerimônia de santificação da freira baiana.

Marylene chamou a todos para voltar ao térreo.

– Vamos pendurar o retrato do senhor na Galeria dos Ministros – propôs. A chefe do Cerimonial já tinha colocado na moldura uma foto de Mandetta escolhida pela dra. Cristina.

A Galeria dos Ministros toma toda a parede do hall de entrada das autoridades no prédio. Assim que passa pela porta de vidro para acessar o elevador privativo, o visitante dá de cara com as fotografias dos ministros, desde o primeiro, Antônio Balbino de Carvalho Filho, até o último – naquele dia, Gilberto Occhi.

– Vamos! – animou-se Mandetta. – Marylene, eu quero deixar esse panfleto da irmã Dulce atrás na minha foto. Eu posso, tem como?

– Claro que pode, chefe.

– Então vamos.

– De lá, o senhor já vai embora? Já é pra deixar o carro esperando?

Lá de longe, uma das secretárias, servidora de carreira do ministério, observou:

– Já saiu a exoneração. Então ele não pode mais usar o carro oficial.

Fez-se um silêncio embaraçoso.

– Pode deixar, ministro. Eu cuido disso – disse Marylene.

Todos se puseram mais uma vez a caminho do térreo. Àquela altura, o grupo tinha umas vinte pessoas, pois integrantes das equipes dos secretários e dirigentes haviam se juntado numa espécie de cortejo.

Desci de escada, por isso precisei acessar a Galeria dos Ministros passando por dentro do auditório Emílio Ribas. O lugar estava vazio, exceto por Natália Cancian, a repórter da *Folha de S.Paulo* que cobria o ministério. Noticiava tudo o que se passava lá com crítica e, por vezes, até excesso de dureza, mas nunca com má-fé. Por isso, era querida por toda a equipe, sobretudo pelo ministro.

Ela havia acabado de escrever o texto da "coletiva" e arrumava as coisas para ir embora. Convidei-a para acompanhar a "cerimônia" da foto. Não havia jornalistas por perto, então seria exclusivo, seria um "furo" para ela, que abriu um sorriso desconfiado.

Peguei Natália pela mão e entrei na Galeria dos Ministros anunciando aos muitos assessores que estavam ali:

– Pessoal, atenção. Esta aqui é Natália Cancian, da *Folha*. Ela vai acompanhar a cerimônia. Então que fique bem claro: tem jornalista no recinto!

Ninguém protestou. Ela ficou à vontade.

Luizinho chegou e a sala estava lotada. Eu me aproximei e cochichei:

– Natália da *Folha* tá aí, viu?

Ele assentiu. Estava emocionado. Falou por mais de dez minutos. Inflamou-se como se estivesse num palanque.

– Quando fui a Salvador ver o hospital da obra de irmã Dulce, estava com o prefeito ACM Neto e ele se ajoelhou. Eu decidi me ajoelhar também e rezar para que ela iluminasse o país. E disse: "Irmã Dulce, se a senhora for santa, vou ao Vaticano". Achei que ia demorar trinta anos e pagar a promessa lá na frente... (ele se referia ao fato de ela ter sido canonizada em 2019, bem mais cedo do que supunha), mas fui. Chegando lá, o que eu pedi foi: "Protege o SUS, porque, ao proteger o SUS, a senhora protege muita gente". A obra dela era uma obra para gente pobre, gente da rua de Salvador, que ela nunca negou, nunca fechou a porta. Tudo o que fizemos aqui foi pensando nos mais humildes. No dia em que gente desse ministério me falou como era o ônibus que vinha para cá, o grau de proximidade das pessoas, vamos falar em isolamento social como? O SUS vai pagar a conta de séculos de negligência, de favela, de falta de saneamento básico, de falta de cuidado com o povo mais humilde que é a grande massa trabalhadora desse país.

Não sei como ele foi para casa naquele dia. Marylene providenciou.

Reencontrei-o na manhã do dia seguinte, no mesmo quinto andar do edifício-sede do Ministério da Saúde. Eu estava servindo de cicerone ao cinegrafista do documentário. Mandetta resolvera comparecer à cerimônia de posse de Nelson Teich atendendo a um convite da primeira-dama, Michelle Bolsonaro. E passou no ministério antes de ir para o Planalto.

Vestia terno preto e trazia, no pescoço, a famosa gravata azul, a que ele repetia ser "a da sorte". Depois de uma longa entrevista a uma rádio de Campo Grande, que ele concedeu na sala da chefia da assessoria parlamentar, foi pela última vez até a sala reservada, onde almoçara inúmeras vezes durante a pandemia, atrás da sala de despachos do ministro da Saúde.

Estávamos só eu, ele e o documentarista. Depois chegou o dr. Gabbardo, que o acompanharia até o Planalto.

O celular de Mandetta tocou. Ele atendeu de pronto, colocando-o no viva-voz, como sempre.

– Alô, meu filho.

– Oi, dona Olga, bom dia! – falou carinhosamente.

– Meu filho, eu estou ligando para saber como é que você tá.

– Tá tudo bem, mãe. Eu vou praí no fim de semana, aí eu vou passar aí pra ver vocês.

– Você fez tudo certo, meu filho. Você demonstrou que tem caráter, que acredita em valores, que tem fé em Deus, mas também tem fé na ciência.

– Obrigado, mãe. – Mandetta estava emocionado. A voz rateou. Mas ele segurou o choro. – O dr. Hélio tá aí?

– Tá, sim, tá aqui, ele vai falar com você.

– Alô?

– Pai?

– Oi, meu filho. Como você tá?

– Tá tudo bem, pai. Eu vou agora para a posse do outro ministro. Amanhã eu vou pegar o carro e vou aí pra Campo Grande. Depois vou passar um tempinho na fazenda.

– Tá certo. Olha, eu quero lhe dizer que estou muito orgulhoso de você. Você honrou a nossa profissão, você se manteve firme, eu tenho muito orgulho, viu, meu filho?

– Tá certo, pai, obrigado... Eu tô com saudades, tô doido pra abraçar o senhor.

Pai e filho se despediram com palavras brandas e amorosas. Logo em seguida o celular tocou novamente. O ex-ministro ainda se recompunha do banho de afeto que tomara há pouco.

– Alô?

– Alô, ministro, aqui é a Michelle.

– Olá, primeira-dama, bom dia.

– Bom dia, querido. Eu estou ligando para dizer que meu coração está triste pela sua saída, viu?

– Ô, eu fico agradecido, obrigado...

– Eu não entendo muito de política, acho que deve ter algum motivo para que as coisas tenham saído desse jeito, mas eu queria que você soubesse que eu estou muito triste, viu? Você tem meu apoio, meu carinho, pode contar sempre comigo.

– Obrigado, obrigado. A senhora foi fundamental pra gente tirar do papel aqueles projetos dos raros, viu?

A esposa de Bolsonaro desde o primeiro dia de governo se incumbira de pressionar politicamente os tomadores de decisão em benefício dos pacientes de doenças raras. Conseguiu acelerar a aprovação da cobertura pelo SUS de um remédio – feito à base da terapia genética inglesa – contra a atrofia muscular espinhal (AME). Também agilizou a adoção de um protocolo de tratamento da epidermólise bolhosa, doença de pele que acomete as chamadas "crianças-borboletas". Era a isso que Mandetta se referia.

– Sim, eu ajudei, mas vocês que fizeram tudo. Nós fizemos uma boa parceria.

– Muito obrigado pela sua atenção, viu, Michelle?

– Você vem para a posse, não é?

– Vou, sim, estou saindo agora.

Despediram-se. Mandetta foi à posse de Nelson Teich. Sua esposa, Terezinha, estava sentada na plateia. Numa situação absolutamente incomum, ele foi chamado a fazer um discurso. Falou por onze minutos. Com a mesma voz aveludada de sempre, porém mais agitado que o normal, fez um inventário de toda a gestão, sublinhando a ênfase na atenção primária, sua marca pessoal. Minimizou as brigas com o presidente da República, a quem agradeceu de forma especial.

Em seu discurso, Bolsonaro falou menos do que o demitido – apenas nove minutos e quinze segundos. Também minimizou a rusga.

– Podemos perguntar: por que substituir? A visão minha é um pouco diferente do ministro que tá focado no seu ministério. A minha visão tem que ser mais ampla. Os riscos maiores logicamente estão sob minha responsabilidade, eu tenho o dever de decidir, eu não posso me omitir. Eu tenho que buscar aquilo que, segundo o povo que acreditou em mim, deve ser feito. A visão do Mandetta, uma visão muito boa, era da saúde, da vida. A minha, além da saúde e da vida, entrava o Paulo Guedes, entrava a economia, entrava o emprego. Desde o começo, eu tinha uma visão, e ainda tenho, que nós devemos abrir o emprego. Porque o efeito colateral do combate ao vírus não pode ser, no meu ponto de vista, mais danoso do que o próprio remédio. Eu tenho certeza de que o Mandetta deu o melhor de si para atingir o seu objetivo e eu agradeço, Mandetta, do fundo do coração. Aqui não tem vitoriosos nem derrotados. A história lá na frente vai nos julgar. E eu peço a Deus que nós dois estejamos certos lá na frente.

No dia seguinte, a manhã do sábado chegou rósea e clara, mas sem calor em Brasília. Luizinho e Terezinha entraram no carro aos primeiros raios de sol. Teriam que percorrer mais de mil quilômetros, saindo pela estrada Parque de Indústria e Abastecimento, via que deixa o quadrilátero do Distrito Federal pelo oeste da parte sul. Venceriam a serra do Ouro em direção a Goiânia e deveriam seguir por todo o extenso território do estado de Goiás até passar pelo Chapadão do Sul, já no Mato Grosso do Sul. Finalmente chegariam a Campo Grande, mais de treze horas depois, isso se não parassem para descansar.

No dia em que aquele médico serpenteou pelo Planalto Central de volta pra casa com sua esposa, o paciente de que cuidara nos últimos meses contava 36.739 casos registrados de Covid-19. Até então, 2.359 brasileiros haviam morrido infectados pelo vírus.

POSFÁCIO

QUEM ME LEVOU A ESCREVER este livro foi o então ministro da Saúde, Luiz Henrique Mandetta.

Em meados de março, ele havia pedido que eu, diretor da Assessoria de Comunicação Social, providenciasse um cinegrafista para documentar cada passo do que estávamos vivendo, a luta contra a chegada de um vírus que se alastrara em escala global num período muito curto e que, furtiva e eficazmente, se disseminava no Brasil.

Quando ele fez esse pedido, estávamos todos na sala da advogada Juliana Freitas, um lugarzinho que se tornara a sede das conversas depois do expediente. Enquanto comíamos bolo branco e sorvíamos café ou chá de hortelã, entre balas e chocolates, ríamos, debatíamos, sonhávamos.

Expliquei a Mandetta que havia uma série de empecilhos logísticos, orçamentários e contratuais para fazermos um documentário em vídeo. Mas disse que estava anotando tudo o que se passava à minha vista com riqueza de detalhes.

– Ministro, se o senhor permitir, eu posso documentar tudo isso em livro.

Ele não só permitiu como apoiou com entusiasmo.

– Eu acho ótimo. Faça isso.

Com a permissão e o impulso dele, não só anotei como fotografei muitas das apresentações feitas nas reuniões internas, nos bastidores – aquele âmbito secreto em que a decisão é debatida antes de se tornar uma política pública.

No Brasil, é incomum que esse tipo de perspectiva seja revelada ao público. Como jornalista, tal ineditismo me serviu de estímulo extra, afora a certeza de estar contribuindo às futuras pelejas do sistema público de saúde e de quem o estiver gerindo contra novas ameaças virais ou bacteriológicas.

Estou certo de que meu relato não é o de um senhor do assunto, de uma autoridade. Pelo contrário. É o relato de um serviçal, de um mordomo, não do dono da casa. Assim deve ser visto e assim deve ser entendido.

Por fim, a história deste livro acaba sendo uma homenagem minha ao Sistema Único de Saúde brasileiro, o SUS.

Ele foi criado na Constituição de 1988, portanto é um jovem de 32 anos. E sempre o vi com arrogância financista.

O SUS garante um plano de saúde universal e gratuito a todo ser humano nascido no Brasil.

Aos meus olhos, sempre considerei essa ideia um sonho tolo, impossível. Não dá para um país pagar um plano de saúde universal – médico, remédio, exame, seja de que complexidade for – para 208 milhões de pessoas. Não há dinheiro que chegue!, pensava.

Hoje, minha perspectiva mudou completamente. Ainda o considero um sonho. Mas um sonho tão bonito, uma ideia tão absolutamente altruísta, que a mera tentativa de realizá-lo já vale sua existência.

Com a demissão de "Luizinho", o dr. Gabbardo cuidou da passagem dos dados e informações do que havia sido feito e planejado até ali ao sucessor, Nelson Teich. Doze dias depois foi exonerado e substituído pelo general Eduardo Pazuello. O militar ascenderia ao cargo de ministro na vaga de Teich menos de um mês depois. Mas Gabbardo não abandonou a luta contra o vírus. Nomeado secretário-executivo do Centro de Contingência do Coronavírus no estado de São Paulo, tornou-se assessor de João Dória.

O secretário Wanderson ficou mais 37 dias à frente da Vigilância. Quando finalmente conseguiu deixar o cargo, retomou seu posto de servidor público no Hospital das Forças Armadas e fundou o site epidemiologista.org, em que publica comentários e artigos científicos sobre a pandemia.

Eu pedi demissão no mesmo dia em que Teich assumiu o ministério. Acabei exonerado 21 dias depois. O site *O Antagonista* noticiou assim:

TEICH EXONERA CHEFE DE COMUNICAÇÃO A PEDIDO DO PLANALTO

Nelson Teich exonerou o chefe de comunicação do Ministério da Saúde, Ugo Braga, na última quinta-feira (7), a pedido da Secom do Planalto. Na pasta, a expectativa é que o jornalista seja substituído por um militar indicado pelo número dois do ministério, Eduardo Pazuello.

AGRADECIMENTOS

ESTA OBRA NÃO SERIA POSSÍVEL sem a atuação decisiva de várias pessoas e quero agradecer a algumas delas.

A Carolina, minha filha, por me ensinar o método de escrita que me disciplinou e permitiu concluir o livro.

A Stael, minha esposa, e a Beatriz, minha filha, leitoras do texto quase que em tempo real, pelas críticas todas e pelo bom humor de sempre.

A Francisco, meu filho, por abrir mão da minha companhia por tanto tempo, durante um período em que todos os pais estavam em casa, mas só o seu escrevia um livro freneticamente.

Sobre o autor

Ugo Braga é pernambucano, mas vive em Brasília desde 1996. Jornalista, pós-graduado em economia pela UFRJ, atuou por muitos anos na cobertura econômica, mas foi sendo transferido paulatinamente para a cobertura política, tornando-se repórter investigativo. Foi repórter e editor no *Jornal do Brasil*, *Correio Braziliense*, *Estado de Minas* e *Jornal do Commercio*, das revistas *Época* e *IstoÉ*, e das emissoras TV Brasília e TV Alterosa, de Minas Gerais.

Recebeu prêmios de jornalismo no Brasil e no exterior. Foi porta-voz e Secretário de Estado de Comunicação Social do Governo do Distrito Federal, dirigiu a área de comunicação dos ministérios da Aviação Civil e do Esporte e também do Programa de Parcerias e Investimentos da Presidência da República e Justiça. Em 2020, dirigia a Assessoria de Comunicação Social do Ministério da Saúde quando a pandemia do coronavírus surgiu na China, se espalhou pelo mundo e chegou ao Brasil. Tornou-se consultor externo da Organização Pan-Americana de Saúde (Opas) e atua como consultor independente na empresa que fundou há oito anos, a Casa Forte Comunicação Integrada.

ÍNDICE ONOMÁSTICO

Abelardo Lupion 154, 182, 300, 311
Adriano da Nóbrega 224
Agnelo Queiroz 29, 159
Ai Fen 143, 144
Alberto Tomasi 113, 115, 276
Alexandre Padilha 310
Alexandre Pozza 72
Alex Campos 49, 54, 69, 124
Amanda Costa 37, 263
Amazonino Mendes 135
Ana Miguel 90, 117, 128, 156, 195
André Mendonça 65
Annalisa Malara 215, 216
Antônio Augusto Brandão de Aras 95, 265
Antônio Barra Torres 19, 266
Antônio Brentano 89, 125
Antônio Carlos Magalhães 33
Antônio Carlos Magalhães Neto 33, 322
Antônio Jorge de Souza Marques 207
Antônio Tomasi 270

Beatriz Busch 275

Cacá Diegues 226
Caio Junqueira 250
Carlos Alberto Jurgielewicz 164
Carlos Bolsonaro 84, 139
Carlos de Almeida Batista Jr. 107
Carlos Eduardo Andrekowisk 70, 181, 210, 312
Carlos Eduardo Pereira 27
Carmen Zanotto 180, 185
Carolina Palhares 72
Caroline Martins 82, 232, 245, 260
Christina Lemos 233
Ciro Miranda 72, 100, 138, 201
Clarissa Damaso 107
Cleusa Bernardo 127

Damares Alves 158
Daniela Buosi 145, 201
Daniel Cruz 88, 128, 157, 232
Davi Alcolumbre 122, 201, 301
Denizar Vianna 177, 188, 305, 316
Dilma Rousseff 30, 158, 211, 213

GUERRA À SAÚDE   333

Diogo Mainardi 63
Donald Trump 119, 305
Dráuzio Varella 43, 295

Eduardo Pazuello 328
Edward Jenner 105
Eliane Rodrigues 27
Elisa Lynch 72
Ernesto Araújo 200
Erno Harzheim 58, 87, 88, 95, 130, 232, 244, 250, 272, 307
Eunice de Lima 202

Fábio Lucas 29
Fábio Pannunzio 226
Fabio Wajngarten 45
Fernando Azevedo 200, 276
Fernando Haddad 210, 213
Filipe Figueiredo 241
Flávio Bolsonaro 130, 210
Flávio Dino 269
Flávio Peregrino 64
Francisco Bernd 79
Francisco de Assis Figueiredo 23, 48, 81, 93, 96, 132, 173

Gabriela Rocha 14, 51, 72
Gabriela Wolthers 170
George Hilton 30
Gerson Camarotti 138
Gerson Pereira 309
Gilberto Occhi 24
Glenn Greenwald 158
Gustavo Bebianno 227
Gustavo Franco 100
Gustavo Krause 30
Gustavo Leipnitz Ene 207

Gustavo Pires 130, 155, 172, 180, 274, 299, 300, 310

Hamilton Mourão 276
Hélio Lopes 156
Hélio Mandetta 39
Henrique Meirelles 26
Henry Bedson 105
Hiran Gonçalves 180
Ho Yeh Li 202, 203, 204

Iain Semple 118
Ibaneis Rocha 43, 234, 252, 269
Ivan Consoli Ireno 80

Jacson Barros 299, 315
Jair Bolsonaro 10, 23, 42, 53, 60, 82, 95, 102, 121, 131, 156, 200, 211, 227, 234, 256, 259, 269, 280, 293
James Phipps 105
Janet Parker 105
Jarbas Vasconcelos 28
João Doria 14, 42, 219, 223, 238, 328
João Gabbardo 15, 26, 48, 51, 56, 58, 61, 76, 78, 99, 112, 123, 133, 164, 166, 169, 178, 180, 194, 218, 239, 243, 278, 286, 312, 328
Jorge e Mateus 187, 242
José Antônio Dias Toffoli 262, 266, 299
José Carlos Aleluia 57, 70, 100, 271, 286, 291, 300
José Henrique Germann 219, 274
José Melo 135
José Múcio Monteiro 299
Josephine Ma 141
José Salim Mattar Júnior 210
José Sarney 301

Juliana Freitas 50, 70, 118, 120, 160, 201, 266, 314, 327

Juliana Vieira 90, 125, 128, 231, 242, 314

Júlio Croda 150, 161, 197, 237, 264, 270, 276

Jurandir Frutuoso 99, 137, 145, 220, 231

Kim Kataguiri 213

Leonardo Soares 72

Levi Lourenço 25, 89

Luiz Antônio Teixeira Júnior 94

Luiz Eduardo Ramos 45

Luiz Henrique Mandetta 13, 17, 23, 51, 52, 60, 69, 71, 73, 86, 96, 109, 123, 129, 132, 153, 155, 175, 194, 200, 207, 225, 234, 241, 260, 283, 312, 320, 327

Luiz Inácio Lula da Silva 131, 158

Luiz Rila 26

Magalhães Pinto 284

Mara Gabrilli 62

Marco Antonio Toccolini 23, 48, 50

Marcos Paulo Lima 285

Marcos Pontes 276, 290

Marcos Quito 201, 204

Maria Cristina Nachif 51, 56, 112, 127, 130, 160, 178, 179, 180, 182, 189, 194, 210, 227, 253, 281, 286, 289, 291, 310

Maria Fernanda (Mafê) 72

Mariana Moncayo 90, 91

Marielle Franco 224

Marília Mendonça 241

Mário Rosa 158

Marisete Scalco Franke 123

Marylene Rocha de Souza 35, 36, 38, 57, 111, 182, 184, 185, 321, 323

Matheus Vargas 197

Maurício Valeixo 131

Mauro Junqueira 247

Mayra Correia Pinheiro 97, 281, 297

Michelle Bolsonaro 43, 323

Michel Temer 24

Miriam Leitão 225

Mônica Bergamo 306

Monique Orelli 182

Nádia Vaez 107

Natália Cancian 118, 122, 322

Nelsinho Trad 153

Nelson Teich 316, 321, 325, 328

Newton Palma 37, 231, 263

Neyfla Garcia 263

Nilo Bretas Júnior 220

Onyx Lorenzoni 24, 64, 74, 106, 176, 238, 251, 256, 272, 276, 290

Orlando Silva 30

Oscar Niemeyer 181

Osmar Terra 26, 49, 123, 174, 179, 211, 238, 250, 290

Oswaldo Eustáquio 158

Patrícia Campos Melo 223

Paulo Guedes 121, 132, 237, 261, 266

Paulo Roberto Barros e Silva 29

Paulo Rossi Menezes 219

Pedro Guimarães 256

Pedro Lupion 311

Polyanna Abritta 283

Qu Yuhui 244

Raimundo Carreiro 10
Raquel Melo 97, 299
Raul Botelho 65
Renan Calheiros 301
Renan Santos 212
Renato Strauss 16, 18, 36, 40, 54, 64, 118, 138, 167, 169, 256, 306, 310
Roberto Dias 61, 76, 115, 119, 175, 208, 266, 297
Robson Santos da Silva 15, 125, 127, 130, 278, 304
Rodrigo Frutuoso 145, 161, 202
Rodrigo Maia 122, 201
Rodrigo Tobias 134, 136, 250, 286
Rogério Caboclo 254
Rogério Marinho 266
Ronaldo Caiado 39, 279, 301
Rosângela Moro 131

Sabine Breton Baisch 123
Sarah Nelmes 105
Sérgio Cabral Filho 81
Sérgio Côrtes 81
Sergio Moro 131, 158, 266, 278
Sílvia Nobre Waiãpi 50, 70, 130
Simone Papaiz 286
Solange Vieira 210, 237
Solano López 71, 72
Sueli Gandolfi Dallari 201

Tadeu Schmidt 283
Tancredo Neves 284
Tarcísio Gomes de Freitas 65, 66, 120, 266, 290, 307
Tasso Jereissati 97
Tedros Adhanom Ghebreyesus 82
Terezinha Alves Mandetta 35, 279, 325
Terezinha Nunes 28
Thaisa Santos Lima 70, 229
Todd Chapman 119

Vera Magalhães 224, 269
Vladimir Netto 253

Wagner Rosário 120, 265, 307
Walter Braga Netto 64, 84, 134, 211, 276, 290
Wanderson Kleber de Oliveira 15, 38, 56, 67, 72, 76, 109, 139, 145, 149, 169, 178, 194, 218, 272, 310, 321, 329
Wiliames Bezerra 185
Wilson Lima 135
Wilson Witzel 264
Wim Degrave 103, 107

Xand Avião 154, 187
Xavier Quatrefages 72

Zileide Silva 166

Em www.leya.com.br você tem acesso a novidades e conteúdo exclusivo. Visite o site e faça seu cadastro!

A LeYa também está presente em:

 facebook.com/leyabrasil

 @leyabrasil

 instagram.com/editoraleyabrasil

▶ LeYa Brasil

ESTE LIVRO FOI COMPOSTO EM DANTE,
CORPO 11/15PT, PARA A EDITORA LEYA BRASIL